Une histoire
de la science arabe

Du même auteur

L'Âge d'or des sciences arabes
Le Pommier, 2005, 2013

Pour l'histoire des sciences et des techniques
(en coll. avec Gabriel Gohau et Jean Rosmorduc)
Hachette Éducation, 2006

Les Découvertes en pays d'Islam
(direction, en coll. avec Cécile de Hosson et David Jasmin)
Le Pommier 2009

Arabes en/de France
(en coll. avec Salah Guemriche et Kaouah Abdelmadjid)
Loubatières, 2010

Les Sciences arabes en Afrique
Mathématiques et astronomie, IXe-XIXe siècles
(en coll. avec Marc Moyon)
Grandvaux, 2011

Ahmed Djebbar

Une histoire de la science arabe

Introduction à la connaissance du patrimoine scientifique des pays d'Islam

ENTRETIENS AVEC JEAN ROSMORDUC

Éditions du Seuil

REMERCIEMENTS

Ce travail a été suivi pas à pas, lu et corrigé par Francine Auriol, Françoise Delaume et Catherine Elzière. Nous tenons à les remercier vivement pour s'être acquittées de cette tâche ingrate et pour avoir fait bénéficier le livre de leurs corrections, de leurs remarques et de leurs suggestions. Ce qui a permis d'en améliorer grandement le contenu, la formulation et la présentation.

ISBN 978-2-02-039549-6

Il n'y a pas de divergence, parmi les gens sages et informés, sur le fait que les sciences, dans leur totalité, sont apparues selon la règle de l'accroissement et de la ramification et qu'elles ne sont pas limitées par une fin qui ne supposerait pas le dépassement.

as-Samaw'al al-Maghribī (m. 1 175),
Livre sur le dévoilement des travers des astrologues,
Ms. Leyde, University Library, Or 98, f. 1b.

Carte de l'Empire musulman

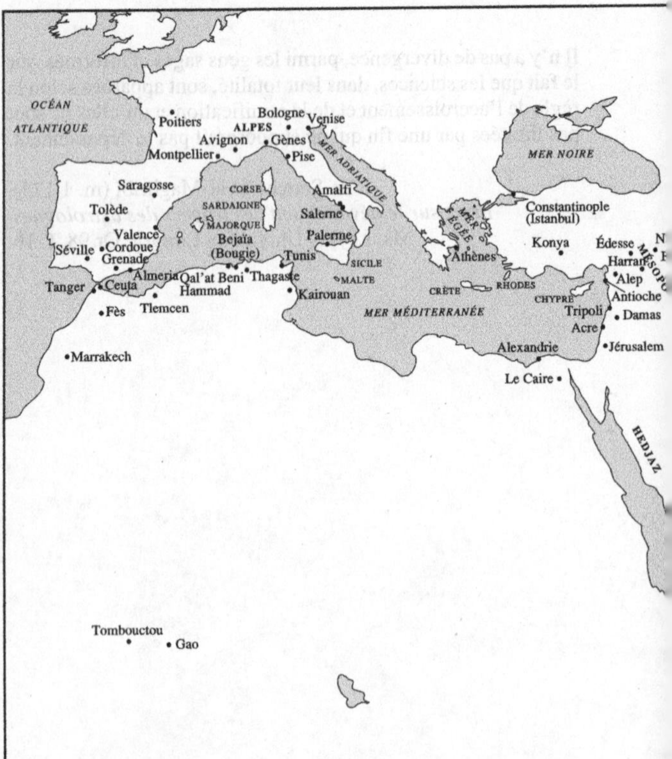

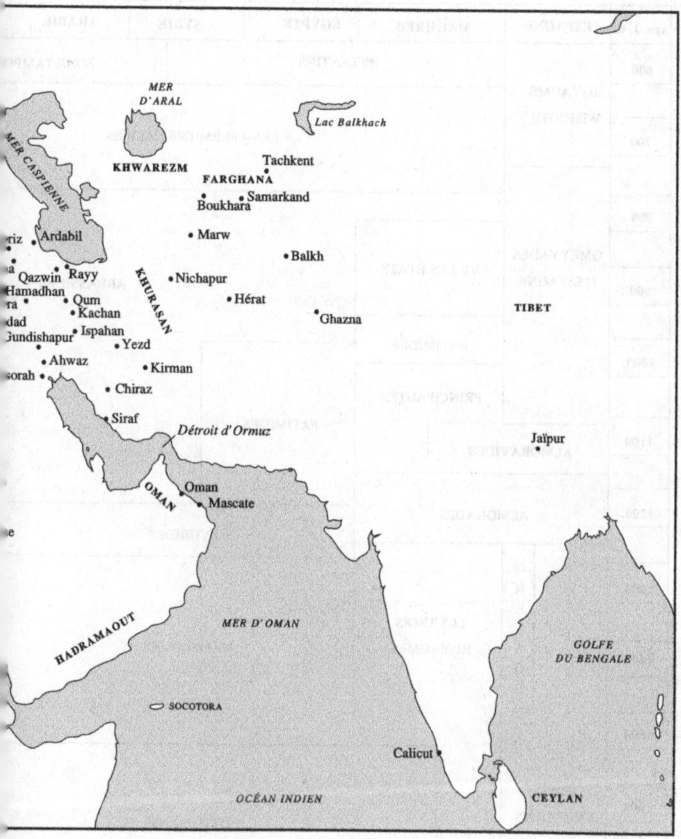
MER D'ARAL
Lac Balkhach
MER CASPIENNE
KHWAREZM
FARGHANA
Tachkent
Boukhara
Samarkand
Ardabil
Marw
Balkh
Qazwin
Rayy
KHURASAN
Nichapur
Hamadhan
Qum
Hérat
Kachan
Ghazna
TIBET
Gundishapur
Ispahan
Yezd
Ahwaz
Kirman
Chiraz
Siraf
Détroit d'Ormuz
Jaïpur
OMAN
Oman
Mascate
HADRAMAOUT
MER D'OMAN
GOLFE DU BENGALE
SOCOTORA
Calicut
OCÉAN INDIEN
CEYLAN

Tableau chronologique des différentes dynasties de l'Empire musulman (VIIIe-XIXe siècle)

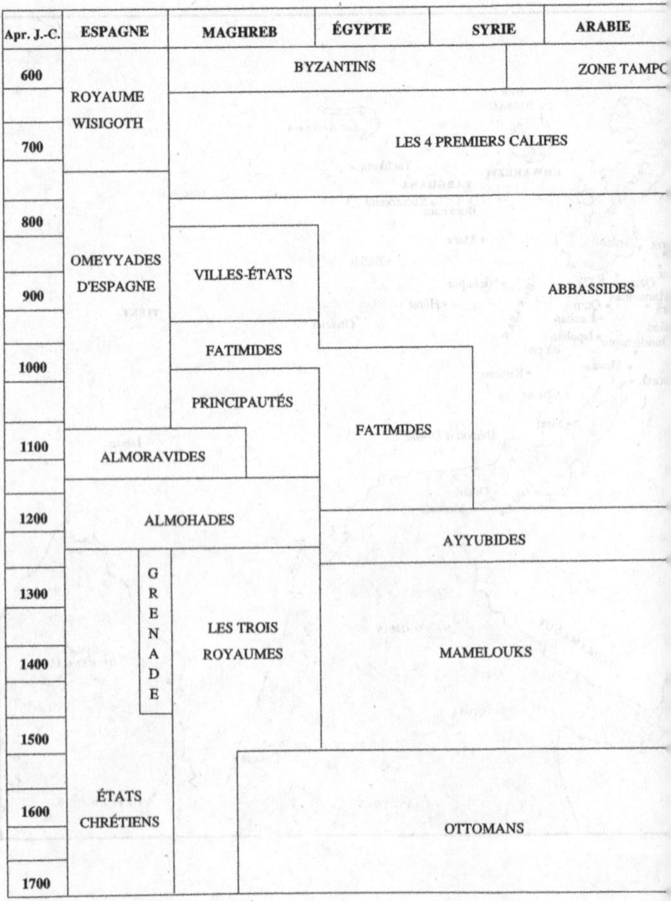
Apr. J.-C.
ESPAGNE
MAGHREB
ÉGYPTE
SYRIE
ARABIE
600
700
800
900
1000
1100
1200
1300
1400
1500
1600
1700
BYZANTINS
ZONE TAMPO
ROYAUME WISIGOTH
LES 4 PREMIERS CALIFES
OMEYYADES D'ESPAGNE
VILLES-ÉTATS
ABBASSIDES
FATIMIDES
PRINCIPAUTÉS
FATIMIDES
ALMORAVIDES
ALMOHADES
AYYUBIDES
GRENADE
LES TROIS ROYAUMES
MAMELOUKS
ÉTATS CHRÉTIENS
OTTOMANS

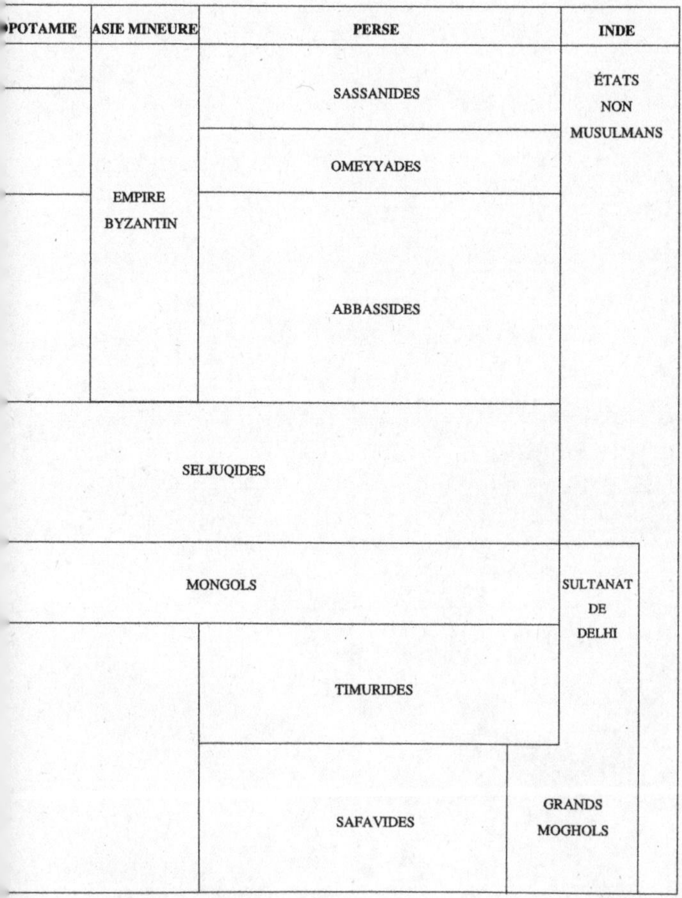
POTAMIE
ASIE MINEURE
PERSE
INDE
SASSANIDES
ÉTATS NON MUSULMANS
OMEYYADES
EMPIRE BYZANTIN
ABBASSIDES
SELJUQIDES
MONGOLS
SULTANAT DE DELHI
TIMURIDES
SAFAVIDES
GRANDS MOGHOLS

Introduction

Les activités scientifiques des siècles qui furent jadis les plus fastes de la civilisation arabo-musulmane – du IXᵉ au XVᵉ siècle – sont mal connues de la plupart des lecteurs francophones. Décriées, voire niées par différents auteurs du XIXᵉ et du début du XXᵉ siècle, tels Ernest Renan, Pierre Duhem, etc., elles n'apparaissent que furtivement dans les histoires générales des civilisations et, dans le meilleur des cas, comme une simple transmission entre la Grèce et l'Europe de la Renaissance. Certes, depuis la Seconde Guerre mondiale et la conférence de Bandung (1955), depuis les luttes de libération des pays du tiers-monde, l'état d'esprit a changé. Il nous a semblé cependant qu'une lacune subsistait dans l'édition, en partie comblée par des ouvrages accessibles aux seuls spécialistes. C'est pourquoi nous avons entrepris de rédiger ce modeste ouvrage, à la fois pour pallier une insuffisance et pour contribuer à réparer une injustice historique.

Ce faisant, nous avons visé différents buts. En premier lieu, il s'agit pour nous de tenter de présenter aux lecteurs qui n'ont pas de connaissance spéciale dans telle ou telle discipline une vue d'ensemble et synthétique sur les aspects essentiels des activités scientifiques pratiquées dans le cadre de la civilisation arabo-musulmane. En deuxième lieu, nous avons souhaité exposer, de la manière la plus accessible possible, les résultats de la recherche de ces cinquante dernières années, en espérant ainsi corriger ou compléter certaines informations, tout en apportant des éléments peu connus du grand public sur les contributions originales des scientifiques des pays d'Islam. En troisième lieu, il nous a semblé nécessaire de donner une information précise sur les acteurs de ces activités scientifiques et sur leurs productions, et plus particulièrement sur ceux qui sont rarement évoqués parce que leurs contributions n'ont pas encore été publiées dans les langues européennes. Enfin, en quatrième lieu, étant convaincus que la production scientifique n'est qu'une composante des activités d'une société donnée à différentes époques de son histoire et une étape dans la grande aventure scientifique de l'humanité, nous avons constamment eu pour souci d'évoquer, dans la mesure du possible, les autres aspects relatifs à la civilisation qui ont accompagné ces activités scientifiques.

Nous avons tenu compte du fait que les lecteurs de ce livre n'ont pas eu, dans leur grande majorité, la possibilité de se familiariser avec l'histoire de la civilisation arabo-musulmane, encore moins avec l'histoire de ses sciences, et, d'une manière plus générale, avec les activités intellectuelles qui y ont été pratiquées durant des siècles. La situation s'est relativement améliorée depuis l'introduction, il y a quelques années, dans les programmes et dans les manuels scolaires, d'un certain nombre de chapitres sur l'Islam et sa civilisation. Mais, à notre avis, cela reste en deçà de ce que l'on devrait connaître en France et en Europe sur le sujet. Aussi avons-nous jugé utile de consacrer le premier chapitre de ce livre à certains aspects liés aux contextes géographiques, sociaux, culturels, politiques et économiques dans lesquels sont nées et se sont développées les sciences arabes, du IXe au XVe siècle.

En plus d'un certain nombre d'informations nouvelles qui manquent dans d'autres ouvrages de vulgarisation et qui ont été insérées dans ce livre, nous avons voulu apporter un regard différent : évitant de se cantonner aux foyers scientifiques de l'Orient musulman, nous évoquons, d'une manière développée, les contributions des autres centres, et plus particulièrement celles de l'Espagne et du Maghreb. Ces deux régions ont souffert de deux phénomènes : la faiblesse des recherches portant sur l'histoire de certaines activités scientifiques attestées dans ces régions, et la persistance de préjugés sans fondement à la fois sur leurs contributions au développement des activités intellectuelles en pays d'Islam et sur l'originalité de certaines de ces contributions. Comme on le verra tout au long des pages à venir, l'importance quantitative et qualitative de ces deux traditions scientifiques est tout à fait incontestable.

Cela dit, et malgré notre volonté de présenter le maximum d'informations sur les sujets abordés, nous ne répondrons pas à toutes les interrogations des lecteurs, non seulement parce que nous ne connaissons pas tous ces sujets dans le détail, mais aussi, et surtout parce que, dans l'état actuel de la recherche, de nombreuses questions (que nous-mêmes nous nous posons parfois) sont encore sans réponse. Nous espérons que, dans les années à venir, nous pourrons non seulement compléter et améliorer les informations présentées dans ce livre, mais également aborder des aspects nouveaux sur lesquels les recherches futures auront apporté au moins un peu de lumière. Nous sommes en effet convaincus, au vu du dynamisme actuel de la recherche sur l'histoire des sciences arabes, que, dans quelques années, certaines des réponses esquissées dans ce livre pourront être complétées, enrichies et peut-être même révisées. Ce fut déjà le cas durant les deux dernières décennies, en particulier pour l'histoire de certains chapitres des mathématiques et de l'astronomie arabes, et il n'y a pas de raison pour que cela ne se reproduise pas dans l'avenir pour ces mêmes disciplines et pour d'autres.

Par ailleurs, compte tenu du volume réduit de ce livre, nous avons été contraints de faire des choix et de nous limiter à des exposés généraux sur des sujets concernant des disciplines relativement techniques, comme les mathématiques, la physique et l'astronomie.

Nous avons préféré présenter la matière de ce livre sous la forme d'un entretien, à la fois pour aérer l'exposé et pour le rendre plus vivant. La forme retenue, en abrégeant parfois les développements, facilite dès lors l'introduction d'interrogations qui peuvent naître chez certaines catégories de lecteurs, comme nous avons pu le constater dans le cadre de nos activités tant culturelles que professionnelles. Dans un certain nombre de cas, nous avons volontairement introduit des commentaires ou des rappels afin de préciser les explications données et pour mieux les situer dans un contexte ou dans une problématique dépassant le cadre de la civilisation arabo-musulmane. D'une manière générale, nous pensons qu'il ne faut pas isoler les événements scientifiques de cette civilisation des épisodes qui les ont précédés, et peut-être alimentés, comme de ceux qui en ont été le prolongement naturel dans le cadre de l'histoire postérieure.

Quant aux réponses aux questions, elles sont, à quelques exceptions près, relativement courtes et elles ne dépassent pas les limites des problèmes évoqués. Autrement dit, il ne s'agit pas d'un exposé détaillé sur le sujet suscité par chaque question. Il est vrai que la compréhension parfaite de certaines explications justifierait parfois de longs développements, sous forme de paragraphes étoffés et structurés. Il nous était possible de le faire pour tous les sujets relevant de nos activités d'enseignement ou de recherche. Ce faisant, nous risquions néanmoins d'introduire un déséquilibre entre les différents thèmes, ce que nous avons jugé préférable d'éviter.

Nous nous sommes également efforcés de répondre à l'attente des lecteurs qui souhaiteraient approfondir leurs connaissances sur tel ou tel sujet exposé brièvement dans le livre. À leur intention, nous avons réservé les encadrés à des informations techniques ou bibliographiques, et nous avons regroupé, à la fin de chaque chapitre, les références de publications spécialisées. Pour d'évidentes raisons de commodité, nous avons privilégié les références bibliographiques écrites en français et publiées en France. Bien sûr, nous n'avons pas sacrifié les références de base (publiées en allemand, en anglais, en arabe et en espagnol), que nous avons rassemblées dans la bibliographie générale.

Ce faisant, nous savons que nous ne répondons que superficiellement à un certain nombre d'interrogations, risquant donc de décevoir les lecteurs qui ont déjà des connaissances solides sur l'histoire de certaines disciplines à d'autres époques et qui souhaiteraient peut-être disposer d'analyses approfondies et détaillées sur leur évolution dans le cadre de la civilisation arabo-musulmane. Mais, comme ce livre se veut seulement une introduction à un vaste domaine qui mériterait certes de plus amples développements, nous espérons que sa lecture donnera envie au lecteur d'en savoir davantage.

Nous aimerions que cette contribution puisse convaincre le public que la science arabe, qui ne se réduit pas aux apports de quelques savants prestigieux, représente dans l'histoire de la science à l'échelle de l'humanité, non pas un épiphénomène, mais un chaînon spécifique dans un long processus. Héritière de presque toutes les traditions scientifiques qui l'ont précédée (et pas uniquement celle de la Grèce), passage obligé vers les sciences ultérieures, elle constitue l'une des phases importantes qu'a connues l'humanité dans sa quête obstinée de la vérité, cette quête qui a démarré lentement dans la nuit des temps et qui s'est poursuivie à travers les traditions prestigieuses de la Chine, de l'Inde, de la Mésopotamie, de l'Égypte et de la Grèce (pour ne parler que de celles qui ont eu un lien attesté avec la tradition scientifique arabe).

Enfin, nous devons préciser que nous avons opté, volontairement, pour une transcription internationale des lettres arabes (dans l'écriture des noms propres, des titres d'ouvrages et de certains éléments de la terminologie scientifique arabe). C'est la raison pour laquelle nous avons donné, au début du livre, un tableau de ces transcriptions avec leurs correspondances phonétiques. Cela pourra aider certains lecteurs qui auraient à consulter des ouvrages spécialisés concernant telle ou telle discipline traitée dans ce livre.

Toujours par souci de rigueur, nous avons systématiquement donné, pour les ouvrages arabes et ceux traduits en arabe à partir du VIIIe siècle, la transcription latine de leur titre suivie, entre crochets, de la traduction française de ce titre. En faisant ainsi pour les écrits grecs, nous avons voulu restituer exactement les titres donnés à ces ouvrages non arabes par les traducteurs et non pas leurs titres originels grecs.

Transcriptions latines des lettres arabes

ʼ .... ء	ḍ .... ض
b .... ب	ṭ .... ط
t .... ت	ẓ .... ظ
th .... ث	ᶜ .... ع
j .... ج	gh .... غ
ḥ .... ح	f .... ف
kh .... خ	q .... ق
d .... د	k .... ك
dh .... ذ	l .... ل
r .... ر	m .... م
z .... ز	n .... ن
s .... س	h .... ه
sh .... ش	w .... و
ṣ .... ص	y .... ي

bā .... با	bī .... بی
bū .... بو	

1. Avènement et essor de l'Empire musulman

Notre objectif est de dépeindre la richesse de la science arabe médiévale et de rappeler ses apports à l'évolution mondiale des sciences à travers le temps. Il est aussi d'analyser les raisons de son émergence et les conditions dans lesquelles elle a progressé et s'est épanouie.

Je propose donc de commencer par quelques points de géographie et par l'évocation de l'histoire de la civilisation arabo-musulmane, du moins dans ses grands traits.

Entre Méditerranée et océan Indien

Le noyau central dans lequel apparaît la nouvelle religion – l'Islam – qui sera le fondement de cette civilisation et son moteur initial, est constitué par la péninsule Arabique elle-même et par ce que l'on appelle le Croissant fertile, c'est-à-dire l'espace occupé par l'ancienne Syrie, la Palestine et l'Irak. Ces territoires jouxtent la Méditerranée et la mer Rouge – avec accès à l'océan Indien. Au-delà existe une première périphérie, avec la Perse, l'Égypte, etc., qui va rapidement jouer un rôle aussi important que le centre. La deuxième périphérie inclut l'Afghanistan et le Turkestan, le Maghreb puis l'Espagne. La partie asiatique débouche directement sur les steppes d'Asie centrale. Certaines régions du sud de l'Europe – Sicile, Italie du Sud – seront également occupées pendant un temps et, au-delà, le contact sera maintenu grâce à la maîtrise du commerce en Méditerranée. Il faut aussi mentionner l'Anatolie, dirigée par l'Empire byzantin, avec lequel les échanges existeront en permanence, sauf évidemment pendant les moments de conflit ouvert.

Plusieurs pays du « noyau central » et des périphéries ont été le siège de vieilles, de très vieilles civilisations. Nous aurons l'occasion de le répéter, car c'est un élément fondamental pour comprendre l'éclosion et l'essor des activités scientifiques dans l'Empire musulman.

Par la Méditerranée et l'Asie Mineure, cette nouvelle civilisation a des contacts avec l'Europe et le nord de l'Afrique. L'Égypte et le Maghreb la font communiquer avec l'Afrique noire, de même que l'Éthiopie, *via* la mer Rouge. Par sa partie asiatique, elle a accès à l'Inde et à la Chine, ce que lui permet de contrôler aussi l'océan Indien. Et, par ce dernier, ses navigateurs pourront voguer très loin au sud, le long des côtes africaines, jusqu'à l'île de Zanzibar, au Mozambique et à Madagascar. La situation géographique de l'Empire musulman est donc déterminante par les possibilités qu'elle offre, du point de vue aussi bien des routes terrestres que des routes maritimes.

Outre le Croissant fertile, certaines contrées auront un rôle décisif. C'est le cas notamment de l'Égypte, de la Perse et d'al-Andalus, c'est-à-dire la partie de la péninsule Ibérique contrôlée par le pouvoir musulman.

Au départ cantonné à une zone relativement limitée – même si elle est capitale du point de vue de la civilisation –, l'Islam a rapidement élargi son champ d'influence. On peut d'ailleurs intégrer, d'un point de vue économique, la majeure partie de l'Europe méditerranéenne à ce processus.

On notera l'effacement rapide de l'Arabie dans le cours de cette évolution, sur le plan aussi bien économique que politique. Au départ, elle a joué un rôle religieux, bien sûr, mais également politique et culturel. Mais, à partir de 661 (arrivée au pouvoir des Omeyyades), seule la dimension religieuse subsistera.

Quelles sont les principales caractéristiques de cette région – tout au moins de ce que vous avez qualifié de « noyau central » – avant l'avènement de l'Islam ?

Sur le plan politique, elle était dominée par deux entités puissantes : l'Empire byzantin et l'Empire perse, celui des

Sassanides. Entre les deux, il y avait une « zone tampon », occupée par des populations arabes.

L'Empire byzantin était le successeur de l'Empire romain sur sa partie orientale, la composante occidentale de ce dernier s'étant définitivement effondrée en 476. Mais il englobait encore plusieurs zones périphériques, notamment l'Égypte et une partie du Maghreb oriental. C'était un État théocratique – le christianisme dit « orthodoxe » en était la religion officielle – assez fortement centralisé. Au VIIe siècle, le pouvoir s'est heurté, dans le domaine idéologique, à des contestations multiples, qui ne sont pas étrangères à son affaiblissement.

La Perse était une puissance agricole dirigée par une oligarchie militaire. Sur le plan religieux, le mazdéisme[1] était dominant, mais d'autres religions polythéistes étaient tolérées, ainsi que le judaïsme et la religion des sabéens[2].

Quant à la zone tampon, elle était peuplée de tribus arabes dont les allégeances étaient partagées : certaines, comme les Ghassanides (qui étaient chrétiens monophysites), reconnaissaient le pouvoir byzantin ; d'autres, comme les Lakhmides, penchaient pour le pouvoir perse. Leurs activités économiques étaient centrées sur le commerce régional, qui leur permettait de jouer le rôle de relais entre les zones byzantine et sassanide.

Les territoires de ces deux empires, comme d'ailleurs la zone tampon, comprenaient des régions bien irriguées depuis longtemps (en particulier la Mésopotamie), beaucoup de zones désertiques et quelques marais. Leurs économies étaient essentiellement agricoles, avec une activité artisa-

1. Les mazdéens sont les adeptes de la religion de Zarathoustra, fondée sur l'opposition entre deux principes qui gouverneraient le monde : le bien et le mal.

2. Les sabéens pratiquaient un culte apparenté au paganisme mésopotamien, centré sur l'adoration de la lune et du soleil, pour lesquels des temples étaient construits. Leur doctrine serait d'origine néoplatonicienne. Leur centre spirituel était la ville de Harran, en haute Mésopotamie. Comme le Coran mentionne les sabéens, cela leur a permis d'être assimilés aux « gens du livre », c'est-à-dire aux monothéistes. Ils bénéficièrent alors du statut de « tributaire », qui était inférieur à celui des musulmans mais meilleur que celui des sujets non monothéistes.

Empereurs byzantins du VIIe siècle	Empereurs perses du VIIe siècle
Justinien Ier (527-565)	Khuṣrū Ier (531-579)
Justin II (565-578)	Khuṣrū II (590-628)
Héraclius Ier (610-641)	Yazdgard III (632-651)

nale et un commerce là encore principalement régional, avec quelques échappées lointaines (notamment vers l'extrême Asie par la route de la soie).

Les pouvoirs byzantin et perse étaient, à bien des égards, des « colosses aux pieds d'argile », minés par leurs contradictions internes et affaiblis par les conflits incessants du VIe siècle. C'est l'Empire perse qui va s'effondrer le premier, et très rapidement, sous les coups de boutoir musulmans (634-651). L'Empire byzantin résiste mieux et beaucoup plus longtemps, même s'il perd assez vite un bon nombre de ses possessions. Constantinople ne sera prise qu'en 1453 par les troupes ottomanes (après avoir été affaiblie, pendant les croisades, par les interventions plus ou moins musclées des chrétiens d'Occident)[3].

Quant à l'Arabie proprement dite ?

A l'exception de l'extrémité de la péninsule, qui est plus florissante (notamment le Yémen, dit « Arabie Heureuse »), c'est un pays désertique avec quelques villes commerçantes dont Médine, La Mecque.

Une région agricole et marchande

Quelles populations vivent sur le territoire de ce qui va constituer l'Empire musulman et quels sont leurs acquis culturels ?

3. La quatrième croisade (1202) a été dirigée contre Constantinople.

Je reviens d'abord sur la partie centrale et ses périphéries immédiates : Mésopotamie, Palestine, Égypte, Perse... et même Anatolie (elle est certes sous domination byzantine mais cela n'empêche pas les relations économiques et culturelles). Je le répète : il s'agit, pour une bonne part, de peuples de très vieille civilisation. C'est là, semble-t-il, qu'est née l'écriture, de même que les mathématiques, l'astronomie, la métallurgie... Tout cela après une longue période qui a vu apparaître l'agriculture, l'élevage et quelques formes d'artisanat (céramique, tissage...). Certaines de ces civilisations se sont édifiées autour de fleuves puissants, aux crues périodiques (Nil, Tigre, Euphrate...), nécessitant des techniques d'irrigation perfectionnées.

Il faut rappeler aussi que la civilisation grecque « classique » s'est largement développée dans ce que l'on a baptisé la « grande Grèce », notamment en Asie Mineure et en Sicile, et que les villes phares de la civilisation hellénistique ont été d'abord Alexandrie, bien sûr, mais aussi Harran, Antioche, Édesse.

Les musulmans reçoivent donc, de ce fait, un héritage considérable. Contrairement à d'autres conquérants, il va s'employer à le recueillir, à le faire fructifier et à le développer. Nous aurons l'occasion d'en reparler.

Au-delà du Moyen-Orient, qu'en est-il du Maghreb, de l'Espagne, de l'Asie centrale, de l'Afrique noire subsaharienne ?

C'est ici le moment, je crois, de dire qu'en tant qu'historiens nous sommes tributaires des sources connues, actuellement du moins. Cela relativise parfois certains de nos propos. Nous devons dire : « Dans l'état présent de nos connaissances, compte tenu de ce que nous savons, nous pensons que... »

Cela vaut par exemple pour les apports égyptiens à la science arabe. A-t-elle été influencée *via* la science alexandrine ? Peut-être, c'est vraisemblable, mais on ne peut pas en dire davantage. Cela est vrai aussi, remarquez-le, de certains éléments de la civilisation musulmane qui ont été assez peu étudiés, par exemple des aspects économiques et sociologiques.

Le Maghreb, comme vous le savez, a été partiellement administré par les Carthaginois, les Romains, les Vandales et les Byzantins. Son premier peuplement en profondeur connu est berbère, et il l'est resté pendant tous ces siècles et après l'avènement de l'Islam, même s'il y a eu plusieurs vagues de conquérants arabes. Qu'il y ait eu une certaine vie culturelle au Maghreb avant l'avènement de l'Islam, cela est sûr, et ce ne sont pas les exemples qui manquent, en particulier dans les domaines artistique et architectural. Mais rien ne nous permet de penser que ces activités aient été empreintes exclusivement de « berbérité ». Saint Augustin[4] a été un grand intellectuel mais il s'exprimait en latin, non en tamazight, la langue des Berbères. Quoi qu'il en soit, à lire les plus anciens historiens de l'Islam, il ne semble pas que les Arabes aient trouvé au Maghreb des foyers culturels comparables à ceux de l'Égypte, de la Mésopotamie ou de la Perse. Dans le cas contraire, ils les auraient évoqués au même titre que ceux d'Orient, ou bien ils nous en auraient conservé indirectement des témoignages à travers des emprunts de différentes natures.

En Espagne, la situation était un peu différente. Une culture et une production latines sont attestées au début du VIIIe siècle, c'est-à-dire au moment de la conquête musulmane. Cette production englobait des écrits astrologiques souvent anonymes et un certain nombre d'ouvrages encyclopédiques, historiques ou médicaux, comme les *Étymologies* d'Isidore de Séville[5], l'*Histoire contre les païens* de

4. Saint Augustin est né en 354, à Tagaste (l'actuelle Souk Ahras), dans une famille berbère. Son père était païen et sa mère chrétienne. Après un long cheminement spirituel, qui le mena du manichéisme au néoplatonisme, en passant par le probabilisme, et après une brillante carrière de grammairien à Rome et à Milan, il se convertit, à trente-trois ans, au christianisme. En 393, il est choisi comme prêtre par les habitants d'Hippone (l'actuelle Annaba, en Algérie), puis comme évêque en 395. Il est l'auteur de nombreux ouvrages, dont *Les Confessions*. Il meurt en 430, à Hippone.

5. Isidore de Séville (570-636) est un théologien devenu évêque de Séville. Son ouvrage sur les *Étymologies* traite, par thèmes, de l'ensemble du savoir de l'Antiquité qui était accessible à son époque.

Paul Orose (m. 417)[6], la *Chronique* de saint Jérôme (IVe s.) et les *Aphorismes* d'Hippocrate (m. vers 377 av. J.-C.).

On connaît encore assez mal l'épisode relatif à l'Afrique noire, qui est beaucoup plus tardif (XIIIe-XIVe siècles), sauf à faire entrer en ligne de compte des relations commerciales plus anciennes. L'Afrique subsaharienne a été conquise en partie par les armées du Maghreb extrême. Certains royaumes ont ensuite été plus ou moins rattachés au Maghreb. Les conséquences : l'implantation de l'Islam, une certaine diffusion de l'arabe, qui a influencé quelques parlers (le wolof[7], par exemple) ; enfin, le mode de vie de quelques élites a pu en être un peu modifié.

Quelques textes – d'abord religieux, puis culturels et scientifiques – ont été copiés ou écrits dans la région. Cela se reconnaît en particulier à la calligraphie utilisée, caractéristique de l'Afrique subsaharienne.

Il y avait une calligraphie différente ?

Oui, elle est différente de celles utilisées dans les autres régions des pays d'Islam. Il y a, par exemple, dans certaines bibliothèques du Mali (en particulier à Tombouctou), des textes mathématiques transcrits dans cette calligraphie et apparemment postérieurs au XVe siècle. L'élite des populations subsahariennes a été arabisée et a appris quelques éléments de mathématiques et d'astronomie, essentiellement pour des raisons religieuses : répartition des héritages, détermination des moments de la prière, apparition du croissant de lune, orientation des mosquées et direction de La Mecque.

Sur les plans ethnique et religieux, comment se répartissent ces populations ?

Le Moyen-Orient, et plus généralement toutes les régions qui ont été englobées dans l'Empire romain, sont bien

---

6. L'ouvrage de Paul Orose va connaître une diffusion encore plus grande après sa traduction en arabe, à Cordoue, au Xe siècle.

7. Langue parlée à l'ouest de l'Afrique subsaharienne.

Kūfī

Dīwānī jalī

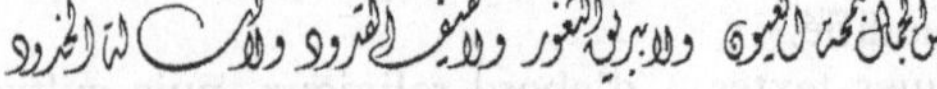

Dīwānī

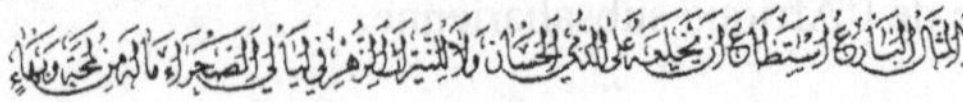

Rayḥānī

Thuluth

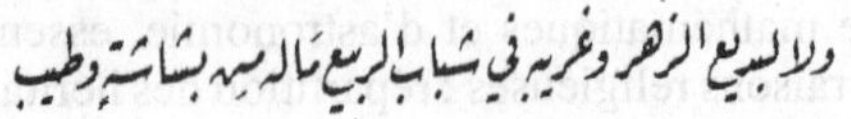

Raqʿī

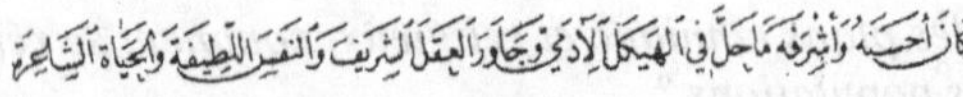

Naskhī

Fārisī

Exemples de calligraphies arabes

connues ; les peuples qui y ont vécu sont, en partie, d'origine sémite (Arabes, Araméens, Juifs, etc.), mais ce sont également des Égyptiens anciens, des Libyques, des Grecs, des Berbères, des Celtes, des Wisigoths, des Turcs, des Nubiens et des Africains noirs... Bref, une très grande diversité et énormément de mélanges. Nous avons aussi pas mal d'informations sur les langues qui étaient parlées dans ces territoires, avec bien sûr plus de précisions sur celles qui ont laissé une écriture.

J'ai déjà un peu évoqué les aspects religieux. Le judaïsme était répandu, et pas seulement en Palestine. Nous savons, par exemple, qu'il y avait des tribus juives en Arabie, et nous connaissons certains aspects de leurs démêlés avec le Prophète de l'Islam. Il y avait également au Maghreb des communautés berbères judaïsées. Les pays de l'ancien Empire romain avaient une dominante chrétienne, même si les invasions successives avaient parfois perturbé l'équilibre initial. Les chrétiens étaient cependant divisés en un grand nombre de tendances, de sectes, car fondées sur des conceptions théologiques différentes. Ce qui sera le cas aussi, plus tard, pour les musulmans. J'ai dit plus haut que les Perses étaient en majorité mazdéens. Par ailleurs, divers polythéismes cohabitaient avec les religions monothéistes de la région.

Le plus important, je crois, est de noter que, au-delà des particularismes régionaux qui peuvent expliquer tel ou tel aspect spécifique de la nouvelle foi, l'Islam s'est trouvé confronté dès le départ à deux religions monothéistes bien implantées dans la région, mais que celles-ci ne présentaient pas un front uni. De plus, elles connaissaient des divisions internes qui avaient abouti à des schismes.

Après ces quelques préambules, venons-en au Prophète lui-même.

Il serait né vers 570. De ses quarante premières années, nous ne savons pas grand-chose de précis. Il a été orphelin très tôt. Ce serait, selon la tradition, un de ses oncles qui l'aurait élevé. Nous ne connaissons pas sa formation. Il entre plus tard comme chef de caravane chez une dame riche, Khadīja, qu'il épousera par la suite. Dans le cadre de ses fonctions, il circule dans cette zone tampon que j'ai évoquée plus haut, établissant des contacts avec des réalités extérieures à sa société d'origine. Sa tribu est celle – très puissante – des Quraysh (qui signifie « requin »). Après s'être majoritairement opposés au Prophète, les membres de sa tribu se mobiliseront en faveur de la nouvelle religion et en revendiqueront le leadership. Au-delà de sa famille, l'environnement social de Muḥammad comprenait des juifs, des chrétiens et, surtout, des païens adorant diverses idoles dont les plus célèbres étaient al-Lāt, Manāt et al-ᶜUzzā.

À quarante ans, avec le début de sa prédication, commence ce que l'on peut appeler sa « vie publique ». 610 est la date communément admise pour l'avènement des premiers versets du Coran. Cela ne va pas sans difficulté ni sans oppositions, y compris à l'intérieur de sa propre communauté. Il enrôle aussi ses premiers compagnons, qui vont former en quelque sorte le « noyau dur » de ses partisans. Certains d'entre eux, sous la pression hostile d'une partie de l'entourage, s'exilent en Éthiopie, donc dans un pays chrétien. Ces années mecquoises se caractérisent par un message coranique en grande partie théologique, contenant l'essentiel du dogme musulman.

En 622, persécuté, Muḥammad quitte La Mecque pour Médine avec quelques dizaines de fidèles. C'est l'Hégire (l'exil, l'émigration), qui marque le début du calendrier musulman. À Médine, le Prophète prêche, mais il fait aussi de la politique. Il prend le pouvoir et commence à construire ce qui sera la cité islamique, à édifier un État alors embryonnaire. Au cours de la période 622-632 (Muḥammad est revenu en vainqueur à La Mecque en 630), le contenu du message coranique change. Les versets médinois se préoccupent beaucoup de la gestion de la cité : ce sont donc des textes politiques, ce terme étant à prendre dans le sens que lui donnait Aristote.

Ce sont ces versets médinois, et le comportement du Prophète lui-même, tout au long de l'époque de prédication (et plus particulièrement entre 622 et 632), qui constituent les principes fondamentaux du fonctionnement de l'État.

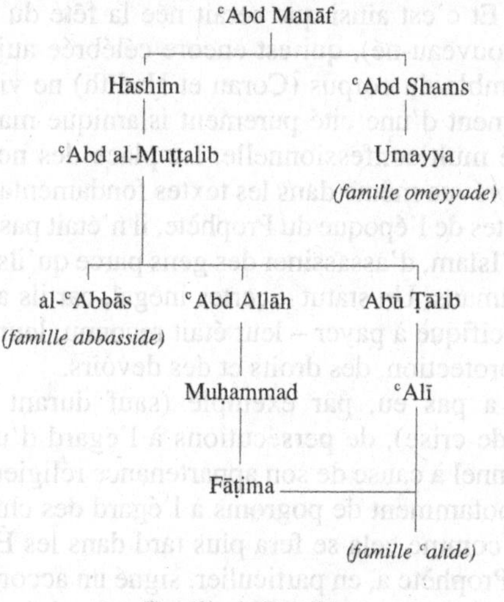

Famille du Prophète

À côté de ces textes, il y a ce que nous connaissons de la pratique du Prophète au cours de cette période, de ses paroles… et même de ses silences. Le corpus rassemblant la relation de ses actes et de ses déclarations constitue le Ḥadīth. À propos de telle ou telle phrase qu'il aurait prononcée, ou du fait qu'il se soit tu dans telle ou telle circonstance, il peut y avoir interprétation, discussion…

Cela étant, aux propos et à la pratique du Prophète se sont fréquemment superposés des éléments venant non des principes islamiques, mais des coutumes, des habitudes de telle ou telle société. En voici une illustration qui n'a rien de politique. Après la mort du Prophète, rien n'avait été prévu pour fêter l'anniversaire de sa naissance (ni d'ailleurs celui de sa mort). Mais, en pays d'Islam, les chrétiens ont continué à fêter la naissance du Christ, le 25 décembre de chaque année. Alors, petit à petit, et sous l'influence de cet environnement non musulman, la communauté musulmane a souhaité en faire de même et, un jour, le pouvoir a décrété que, désormais, on fêterait chaque année la naissance du

Prophète. Et c'est ainsi que serait née la fête du Mouloud (fête du nouveau-né), qui est encore célébrée aujourd'hui.

L'ensemble du corpus (Coran et Ḥadīth) ne vise pas au gouvernement d'une cité purement islamique mais à celui d'une cité multiconfessionnelle. La place des non-musulmans est prévue même dans les textes fondamentaux. Selon les préceptes de l'époque du Prophète, il n'était pas question, en terre d'Islam, d'assassiner des gens parce qu'ils n'étaient pas musulmans. Un statut – certes inégal, car ils avaient un impôt spécifique à payer – leur était reconnu, leur garantissant une protection, des droits et des devoirs.

Il n'y a pas eu, par exemple (sauf durant certaines périodes de crise), de persécutions à l'égard d'un groupe confessionnel à cause de son appartenance religieuse. Il n'y a pas eu notamment de pogroms à l'égard des chrétiens ou des juifs, comme cela se fera plus tard dans les États chrétiens. Le Prophète a, en particulier, signé un accord avec les tribus juives de Médine. Il lui est arrivé aussi de combattre ces mêmes tribus, mais pour des raisons politiques, au même titre que ses autres ennemis du moment et qui appartenaient parfois à sa propre tribu.

Soyons justes : il est arrivé, dans l'histoire, qu'un pouvoir se recommandant de l'Islam persécute une communauté non musulmane. Mais il s'agit toujours de faits d'exception qui sont en contradiction avec les principes fondateurs de l'Islam.

L'État conçu par Muḥammad est certes théocratique mais d'un type nouveau : il est défini pour accueillir des citoyens d'autres confessions que celle de l'Islam. Un juif ou un chrétien ne pouvait être roi ou calife, puisque celui qui assumait l'une de ces fonctions était censé être le chef de la communauté musulmane, mais il pouvait assumer pratiquement toutes les autres fonction politiques.

Il pouvait être l'équivalent d'un Premier ministre ?

Oui, et c'est arrivé. Il pouvait être aussi chef des armées, grand astronome ou mathématicien, médecin personnel du roi ou même du calife, ministre, etc. Voici quelques exemples de non-musulmans qui étaient, parfois, des scientifiques reconnus à leur époque et qui ont accédé à des responsabilités politiques importantes. Pour l'Égypte, les bibliographes donnent un certain nombre d'exemples de chrétiens nommés médecins personnels de tel ou tel roi. Quelques-uns ont même été investis d'une charge qui équivaudrait aujourd'hui à une sorte de « secrétariat d'État pour la Minorité chrétienne ». Ce fut le cas d'Ibn Ṭūfīl, médecin d'Aḥmad Ibn Ṭūlūn (835-884), fondateur de la dynastie tulunide (868-905), de Sa^cīd Ibn Baṭrīq, médecin du calife abbasside al-Qāhir (932-934), nommé chef de la communauté chrétienne d'Égypte, etc.[8].

En Andalus, il y eut, au xe siècle, Ḥasdāy Ibn Shaprūt, qui a été ministre du grand calife de Cordoue ^cAbd ar-Rahmān III (912-961). Au xie siècle, son petit-fils, Abū l-Faḍl Ḥasdāy, sera ministre des Banū Hūd, rois de Saragosse. Toujours au xie siècle, Ibn an-Naghrīlla a été, à Grenade, l'équivalent d'un Premier ministre[9].

Les premiers califes et le début de la conquête

Le Prophète meurt en 632. Que se passe-t-il alors ?

La période qui suit, c'est-à-dire de 632 à 661, se caractérise, pour l'essentiel, par une lutte ouverte pour le pouvoir et par une première phase de conquêtes.

La lutte pour le pouvoir intervient entre les proches compagnons du Prophète, ses partisans, ceux qui ont émigré de La Mecque avec lui et, bien évidemment, les différents clans de sa famille. Les quatre premiers califes, Abū Bakr (632-634), ^cUmar (634-644), ^cUthmān (644-656), ^cAlī (656-661) – appelés les « bien-guidés » – sont parmi les plus proches compagnons du Prophète, les deux derniers étant par ailleurs ses gendres. Il y a eu, plus tard, une sorte de consensus sur

8. Ibn Abī Uṣaybi^ca, *Les Meilleures informations sur les catégories de médecins*. Éd. critique par N. Rida, Beyrouth, s. d., p. 285 *sq.*, et p. 540 *sq.*

9. Ṣā^cid al-Andalusī, *Les Catégories des nations*. Éd. critique par H. Boualwān, Beyrouth, 1985, p. 200-207.

cette période, entre les différentes tendances de l'Islam, tout au moins sur le plan théologique. Politiquement, il n'en fut pas de même. Les rivalités de clans et de personnes se sont poursuivies. Du reste, trois de ces successeurs (ᶜUmar, ᶜUthmān et ᶜAlī) ont été assassinés.

Ces successeurs prennent le titre de calife, c'est-à-dire « lieutenant » (sous-entendu de Dieu). À l'image du Prophète au cours de la période médinoise, le calife est à la fois chef religieux, chef politique et chef des armées.

On continue, sur la base du Coran et de la pratique du Prophète, à édifier l'État. Nous reviendrons plus loin sur ses structures politiques et administratives – qui seront plus précisément définies pendant la période omeyyade.

Le deuxième fait saillant est la conquête de toute l'Arabie puis de la zone tampon (la Syrie en 634, la Mésopotamie en 635). Après ces victoires relativement rapides, la conquête se poursuit au-delà : l'Égypte en 642, la Perse de 634 à 651. Puis c'est le tour de Chypre en 649, du Maghreb à partir de 647 et de la péninsule Ibérique à partir de 711.

Quelles ont été les troupes de cette conquête ?

Au départ, quelques milliers de cavaliers arabes, dirigés par des chefs de guerre qui, tel Khālid Ibn al-Walīd (m. 642), avaient fait leurs preuves du vivant du Prophète. Puis, progressivement, au fur et à mesure qu'elles progressaient, ces troupes ont été renforcées par des contingents provenant des pays conquis. La facilité de ce recrutement et la rapidité relative de l'avance des armées musulmanes (du moins jusqu'au Maghreb, dont nous reparlerons plus loin) s'expliquent en grande partie par l'accueil favorable des populations ou, tout au moins, pour leur neutralité bienveillante.

Pourquoi cet accueil ? Dans le Croissant fertile et dans les zones avoisinantes, existaient de fortes communautés chrétiennes, de sensibilités et d'écoles variées, mais toutes opposées à l'orthodoxie byzantine et combattant son monopole idéologique. C'est le même phénomène que l'on observait en Égypte. Dans ce contexte, l'Islam arrive avec un discours d'ouverture. La nouvelle religion tolère toutes celles qui s'apparentent à elle, c'est-à-dire les religions monothéistes, avec leurs différentes sensibilités. Elle demande seulement qu'on l'accepte elle-même ; elle n'impose rien dans le domaine cultuel pour les non-musulmans.

La Perse, où la crise était profonde, s'est effondrée rapidement. L'Empire byzantin a mieux tenu, même s'il a perdu la plupart de ses possessions. Un grand nombre de personnes s'étant islamisées dans l'intervalle (soit par conviction, soit par intérêt), les armées ont rapidement gonflé et leur composition a commencé à différer notablement de celle du début. La fulgurance de la conquête confortait évidemment l'idée que Dieu soutenait cette avancée et ne pouvait que favoriser le phénomène d'expansion.

A-t-on une idée de l'attitude des troupes qui ont participé à la conquête ? Se sont-elles conduites comme, ultérieurement, les Mongols, qui auraient détruit tout sur leur passage ?

En ce qui concerne le comportement des premiers conquérants musulmans, nous sommes, là aussi, tributaires des chroniqueurs arabes de la première période, mais également des historiens tardifs. Les premiers ont bien évidemment idéalisé le comportement des conquérants, ce qui doit nous inciter à un minimum de prudence et de recul vis-à-vis des faits rapportés par eux. Les seconds ont parfois réécrit certains aspects de la conquête avec leur sensibilité du moment, attribuant aux conquérants des actes qu'ils n'avaient pas commis.

C'est ce que montre l'exemple célèbre de l'incendie de la grande bibliothèque d'Alexandrie. Pendant longtemps, et sur la foi d'historiens arabes sérieux, comme ^{c}Abd al-Laṭīf al-Baghādī, Ibn al-^{c}Ibrī, Abū l-Fidā et Ibn al-Qifṭī (m. 1248), il était admis que, sur ordre du calife ^{c}Umar, le général arabe ^{c}Amr Ibn al-Āṣ avait fait incendier la fameuse bibliothèque. Selon le bibliographe Ibn al-Qiftī, ^{c}Umar aurait dit, pour justifier cette décision : « S'ils <les livres> renferment un guide pour la vérité, Dieu nous en a donné un meilleur, et s'ils ne contiennent que des mensonges, Dieu nous en aura débarrassés. » C'est d'ailleurs cette même réponse attribuée à ᶜUmar qui est reprise, un siècle plus tard, par le grand historien Ibn Khaldūn (m. 1406), mais cette fois à propos des livres trouvés par les premiers musulmans qui ont conquis la Perse. Aujourd'hui, et après des recherches approfondies sur cette question, on sait que la bibliothèque d'Alexandrie n'existait plus en tant que telle lorsque les premiers cavaliers musulmans sont arrivés en Égypte et que cet événement a été créé de toutes pièces au XIIe siècle par les Arabes eux-mêmes.

Cela étant, et avec les réserves déjà émises, il n'y a pas eu, à notre connaissance, de stratégie de destruction. Il semble même qu'il y avait, de la part des musulmans, un certain respect à l'égard de ces pays de vieille civilisation dont ils faisaient la conquête. Leur force était la nouvelle religion dont ils étaient les porteurs, non la science qu'ils ne possédaient pas encore. Le mot « conquête » en arabe se dit d'ailleurs *fatḥ* (pluriel : *futūḥāt*), c'est-à-dire « ouverture » dans le sens d'ouverture de l'espace, d'ouverture à la lumière (de la nouvelle religion), de libération. On peut penser aussi que, au cours de la phase suivante, quand la majorité des armées musulmanes s'est trouvée composée de gens des pays conquis, ceux-ci n'avaient pas intérêt à pratiquer une politique de destruction. Le fait que les conquérants aient aussi rapidement récupéré les techniques (notamment agricoles), la culture et la science des pays conquis plaide en ce sens.

Donc, pas de destruction systématique. À quelles formes de prosélytisme a-t-on assisté ?

Il y a eu sûrement encouragement à la conversion, mais il n'y a pas eu, à ma connaissance, de conversions forcées à l'Islam parce que cela est contraire à l'esprit du dogme musulman affirmant qu'« il ne doit pas y avoir de contrainte en religion ». Il y a eu, en revanche, ici ou là, et à travers les époques, des tentatives de marginalisation des autres religions monothéistes, qui n'ont pas toujours été autorisées à ouvrir de nouveaux lieux de culte ni à faire du prosélytisme. Là aussi le phénomène est complexe et doit être observé dans son contexte. On raconte même qu'il est arrivé à un calife de prendre, pour des raisons financières, la décision de freiner les conversions à l'Islam parce qu'elles entraînaient une diminution des impôts versés par les non-musulmans.

Les Omeyyades et la fin des conquêtes

Que se passe-t-il en 661 ?

Un nouvel épisode de la lutte pour le pouvoir commence. Le gouverneur de Syrie de l'époque, Muᶜāwiyya (m. 680), qui était le chef d'une branche de la famille du Prophète, se révolte contre le pouvoir central. Le calife régnant, ᶜAlī, époux de Fāṭima, la fille de Muḥammad, est battu et tué. Muᶜāwiyya se proclame calife et transfère la capitale, qui était Médine en Arabie, à Damas en Syrie. Quatorze membres de la famille des Omeyyades vont alors, en moins d'un siècle, se succéder sur le trône du califat. Première conséquence évidente : l'Arabie cesse définitivement d'être le centre politique de l'Islam et du nouvel empire. La Mecque restera un lieu de pèlerinage et Médine conservera, un certain temps, le leadership pour tout ce qui est relatif à l'étude et à l'exégèse du corpus fondateur de l'Islam (Coran et Ḥadīth).

La conquête se poursuit à l'ouest, avec cependant un temps de retard dû à la résistance d'une partie de la population du Maghreb. Alors que l'Égypte est conquise en 642 et qu'il ne faut que quelques jours de marche pour atteindre l'Ifriqiya, l'armée musulmane s'y implantera seulement vers 670. L'opposition principale viendra des tribus berbères, non des Byzantins, dont le pouvoir va s'effondrer rapidement. Les résistances vont d'ailleurs continuer puisque, pendant une longue période, l'armée musulmane ne contrôle qu'une partie de la côte maghrébine. Mais elle finit par contourner ses opposants et par poursuivre sa conquête. En 711, ses troupes, qui étaient devenues entre-temps majoritairement berbères et même dirigées par un officier berbère (Ṭāriq Ibn Ziyād, qui a donné son nom à Gibraltar), débarquent sur la péninsule Ibérique, mettent en déroute l'armée des Wisigoths et entreprennent la conquête du territoire.

À l'est, la poussée au-delà de l'Asie centrale se poursuit également jusqu'en 750. Le règne des Omeyyades verra cependant la fin des conquêtes puisque les armées musulmanes ne dépasseront pas, à l'est, la rivière Talas (qu'elles atteindront en 750) et qu'à l'ouest, leurs incursions seront stoppées près de Poitiers, en 732.

À part la poursuite et la fin de la conquête, qu'est-ce qui caractérise la dynastie omeyyade ?

Le règne des quatre premiers califes a, en quelque sorte, été en partie une phase de construction. Sous les Omeyyades, les limites géographiques de ce qui sera l'Empire musulman « classique » étant atteintes, les tâches principales consisteront à consolider le nouveau pouvoir et à jeter les fondements de la nouvelle civilisation. Une composante importante de cette consolidation a concerné, bien évidemment, les structures de l'État. L'empire héritait dans ce domaine de deux traditions fort anciennes, la byzantine et la perse, aux structures centralisées et puissantes. À ce propos, le legs remonte d'ailleurs encore plus loin. J'ai dit précédemment que le Moyen-Orient avait inventé l'écriture ; il a aussi inventé ou réinventé l'État centralisé.

Les Omeyyades – comme d'ailleurs leurs successeurs abbassides – vont se conformer à cette double tradition : au départ, ils gardent les symboles et les pratiques administratives des Byzantins et des Perses. Un exemple parmi d'autres, rapportés par les historiens arabes : jusqu'à l'époque du calife ᶜAbd al-Malik (685-705), qui a été un grand réformateur de l'administration centrale, les écrits officiels étaient encore authentifiés par d'anciens cachets de Constantinople portant la croix et la profession de foi chrétienne.

Sur le plan monétaire, le bimétallisme (or-argent) des Byzantins et des Perses est conservé, en gardant même les noms des étalons : le dinar et le dirham. En revanche, leur teneur en métal précieux est modifiée, et les inscriptions sont désormais en arabe. Le langage de l'administration est également arabisé, mais cette modification n'interviendra qu'une cinquantaine d'années après l'avènement de la dynastie omeyyade.

Sur le plan économique, outre le maintien des activités préexistantes, les Omeyyades favorisent le développement du commerce. Mais la ressource la plus importante au cours de la période omeyyade est incontestablement la « rente » provenant des richesses dont les musulmans s'étaient emparées au cours des différentes conquêtes.

Sur le plan culturel, quel est l'actif des Omeyyades ?

Certains historiens ont tendance à occulter la période omeyyade au profit exclusif des Abbassides, leurs successeurs et leurs frères ennemis. Souvent, on s'intéresse davantage à une civilisation au moment de sa splendeur, quand elle apparaît le mieux dans la lumière, plutôt que durant sa phase de maturation.

En fait l'essor culturel, qui culminera à la fin du XIe siècle, a commencé chez les Omeyyades. Ce sont eux qui, les premiers, ont fait construire des bibliothèques. Les premières étaient privées. C'est le cas de la bibliothèque du prince Khālid Ibn Yazīd (m. 705) et de celle du calife al-Walīd Ier (705-715), qui aurait renfermé les livres latins récupérés par Ṭāriq Ibn Ziyād lors de la conquête de l'Espagne. Plus tard, elles seront publiques ou semi-publiques.

Les traductions – de textes grecs, persans, syriaques – qui ont eu une grande importance, notamment dans l'histoire des sciences et dont nous reparlerons plus loin, n'ont pas commencé après l'avènement des Abbassides, mais sous le règne des Omeyyades. Ce sont des princes ou des califes de cette première dynastie qui ont appointé les premiers traducteurs. Ce sont eux aussi qui ont encouragé les premières réalisations artistiques. Ces initiatives dans les domaines scientifique et culturel ont bien évidemment bénéficié des acquis, encore conservés, des civilisations antérieures. Elles ont aussi subi leurs influences.

À ce stade de notre propos, il est nécessaire de dire que l'histoire de la civilisation arabo-musulmane est à traiter comme les autres, selon les méthodologies de l'histoire, et non comme un phénomène exotique, un miracle ou un accident. Cette civilisation a bien sûr des spécificités, mais elle n'en est pas pour autant exceptionnelle. Le processus historique qui la concerne est aussi complexe que celui des civilisations qui l'ont précédée. Il est donc banal de dire qu'il n'a pas démarré de rien et qu'il a commencé par des échanges avec son environnement, par un mélange avec les apports des civilisations antérieures. Puis, à un moment donné, il s'est produit un saut qualitatif, et une réalité nouvelle est apparue alors dans toute son originalité.

Prenons par exemple le cas de la représentation figurée (sculpture et peinture). À l'époque omeyyade, elle recueille les caractéristiques des pratiques artistiques avoisinantes : byzantine, perse, wisigothique... Elle les intègre et commence à évoluer en fonction de multiples facteurs. L'un de ces facteurs, qui est devenu une spécificité de l'art musulman, est l'interdit de l'image dans les édifices religieux. On sait que cet interdit, très particulier, s'est étendu à une interdiction généralisée, dans certaines régions de l'empire, sous l'effet du rigorisme de certaines écoles théologiques. Mais qu'en est-il exactement ?

Il faut tout d'abord remarquer que, contrairement à la Bible[10], le Coran ne renferme aucune interdiction explicite des images ou des statues d'êtres animés. Seules sont évoquées les idoles qui étaient utilisés par les païens, à l'époque du Prophète, comme objets de culte à La Mecque et ailleurs. Et de fait, pendant toute la première période de l'Islam, qui correspond *grosso modo* à la dynastie omeyyade et à la première phase de la dynastie abbasside, les représentations d'êtres vivants (sauf les visages des prophètes) par la peinture ou la sculpture étaient largement pratiquées. Cela dit, même pendant cette période, cette pratique ne concernait jamais les lieux du culte. Ce qui peut s'expliquer par l'appli-

10. Il est dit dans la Bible : « Tu ne feras aucune sculpture ou représentation d'êtres créés » (Dt 5, 8) et « Tu ne te feras pas d'images taillées ou aucune ressemblance d'aucune chose qui est aux cieux ou qui se trouve sur la Terre au-dessous ou dans l'eau » (Ex 20, 4).

cation non pas d'un verset du Coran, mais d'un propos attribué au Prophète, qui aurait dit, à l'occasion de la destruction des idoles païennes de La Mecque : « Les anges n'entrent pas dans un temple où il y a des figures[11]. » Il aurait également confirmé ce propos par le fait qu'aucune image n'avait été mise dans la mosquée qu'il avait fait construire à Médine. Cela dit, même l'interdiction de la représentation des visages des prophètes et la décoration des lieux du culte n'ont pas toujours été respectées par les artistes musulmans postérieurs au XIIIe siècle[12].

Quoi qu'il en soit, il est incontestable que l'application très restrictive des paroles du Prophète n'a pu que favoriser l'extension des motifs à arabesques. C'est là un exemple d'adaptation ou d'innovation artistique qui n'est pas à proprement parler l'application d'un aspect du dogme mais plutôt une réponse à des évolutions internes de la nouvelle société.

Splendeurs abbassides

Les Omeyyades sont renversés en 750. Comment cela se passe-t-il, et quel est le changement opéré ?

C'est le résultat d'un coup d'État violent dont il n'est pas utile, ici, de raconter les péripéties. Il nous suffit de dire que la plupart des chefs du clan des Omeyyades sont tués, et notamment le calife régnant, Marwān II (744-750). Un seul en réchappe, que nous retrouverons un peu plus tard au Maghreb puis en Espagne. Il s'agit de ᶜAbd ar-Raḥmān (756-788), dit « l'immigré », qui va fonder une nouvelle dynastie omeyyade, à l'autre extrémité de l'empire.

---

11. Au IXe siècle, cette phrase attribuée au Prophète sera explicitée, sous la forme suivante, par le théologien Ibn Ḥanbal, fondateur d'une école juridique : « Les anges n'entrent pas dans une maison où il y a des images. »

12. Pour l'ensemble de cette question et pour des exemples de représentations figurées dans l'art musulman, voir A. Papadopoulo, *L'Islam et l'art musulman*, Paris, Mazenod, 1976.

L'avènement des Abbassides, l'une des branches de la famille du Prophète (par son oncle ᶜAbbās Ibn ᶜAbd al-Muṭṭalib), a des raisons politiques évidentes, mais aussi des raisons économiques qui le sont moins. Sur le plan politique, il est la conséquence des affrontements entre les branches de la famille du Prophète, qui se sont poursuivies, en s'exacerbant, après l'assassinat de ᶜAlī et l'accession des Omeyyades au trône du califat, vécue par certains clans comme une usurpation du pouvoir. Mais c'est aussi, et pour une part bien plus grande, une conséquence de la montée des élites persanes, à la fois dans l'armée et dans l'administration. Pour de multiples raisons, dont certaines sont économiques et d'autres politiques, la puissance du clan persan n'avait cessé de croître depuis plus d'un siècle. De plus, après les grandes offensives victorieuses et rentables du VIIᵉ siècle, c'est le commerce à grande échelle qui va devenir le moteur de la richesse. Cette nouvelle source d'enrichissement ne reposait pas sur le commerce méditerranéen, encore dominé par les Byzantins, mais sur le contrôle des routes asiatiques, aussi bien terrestres que maritimes. Or, pour ce contrôle, l'élite persane était la mieux placée.

Ces activités marchandes vont drainer, vers le centre de l'Empire musulman, des richesses extraordinaires qui transiteront en grande partie par la Perse. Cela valait pour des produits agricoles et artisanaux normalement échangés avec d'autres pays, mais aussi pour des marchandises de très faible valeur marchande là où elles étaient produites, et qui avaient depuis longtemps une très forte valeur d'usage dans les régions méditerranéennes. C'était le cas, par exemple, pour le poivre, la cannelle, le gingembre et les clous de girofle, très appréciés pour la cuisine et la pâtisserie. C'était aussi le cas pour l'encens, une résine aromatique qui était brûlée à l'occasion de cérémonies religieuses, tant chrétiennes que musulmanes d'ailleurs. Ces produits, qui provenaient essentiellement de l'Inde, transitaient par les ports musulmans puis étaient revendus aux marchands byzantins. Il arrivait d'ailleurs que l'espace musulman ne serve que de zone de transit, après évidemment un prélèvement financier considérable sur des marchandises qui seront utilisées ailleurs. Quoi qu'il en soit, lorsque des marchands finançaient une opération commerciale, en particulier l'affrètement d'un bateau, leurs investissements leur rapportaient le centuple et parfois même davantage.

Il est utile de signaler que c'est précisément à partir de la Perse, où il était gouverneur, que le fondateur de la nouvelle dynastie, as-Saffāḥ (750-754), a lancé son offensive contre le pouvoir de Damas. Dès son installation, c'est une administration et une armée à forte composante persane qui vont l'aider à asseoir son pouvoir.

Les Omeyyades sont donc éliminés. Les Abbassides s'emparent du pouvoir califal. Quelles sont les transformations qui vont s'opérer ? Peut-on parler de « révolution abbasside », comme le font certains historiens ?

En quelque sorte oui, car le pouvoir d'une oligarchie militaire arabe dominante, vivant pour une part du butin des conquêtes – l'économie restant par ailleurs très traditionnelle (agriculture, artisanat, commerce local) –, va être largement supplanté par celui d'un secteur en quelque sorte fortement capitalistique au dire des spécialistes. Le moteur principal de la vie économique va, progressivement, reposer sur le contrôle du commerce international, à grand rayon d'action, vers l'Asie et l'Afrique, mais aussi dans la Méditerranée entière, après l'élimination des Byzantins de sa partie orientale. Ce commerce concernera même l'Europe du Sud. Le passage d'une dynastie à l'autre se traduit donc à la fois par un bouleversement politique et par une importante évolution économique. Sur le plan religieux, c'est plutôt la continuité dans le cadre du processus de différenciation idéologique, dans la mesure où le VIIIe siècle a été celui de la naissance des premières grandes écoles théologiques orthodoxes : celles de Mālik (m. 795) et celle d'Abū Ḥanīfa (m. 767). Elles seront renforcées un peu plus tard par l'école d'ash-Shāfiᶜī (m. 820) et celle d'Ibn Ḥanbal (m. 855).

Et en ce qui concerne l'administration ?

Les Abbassides poursuivent le renforcement de l'administration califale, déjà largement amorcé par les derniers Omeyyades. La centralisation de l'État s'accentue, de même que celle du contrôle des structures économiques. La monnaie était déjà monopole d'État. Ce sera progressivement le cas d'autres activités, comme celles du textile et du papier.

Compte tenu de la multiplication des ethnies et des langues existant dans l'empire, cette administration centralisée fonctionnait-elle dans une seule langue, ou cela différait-il en fonction des réalités régionales ?

Il y a eu, parallèlement du reste à l'islamisation, une arabisation de la liturgie, qui est obligatoirement celle du Coran, écrit en arabe. Arabisation aussi de la langue des administrations. Mais cela n'a pas empêché, bien sûr, le maintien, dans la vie courante, des langues locales et régionales.

Le processus, là aussi, avait déjà été amorcé sous la dynastie omeyyade. Mais les Abbassides eurent une raison supplémentaire d'accentuer cette évolution. Il était en effet préférable d'accélérer le processus d'intégration, en particulier pour les milieux persans. D'ailleurs ces derniers vont jouer le jeu et seront même parmi les promoteurs les plus efficaces de la langue arabe. Il faut attendre la seconde moitié du XIe siècle, c'est-à-dire bien après le début du déclin de la dynastie abbasside, pour que la langue persane réapparaisse en force dans la production intellectuelle, en se cantonnant d'ailleurs, pendant un certain temps, dans la littérature et la poésie. Pour illustrer cela, on peut évoquer le cas du grand poète persan ᶜUmar al-Khayyām (m. 1131). Dans ses fameux quatrains, il chante, en persan, le vin, la beauté et le temps qui passe. Mais il rédige ses ouvrages scientifiques en arabe, en particulier son fameux livre d'algèbre.

Une civilisation urbaine

Quelle était la structuration sociale de l'Empire musulman ? Le découpage en « ordres » observé en Europe occidentale, à la même époque, n'a pas existé dans les pays qui nous intéressent ici.

Effectivement… C'est principalement une civilisation des villes, et ce que nous en connaissons met encore plus en lumière ce caractère, car les gens qui ont écrit étaient des citadins, s'adressant à d'autres citadins, et ne s'intéressant pas, ou si peu, à ce qui se passait dans les campagnes.

L'avènement et le développement de cette civilisation conduisent à l'apparition de métropoles régionales parfois très peuplées, comme Damas en Syrie, Bagdad en Irak, Kairouan au Maghreb et Cordoue en Espagne. Assez curieusement d'ailleurs, ce ne sont pas toujours de grandes cités anciennes – par exemple Alexandrie – qui ont gonflé démesurément, ainsi qu'on pourrait le penser. Ce sont parfois des bourgades, des villes modestes, ou d'autres encore tout à fait nouvelles. D'où vient cet accroissement de la population ? Sans négliger l'effet de la démographie propre à ces cités, l'apport essentiel semble provenir des campagnes, par une sorte d'aspiration dont les causes sont à la fois économiques et sociales : déplacements consécutifs à l'existence d'emplois dans les villes, attraits d'une vie urbaine plus agréable, etc. Tout cela est classique dans l'histoire. Il y a aussi ce que l'on pourrait appeler l'« effet capitale ». Ces métropoles régionales ont attiré les gens parce que les pouvoirs y résidaient, ce qui favorisait l'éclosion et le développement d'un certain nombre d'activités intéressant les différentes élites de ces villes.

Ce phénomène a été très important car, à côté de Bagdad, la capitale califale des Abbassides, il y avait une bonne douzaine de métropoles régionales qui s'étaient constituées et qui fonctionnaient à l'image de Bagdad. En plus des villes qui viennent d'être citées, il faudrait ajouter Ispahan en Perse, Le Caire en Égypte et Samarcande en Asie centrale.

La population de ces villes est très bigarrée, très diverse, pas toujours structurée ; ce qui posera parfois des problèmes sérieux aux dirigeants parce que, à certaines époques, les dangers potentiels d'explosion sociale seront élevés. À côté de cela, existaient des couches stables, parfois très anciennes, comme celle des marchands, qui s'est considérablement structurée tout en se différenciant. Il y avait aussi des couches plus récentes et souvent en expansion : fonctionnaires de l'administration, de la justice ou des services financiers, enseignants, théologiens, hommes de lettres ou de religion, etc.

Cela bien qu'il n'y ait pas de clergé en Islam ?

Non, il n'y a pas eu de clergé, conformément d'ailleurs à la volonté du Prophète. Mais chaque mosquée entretenait quatre ou cinq personnes quand elle était moyenne, dix à quinze quand c'était une mosquée « cathédrale ». Ces personnes avaient des activités précises : entretien, appel à la prière, enseignement du Coran, récitants, imams, etc. Mais elles ne constituaient pas un clergé avec ce que cela signifie comme hiérarchie et comme type de fonctionnement. Chaque mosquée avait un financement provenant de fidèles, de mécènes ou de l'État (pour les mosquées « cathédrales »). Comme certaines villes ont pu avoir des centaines de mosquées, on mesure l'importance de cette communauté.

A-t-on plus de précision sur le processus de différentiation sociale ?

À partir du IXe siècle, se constitue une couche spécifique d'intellectuels (ou de lettrés si l'on préfère). On la connaît relativement bien parce qu'elle a une consommation particulière, qui est celle des livres. Le nombre d'ouvrages publiés dans le cadre de la civilisation arabo-musulmane a été assez important, compte tenu évidemment des techniques de l'époque. L'utilisation du papier a facilité les choses. Dès le IXe siècle, on s'est mis à produire plusieurs sortes de livres : manuels pour l'enseignement à tirage assez élevé, œuvres littéraires, œuvres poétiques, livres religieux de toute sorte (copies du Coran et du Ḥadīth, exégèses, ouvrages théologiques...), livres sur la gestion et le fonctionnement de la cité (sur le droit, le commerce, la répartition des héritages...), livres scientifiques. Pour prendre l'exemple des publications scientifiques de l'époque, on constate qu'il y en avait de toute sorte : manuels de base, ouvrages consacrés à une discipline, ouvrages théoriques, commentaires, manuels d'application. Le mathématicien Abū l-Wafā' (m. 997) a ainsi écrit deux ouvrages pour des publics ciblés : le premier à destination des fonctionnaires des administrations et le second à l'intention des artisans. L'existence de publications aussi spécifiques montre l'existence de publics variés ayant pris l'habitude d'utiliser ces types d'ouvrages.

On sait aussi que des corporations ont existé, avec des ouvriers, des maîtres artisans, des chefs de corporation, des associations plus ou moins secrètes... Le compagnonnage a sans doute existé aussi. Mais on ne connaît pas très bien le fonctionnement économique et social global de cette société. Il faut dire que l'on a très peu écrit sur de tels sujets. La littérature la plus abondante est probablement celle des historiens, des géographes et des « hommes de voyages ». Certains, comme les historiens, nous fournissent des connaissances livresques ou des témoignages de contemporains, d'autres sont des sortes de « grands reporters ». Ayant acquis une solide formation de base, ils voyagent pendant un certain temps et ils racontent ensuite ce qu'ils ont vu, mais en ayant toujours à l'esprit leur lectorat, qui est constitué d'un public cultivé, intéressé à lire des histoires merveilleuses ou des témoignages sur tout ce qui est exceptionnel, insolite ou extraordinaire. Ils rapportent également des informations géographiques (distances entre les villes, aspects économiques), culturelles ou architecturales. Mais ils évoquent rarement le quotidien des cités et des contrées visitées, parce que cela n'intéressait pas leurs lecteurs potentiels dans la mesure où cela leur renvoyait des images et des modes de vie connus par eux.

L'un des plus typiques de ces hommes de voyages est

incontestablement Ibn Baṭṭūṭa (m. 1369) : parti de Tanger en 1325, à l'âge de vingt et un ans, il y revient en 1349, soit presque vingt-cinq ans plus tard. Entre ces deux dates, il parcourt plus de cent vingt mille kilomètres, visite toutes les régions de l'espace musulman de l'époque et même des contrées non musulmanes (Russie, Inde, Chine), accomplit six fois le pèlerinage à La Mecque, se marie avec plusieurs femmes, échappe à quelques naufrages, côtoie des brigands et des princes, et devient même « grand juge » aux îles Maldives. De retour à Tanger, il dicte, de mémoire, le contenu de son fameux livre intitulé *Présent à ceux qui réfléchissent sur les curiosités des villes et sur les merveilles des voyages*.

L'absence d'études sur le fonctionnement de cette société n'est pas tellement étonnant. Les débuts de la science économique se situent au XVIII*e siècle et la sociologie n'apparaît qu'au cours de la deuxième moitié du* XIX*e siècle.*

Oui, bien sûr, mais on pourrait penser que, dans cette civilisation culturellement très développée, des avancées aient pu intervenir dans ces domaines. Cela n'a apparemment pas été le cas, sauf peut-être, tardivement, avec l'œuvre d'Ibn Khaldūn (m. 1406).

Mais, d'une manière générale, c'est vrai, c'est une certaine vision de la société qui transparaît dans les écrits qui nous sont parvenus. À titre d'exemple, on constate que les historiens musulmans ne distinguent pas, dans leurs analyses, le chômeur de l'ouvrier, du paysan, du marchand et des responsables politiques. Ils divisent la société en deux grandes catégories : la *Khāṣṣa* [l'élite] et la *ᶜĀmma* [le commun]. L'élite comprend les gens du pouvoir, les riches, les intellectuels, les savants, les gens cultivés, les lettrés, etc., c'est-à-dire les gens qui ont un quelconque pouvoir, soit politique, soit économique, soit intellectuel, ou qui en sont proches. C'est une classification que l'on retrouve dans tout l'empire, aussi bien en Orient qu'en Occident, en Espagne comme en Perse.

Peut-on admettre l'existence d'une bourgeoisie ?

Dans le sens de l'époque, oui, probablement, mais pas avec la signification que l'on donne aujourd'hui à ce concept. Il faut se garder de tout anachronisme dans ce domaine. Pour prendre l'exemple des *Mille et Une Nuits*, on voit évoluer, à travers les personnages de ces contes, des marchands, bien sûr, des financiers, des princes fortunés. Les grands biographes des pays d'Islam évoquent également des profils de mécènes et de savants appartenant à des familles aisées ou ayant eux-mêmes fait fortune dans le commerce. Mais nous n'avons pas beaucoup de détails sur les composantes de cette couche de la population qui serait au-dessus de la couche moyenne composée de fonctionnaires, d'officiers, de lettrés, etc.

La désintégration de l'empire

Combien de temps va durer le pouvoir des Abbassides ?

Théoriquement, très longtemps : de 750 à 1258 si l'on va jusqu'à l'exécution du dernier calife abbasside par les Mongols. Dans les faits, les représentants de cette dynastie ont cessé de gouverner en 1055, date de leur destitution déguisée par les troupes seljoukides qui étaient censées les servir.

Les dimensions de l'empire devaient rendre difficile un contrôle serré.

Oui, bien sûr, et les difficultés vont aller en s'aggravant. L'administration califale va d'ailleurs, de plus en plus, dépendre des militaires, dont le recrutement est nécessaire au maintien, relatif, de l'autorité de l'État et à la défense de l'empire. Et l'époque des guerriers militants de l'Islam étant passée, le pouvoir central va être obligé d'avoir recours à des mercenaires, qui, progressivement, vont être fréquemment des membres de tribus turques d'Asie centrale. Ces

Turcs, d'abord païens, vont ensuite se convertir à l'Islam. C'est l'une de ces tribus qui va constituer, à partir d'un certain moment, l'ossature de l'armée impériale avant de s'emparer du pouvoir.

C'est ainsi qu'en 1055 ils ont décidé de ne plus se contenter de l'influence de fait qu'ils avaient déjà depuis plusieurs décennies sur le pouvoir central. Ils ont alors fomenté un véritable coup d'État, mais ont gardé le calife en prenant bien soin de le priver de tout rôle politique. Il restait cependant le chef de la communauté musulmane de l'empire. Pourtant, derrière ce paravent religieux, ce sont les Seljoukides qui vont désormais gouverner, le califat ne constituant plus qu'une couverture commode.

Les Seljoukides ne s'arrêtent pas là, d'ailleurs. Sous leur impulsion, le système évolue vers une étatisation renforcée. Le rapport du pouvoir à la cité change progressivement. Pour prendre l'exemple de l'enseignement, sur lequel nous reviendrons plus loin, on observe, à partir de cette époque, une intervention directe de l'État dans la gestion des activités de formation : les professeurs des collèges supérieurs (*madrasa*) – qui sont à l'origine de la création des universités en pays d'Islam et peut-être aussi dans l'Europe médiévale – sont nommés par l'État. Les programmes concernant les enseignements théologiques et juridiques sont, sinon imposés, du moins étroitement contrôlés avec la nomination de professeurs qui appartiennent à l'une des écoles orthodoxes.

Atomisation de l'empire, autonomisation relative des pouvoirs régionaux, captation du pouvoir politique central par les Seljoukides. Cela a-t-il aussi une signification religieuse ? Par ailleurs, que s'est-il passé d'important au cours de cette période de domination seljoukide ?

Pour la première question, la réponse est oui. L'offensive politique des Seljoukides correspond à une victoire de l'orthodoxie sunnite sur l'influence grandissante de courants chiites, notamment persans. Elle a permis également d'anéantir le projet fatimide qui visait à contrôler idéologiquement et politiquement le califat en faisant la jonction avec le chiisme d'Asie.

La réponse à la deuxième question se situe à trois niveaux correspondant à trois grands moments (avec un certain chevauchement) qui caractérisent la phase seljoukide, c'est-à-dire la période allant de la fin du XIe siècle à la fin du XIIIe : le phénomène des croisades, les premières invasions mongoles et, en étroite relation avec les deux phénomènes précédents, le début d'un processus de désintégration de l'empire avec perte de territoires et perte du monopole commercial, d'abord au niveau de la Méditerranée puis, progressivement, au niveau international.

Quelles différences faites-vous entre l'« atomisation » antérieure de l'empire et ce que vous appelez maintenant sa « désintégration » ?

Au cours de la période précédente, les différentes parties – même quand elles s'étaient largement affranchies d'un point de vue politique – reconnaissaient la suzeraineté de Bagdad. C'étaient les militaires locaux qui mettaient en place telle ou telle dynastie, mais ils avaient besoin de l'aval formel de l'administration califale et de la bénédiction du calife.

Pendant cette première phase, les pouvoirs locaux se constituent à l'image du pouvoir central : le type de gouvernement est le même, la centralisation est reproduite à l'échelle locale, même si c'est parfois en opposition au pouvoir central ; et la dimension religieuse y est fréquemment intégrée.

Un exemple significatif est celui des Fatimides. Il s'agit, au départ, d'un clan chiite parmi d'autres, venu d'Orient, et qui réussit à prendre le pouvoir en Ifriqiya, au début du Xe siècle. Il entend, à partir du Maghreb, conquérir tout l'empire et renverser le califat de Bagdad. Les Fatimides n'atteindront pas leur but initial, mais ils n'attendront pas pour revendiquer le califat et se l'attribuer. Après le Maghreb, ils réussissent à s'emparer de l'Égypte, s'y établissent, fondent Le Caire, puis ils tentent de contrôler le reste de l'Orient musulman.

Pratiquement en même temps, les Omeyyades d'Espagne, qui s'étaient jusque-là contentés du titre d'émir, se proclament à leur tour califes. Leur arrivée en Espagne, en 756, avait déjà marqué le début d'une cassure avec le pouvoir central en Orient, et ce malgré les influences réciproques dans les domaines culturel et scientifique, comme nous le verrons plus loin. Il est à remarquer que les dynasties qui ont gouverné l'Andalus (et une partie du Maghreb) après la disparition du califat omeyyade d'Espagne (en 1031), c'est-à-dire les Almoravides puis les Almohades, ont revendiqué elles aussi le califat.

La rupture de tous ces pouvoirs se situait sur le plan politique exclusivement, avec parfois des différences idéologiques bien affirmées, mais qui ne remettaient pas en cause les fondements de l'Islam, ni l'intégrité de son espace géographique, ni l'unité de son espace économique. Dans le même ordre d'idées, on constate que, durant la première phase, aucun des pouvoirs musulmans « périphériques » n'a songé à perturber ce qui faisait l'équilibre et la prospérité relative des différentes régions de l'empire, à savoir les échanges commerciaux régionaux et internationaux.

Vous insistez sur les croisades. Une vue rapide peut cependant donner le sentiment qu'elles n'ont eu que peu d'effets : des États chrétiens éphémères en Palestine, un affaiblissement de Constantinople au cours de la quatrième croisade…

Ce n'est qu'une apparence. Il faut d'abord relativiser le caractère « éphémère » de l'épisode des croisades. Il a quand même duré deux siècles, et le contrôle de Chypre bien davantage (jusqu'en 1571). Mais, même si, politiquement, l'effet local des croisades est assez limité, leurs conséquences économiques à long terme ont été relativement importantes.

Pour comprendre cela, il faut avoir à l'esprit le fait suivant : contrairement à leurs homologues européens, les historiens musulmans ne réduisent pas le chapitre des croisades aux seules expéditions en direction du Moyen-Orient. Ils

Les offensives chrétiennes contre l'Empire musulman (selon l'optique des historiens musulmans)

1063	Perte de la Sicile
1081	Siège de Mahdiya (Maghreb)
1085	Chute de Tolède (Espagne)
1099	1re croisade et chute d'Antioche et de Jérusalem
1147	2e croisade et chute de Tripoli
1177	Défaite almohade à Santarem (Espagne)
1187	3e croisade et victoire des armées de Ṣalāḥ ad-Dīn (Saladin)
1202	4e croisade et chute de Constantinople
1212	Défaite almohade à Las Navas de Tolosa (Espagne)
1218	5e croisade (Orient)
1228	6e croisade, dirigée par Frédéric II (Orient)
1248	7e croisade, dirigée par Saint Louis (Égypte)
1270	8e croisade, dirigée par Saint Louis (Maghreb)

appréhendent l'offensive des États chrétiens dans sa totalité, en y incluant la reconquête de la Sicile en 1063, celle de Tolède en 1085, et, plus généralement, les différentes péripéties de la *Reconquista* qui s'est poursuivie jusqu'en 1492, date de la chute de Grenade.

Le résultat le plus important de cette offensive tous azimuts, qu'on ne peut cantonner à ses aspects militaires, est la perte par les musulmans du monopole commercial en Méditerranée. Les expéditions armées ont certes joué un rôle – notamment la quatrième croisade, qui était davantage une expédition contre Constantinople, commanditée par les Vénitiens, qu'une expédition pour « libérer les Lieux saints » –, mais les accords commerciaux postérieurs ont eu une influence aussi grande. Certains d'entre eux furent même passés librement par des États musulmans, comme ce fut le cas, au XIIe siècle, avec les Almohades, qui pourtant contrôlaient militairement toute la Méditerranée occidentale.

À l'issue de tout cela, le commerce international, c'est-à-dire l'instrument économique principal de la domination musulmane, se retrouve entre les mains de villes italiennes, comme Venise, Gênes ou Pise. Une autre époque commence.

Les offensives mongoles

Première offensive (1218-1227)

1218	Premiers affrontements au Khwārizm
1220	Chute de Samarcande, Balkh, Marw, Nishapūr, Herat
1221	Chute de Rayy, Qumm, Qazwīn, Zanjān, Hamadān, Marāgha
1227	Mort de Gengis Khan

Deuxième offensive (1231-1241)

	Réoccupation de l'Asie centrale
	Occupation de la Russie, de la Pologne, de la Hongrie

Troisième offensive (1257-1261)

1257	Destruction du pouvoir des Ḥashshāshīn (secte des Assassins)
1258	Chute de Bagdad
1261	Chute de Damas

Le troisième événement, c'est la conquête mongole.

Cette phase de l'expansion mongole commence au début du XIIIe siècle, avec Gengis Khan. Ses successeurs s'emparent de la Chine, à l'est. En Asie centrale, puis au Moyen-Orient, ils soumettent les places fortes, les centres économiques et les centres culturels les plus prestigieux de l'Empire musulman. Ils arrivent aux portes de Bagdad en 1258. Hulagu, le chef des Mongols, ordonne la mise à sac de la ville, le massacre de ses élites et la mise à mort du calife, chef suprême de l'Islam. C'est la fin du califat abbasside. Un lointain descendant sera récupéré, bien plus tard, au Caire, et ramené à Istanbul, en 1517, par le sultan ottoman Salīm Ier. Mais cela ne sera plus qu'une vague survivance sans grande importance.

Après cette victoire, l'armée mongole déferle sur la Syrie et la Palestine. Mais elle se heurte à l'armée des Mamelouks[13] d'Égypte et sera défaite, en 1260, à la bataille de Aïn Jalout, en Galilée.

Il y a eu, ultérieurement, un nouvel épisode mongol, sous la conduite de Tamerlan (1336-1405), lequel était d'ailleurs d'origine turque mais avait épousé une princesse mongole. Une partie de ce qui restait des États musulmans (la Syrie, la Perse, l'Anatolie) fut à nouveau contrôlée après une campagne militaire semblable à la première dans l'utilisation de la terreur et des destructions. Mais cette seconde offensive n'a pas eu la même signification que l'invasion du XIIIe siècle. Il est néanmoins certain que les Mongols ont porté un coup sévère à une puissance musulmane déjà ébranlée par les croisades et minée par les luttes idéologiques internes.

Le relais ottoman

Donc, à partir de 1055, l'empire commence à montrer des signes de déclin. Quelles sont les causes principales de ce processus et dans quelle mesure les Ottomans ont-ils ensuite pris le relais ?

Je ne pense pas que le terme de « déclin » soit historiquement pertinent. Disons que la puissance et la splendeur de cet État vont connaître, à partir de cette date, un certain infléchissement et que les équilibres globaux qu'il connaissait du IXe au XIe siècle vont entrer dans une zone de turbulence, suivie quelques décennies plus tard par un processus d'effritement territorial consécutif aux offensives chrétiennes et mongoles. Cela dit, cet empire restera longtemps encore un

13. Cette dynastie a régné en Égypte et en Syrie de 1250 à 1517. Comme le nom de cette dynastie l'indique clairement en arabe, ses fondateurs étaient des esclaves qui avaient fait carrière dans l'armée des Ayyoubides, leurs anciens maîtres, et qui, à un moment donné, ont décidé de prendre le pouvoir. L'État mamelouk a toujours été gouverné exclusivement par d'anciens esclaves. Seule l'origine de ces derniers pouvait changer : en effet, au début de cette dynastie, ils étaient d'origine slave ou mongole puis, à partir de la fin du XIVe siècle, ce sont les esclaves d'origine circassienne qui prirent le relais.

symbole de puissance, à travers ses différents pouvoirs régionaux, et, comme on le verra par la suite, une référence, à travers la vigueur toujours intacte de ses activités culturelles et scientifiques.

Quant aux raisons de l'affaiblissement de l'Empire musulman, elles sont multiples ; mais la plus importante à mes yeux, et la plus stratégique, a été la perte progressive du contrôle du commerce international. Face à un ensemble européen renaissant (après quelques siècles « obscurs », en particulier sur le plan intellectuel), l'Empire musulman, affaibli et divisé, n'a pas su réagir efficacement et n'a pas pu s'adapter à la nouvelle situation internationale. Les attaques mongoles ont probablement aussi, du moins dans un premier temps, porté un coup sévère à la puissance musulmane en perturbant sérieusement le commerce à grande échelle avec l'Asie, l'Inde et la Chine.

Cela étant, et je reprends ce que je disais à propos de la complexité des phénomènes historiques, il y a certainement d'autres composantes à ce processus, qu'il faudrait peut-être rechercher dans le fonctionnement de la société musulmane elle-même, dans ses comportements culturels et dans sa mentalité dominante. Puisque notre propos essentiel, dans ce livre, concerne les sciences, il faudrait en fait pouvoir répondre à la question suivante : pourquoi cette civilisation si brillante, si dynamique à de multiples égards, possédant une culture et des sciences aussi riches, n'a-t-elle pas su créer, en son sein, les conditions qui devaient préparer l'avènement de la science moderne, avec ses corollaires, c'est-à-dire la révolution scientifique et technique, puis la révolution industrielle ?

La question a souvent été posée. La réponse nécessiterait d'abord de longues recherches sur les aspects peu connus de cette civilisation et de ses différents acteurs, en particulier sur la nature et le degré des crises internes traversées par cette société à partir des grandes offensives chrétiennes et mongoles et sur les comportements que ces crises ont induits. Il faudrait également avoir des réponses fiables sur les liens éventuels entre les structures sociales de la cité islamique et leur évolution, sur les rapports sociaux qui existaient dans les différents domaines de la production artisanale ou manufacturière. En ce qui concerne la production elle-même, il faudrait pouvoir apprécier le rôle des ressources agricoles et non agricoles, notamment minières, dans le développement de l'économie globale de cet empire, et peut-être dans les causes du ralentissement de cette économie. Pour prendre l'exemple du fer et du bois, on sait que leur utilisation a été importante durant tout le Moyen Âge et qu'ils faisaient l'objet d'un commerce important entre l'Europe du Sud et les pays d'Islam. Ces deux matériaux ont-ils connu un changement de monopole et quelle en a été la conséquence ? La même question se pose pour l'or, dont la raréfaction est notée par les historiens ; ceux-ci observent également un transfert monétaire de l'espace économique musulman vers celui de l'Europe. Ce ne sont là que quelques questions parmi d'autres qu'il est nécessaire d'éclaircir avant de pouvoir espérer apporter un début de réponse à la fameuse question relative au déclin de la civilisation arabo-musulmane.

On aurait pu s'attendre cependant à ce que l'Empire ottoman prenne la relève de l'Empire musulman. Le XVI*e siècle semble être le moment où, malgré les guerres de Religion en Europe, l'écart commence à s'accentuer entre le monde musulman et les pays chrétiens. Or, si l'on compare les puissances respectives, Soliman le Magnifique*[14] *supporte allègrement le parallèle avec ses contemporains François Ier et même Charles Quint...*

Oui, sans nul doute ! L'ambition des Ottomans a effectivement été de reconstituer la puissance et la splendeur qu'avaient connues les Abbassides, quelques siècles auparavant, mais ils n'y sont pas parvenus, pour de multiples raisons. La maîtrise du commerce international avait été perdue, et elle ne fut jamais récupérée. Le contexte nouveau, en

14. Sulaymān Ier Kanūnī (Soliman le Magnifique) (1520-1566) est le neuvième dans la lignée des sultans de l'Empire ottoman. C'est sous son règne que les armées ottomanes conquièrent le Yémen, contrôlent toute la Méditerranée orientale et occupent de nouveaux territoires en Europe (dont la Hongrie), avec des incursions jusqu'à Vienne.

particulier du point de vue des équilibres régionaux, n'était plus celui qui prévalait du IXe au XIe siècle : la lente montée du pouvoir musulman s'était effectuée pendant la grande léthargie de l'Europe chrétienne alors que, au moment de l'avènement du pouvoir ottoman, l'Europe est en pleine mutation et s'engage dans un processus vigoureux qui aboutira, deux siècles plus tard, à la Renaissance. Il y a bien eu extension du pouvoir musulman par l'est, mais les territoires mêmes de l'ancien Empire musulman n'ont pas pu être récupérés : le Moyen-Orient est revenu dans le giron du nouveau pouvoir musulman mais pas la péninsule Ibérique. Au Maghreb même, les Ottomans ne prendront guère pied qu'à la faveur des offensives espagnoles du début du XVIe siècle. Encore ne domineront-ils que les zones côtières et pas du tout le Maghreb extrême, qui restera indépendant.

*

RÉFÉRENCES BIBLIOGRAPHIQUES

Voyageurs arabes, textes de Ibn Faḍlān, Ibn Jubayr, Ibn Baṭṭūṭa et un auteur anonyme, Paris, Gallimard, coll. « Bibliothèque de la Pléiade », 1995, p. 369-1050, trad. et prés. Paule Charles-Dominique.

Cahen C., *L'Islam des origines au début de l'Empire ottoman*, Paris, Bordas, 1968, p. 1-28.

Eche Y., *Les Bibliothèques arabes publiques et semi-publiques en Mésopotamie, en Syrie et en Égypte au Moyen Âge*, Damas, 1967.

Elisséeff N., *L'Orient musulman au Moyen Âge (622-1260)*, Paris, Armand Colin, 1957, p. 1-83.

Ibn Khaldūn, *Discours sur l'histoire universelle. Al Muqaddima*, Arles, Sindbad, 1978, trad. et prés. V. Monteil.

Lombard M., *L'Islam dans sa première grandeur (VIIIe-XIe siècle)*, Paris, Flammarion, 1971.

Papadopoulo A., *L'Islam et l'art musulman*, Paris, Mazenod, 1976.

Rodinson M., *Mahomet*, Paris, Éditions du Seuil, 3e éd., 1974.

Sourdel D. et J., *La Civilisation de l'Islam classique*, Paris, Arthaud, 1968, p. 1-60.

Watt W. M., *Mahomet à La Mecque*, Paris, Payot, 1958.

Watt W. M., *Mahomet à Médine*, Paris, Payot, 1959.

2. Les sciences en pays d'Islam

Cette civilisation dont nous voulons étudier les sciences a, nous l'avons dit, été conditionnée et dominée par cette troisième religion monothéiste révélée qu'est l'Islam. Il est donc nécessaire de nous pencher sur les caractéristiques de cette religion et sur les rapports qu'elle a entretenus avec la science et les activités scientifiques.

Commençons, si vous le voulez bien, par les bases, le fondement de l'Islam, c'est-à-dire par son corpus.

Ce corpus est constitué, en premier lieu, du Coran (qui signifie « Récitation »), le Livre sacré des musulmans, composé de cent quatorze chapitres, divisés en soixante sections dont le nombre de versets varie de trois à deux cent quatre-vingt-six. Si l'on tient compte de la chronologie de la révélation de ces versets, on peut les classer en deux grandes catégories : les versets révélés durant le séjour du Prophète à La Mecque, et ceux qui l'ont été à Médine, à partir de 622. C'est dans cette seconde catégorie que l'on trouve les éléments fondamentaux concernant la gestion de la future cité islamique. Le second texte est le Ḥadīth. Il est constitué par l'ensemble des paroles, des actes et des comportements attribués à Muḥammad. Lorsque les juristes et les théologiens auront à résoudre certains problèmes de la cité qui n'ont pas leur solution dans le Coran, ils se tourneront naturellement vers le Ḥadīth et procéderont alors par analogie pour trouver la solution qui leur paraîtra la plus conforme à leur compréhension des principes de l'Islam.

Comment le Coran a-t-il été rédigé ou retranscrit ?

À l'origine, le Coran était récité. Quand il avait la révélation du message divin, le Prophète le récitait à ses proches compagnons, lesquels le mémorisaient et parfois l'écrivaient sur des supports rudimentaires (le papier n'existait pas encore, et les autres matériaux de l'époque, comme le papyrus et le parchemin, étaient onéreux). Certains de ces compagnons se sont d'ailleurs ultérieurement spécialisés dans cette mémorisation et dans sa restitution.

La retranscription a donc été très rapide, contrairement au message du Christ, les Évangiles lui étant très postérieurs ?

La relation orale, oui ; somme toute, celle-ci a été presque immédiate. Les compagnons récitaient au Prophète les versets entendus de sa bouche et il pouvait de nouveau intervenir pour rétablir la version originale qu'il avait dictée.

Cela étant, les compagnons concernés étaient relativement nombreux. La langue utilisée – l'arabe – était surtout parlée. Son écriture existait mais elle était assez peu utilisée. Les auditeurs du Prophète pouvaient comprendre différemment ses paroles et, plus tard, les réciter avec des différences plus ou moins importantes. D'où des problèmes d'authentification du Coran lui-même, particulièrement décisifs dans le contexte de la propagation fulgurante de l'Islam et de la lutte pour le pouvoir qui a suivi la mort de Muḥammad. Les mêmes questions – j'y reviendrai tout à l'heure – vont se poser pour le Ḥadīth.

D'où l'apparition d'une activité nouvelle, consistant à authentifier les éléments du corpus de base de l'Islam, en premier lieu le contenu du texte coranique. Cette pratique va se développer, à partir de la deuxième moitié du VIIe siècle, selon des critères de plus en plus rigoureux. On va ainsi comparer les relations orales, procéder par induction, par analogie, faire référence aux faits reconnus, rechercher les éventuelles contradictions internes, recouper les témoignages, etc. Bref, une démarche tout à fait rationnelle dans son principe, assez semblable à celle que peuvent utiliser les historiens actuels pour authentifier des textes. On peut considérer, et je crois, sans risquer de se tromper, que ces débats, ces travaux, en particulier ceux qui ont été menés autour de la validation du message du Prophète, ont, du fait de leur dimension critique et du souci de la recherche de critère de vérification qui les a caractérisés, contribué à créer un état d'esprit scientifique. Ils ont également fondé tout un corpus intellectuel rationnel qui a préludé à l'essor ultérieur de la science arabe.

C'est là, me semble-t-il, le véritable point de départ de la tradition scientifique arabe, et ce bien avant le grand mouvement de traduction des œuvres grecques et indiennes, mouvement que l'on considère souvent à tort comme l'unique origine de cette tradition scientifique.

Il y avait donc des divergences entre les relations, pourtant directes, des paroles du Prophète par ses proches compagnons ?

Oui, bien sûr. Les témoignages humains sont fragiles, comme nous le savons. De plus, la mémoire n'est pas toujours fiable, et même s'il ne s'agit que de variations sémantiques ou linguistiques minimes, cela peut parfois avoir des conséquences non négligeables tant d'un point de vue théologique que d'un point de vue politique.

Toujours est-il que le troisième calife, ᶜUthmān, a jugé, une vingtaine d'années après la disparition du Prophète, qu'il était nécessaire de trancher et de fixer définitivement le texte du Coran. Il a donc réuni une sorte de commission qui a retenu sept lectures acceptées du texte. Il semble que ce chiffre ait déjà été évoqué par le Prophète lui-même, qui aurait dit : « Gabriel m'a permis jusqu'à sept lectures différentes du Coran. » Dans les faits, les spécialistes du Coran invoquent trois raisons qui ont pu faire apparaître des différences, à leurs yeux très minimes, dans le contenu de certaines phrases du texte coranique, dans la lecture ou l'écriture de certains mots, ou dans leur prononciation. La première est liée aux variantes dans les parlers arabes de l'époque. Or le Coran a d'abord été mémorisé et récité. Ce qui aurait, dit-on, amené le Prophète lui-même à autoriser les récitants à remplacer tel mot originel du message par son équivalent dans le parler du récitant. La deuxième raison est liée aux ajouts qui se sont glissés dans la première version.

Le Prophète avait en effet l'habitude d'expliquer divers passages qui paraissaient obscurs à ses compagnons. Certaines de ces explications auraient été ajoutées au texte originel au moment de sa transcription. Une troisième raison est due au fait que l'arabe écrit n'avait pas, à ses débuts, de points diacritiques et de signes de vocalisation. Ce qui autorisait plusieurs lectures d'un même mot, voire parfois plusieurs sens pour une même phrase.

Quoi qu'il en soit, nous ne savons pas ce qui a été rejeté par ladite commission comme mauvaise lecture du Coran. Cela aurait été d'un grand intérêt pour l'historien, ne serait-ce que pour mieux cerner les origines des divergences idéologiques et politiques qui vont surgir ou s'exacerber après la décision du calife ᶜUthmān. Nous pouvons tout au plus glaner, ici ou là, des témoignages sur ce délicat problème de transmission. On sait par exemple que, avant le choix de la version « officielle » du Coran, d'autres versions circulaient librement. L'une d'elles, celle d'Ibn Masᶜūd, était encore en usage au Xᵉ siècle dans les milieux chiites. On comprend facilement pourquoi cette version avait encore la faveur de certains musulmans lorsqu'on prend connaissance de certains de ses versets qui diffèrent nettement de ceux de la version officielle ou qui sont tout simplement des additions. Voici un exemple d'addition que l'on pouvait lire dans la version d'Ibn Masᶜūd. La version officielle du verset 35 du chapitre 24 dit : « Dieu est la lumière des cieux et de la Terre. Sa lumière est à la ressemblance d'une niche où se trouve une lampe. » La version d'Ibn Masᶜūd dit : « Dieu est la lumière des cieux et de la Terre. Sa lumière est à la ressemblance de la lumière de celui qui croit en lui et aime les gens de la famille de son Prophète ; elle est comme une niche où se trouve une lampe. » Quant aux divergences, l'exemple le plus connu, et de loin le plus important, se trouve dans le verset 56 du chapitre 33, qui dit : « Dieu et ses anges **unissent ᶜAlī** au Prophète », alors que la version officielle dit : « Dieu et ses anges **prient sur** le Prophète[1]. » Ici, la diffé-

1. D. et J. Sourdel, *La Civilisation de l'Islam classique*, Paris, Arthaud, 1968, p. 129-132.

rence de lecture ne tient qu'à la vocalisation des deux mots. Dans les deux cas, les différences étaient, à l'époque, d'une portée idéologique et politique incalculable.

Le Coran une fois stabilisé, au-delà des exégèses et des interprétations, les intellectuels arabes ont-ils persisté dans l'analyse critique des textes ?

Le débat a bien sûr continué à propos du Ḥadīth. Le Prophète récitait toujours les versets du Coran aux mêmes personnes, dont le nombre n'était pas important. Mais, pour tout ce qui ne concernait pas le Livre sacré, les témoins et les auditeurs étaient beaucoup plus nombreux : il y avait ceux qui avaient eu le privilège d'accompagner ou de rencontrer le Prophète tout au long de ses vingt années de prédication, c'est-à-dire entre le début de la révélation et son décès, en 632, ceux qui l'avaient entendu prononcer telle ou telle parole, ceux qui l'avaient vu agir à l'occasion d'un événement marquant. Il est arrivé aussi que le Prophète n'ait pas répondu à une question, ne soit pas intervenu dans certaines circonstances... Faute d'interpréter ses paroles ou ses gestes, on s'est alors interrogé sur ses silences.

Au-delà du choix du calife ᶜUthmān relatif aux sept lectures du Coran, la recherche sur le contenu du Ḥadīth a donc continué, avec la même méthodologie et les mêmes critères. Les sujets étant moins sacrés que le contenu du Coran lui-même, les autorités religieuses et politiques n'ont pas entravé le débat.

L'étude de ce corpus – qu'il nous faut bien qualifier de scientifique du fait de sa méthodologie, même si son objet est religieux – a permis à cette civilisation d'inaugurer de nouvelles activités de recherche avant même le début des traductions. C'est ce qui nous autorise à parler, à la suite des bibliographes arabes, de « science de l'exégèse du Coran » et de « science du Ḥadīth », même si cela paraît quelque peu incongru aux lecteurs habitués à réserver le mot « science » à certaines activités intellectuelles.

Y a-t-il eu d'autres domaines, non religieux cette fois, sur lesquels la recherche aurait porté dès le départ ?

Oui, celui de la langue arabe. Je l'ai déjà dit, l'arabe était essentiellement parlé, assez peu écrit et donc de codification assez floue. Devenant la langue de l'Islam, le vecteur de sa propagation, destinée de fait à être internationalisée, il fallait – de par les arguments mêmes des musulmans de l'époque – la préserver de toute déformation et développer son enseignement. D'où la nécessité d'étudier ses règles et de connaître sa structure interne. Se construit donc, à côté des deux domaines religieux précédemment évoqués, un domaine nouveau que nous qualifierons, par commodité, de « profane ».

Les textes sacrés et la science

Existe-t-il, dans les textes fondamentaux, et bien entendu dans le Coran lui-même, des passages favorables – ou défavorables – à la science, des incitations à la recherche... ?

Oui, il y en a plusieurs. Il faut savoir, par exemple, que le mot « science » et les mots ou expressions qui en découlent (comme « savant », « plus savant »...) interviennent plus de quatre cents fois dans le Coran. Parmi les versets qui sont explicitement en faveur de la science, il y a celui-ci : « Dieu placera sur des degrés élevés ceux d'entre vous qui croient et ceux qui auront reçu la science »[2] ; et celui-ci : « Seigneur, accorde-moi plus de science[3]. » On attribue également au Prophète des propos sans ambiguïté en faveur des sciences et des savants. Parmi les plus cités, mais dont l'authenticité n'est pas garantie, il y a celui-ci : « Cherchez la science, même en Chine. » Parmi ceux qui ont été authentifiés par les spécialistes de l'étude des propos du Prophète, il y a celui-ci : « La quête de la science est un devoir pour tout musulman », et celui-ci : « Les anges poseront leurs ailes sur celui

2. LVIII, 11.
3. XX, 114.

qui recherche la science en signe de satisfaction pour ce qu'il fait. » Le Prophète aurait dit aussi que « le savant surpasse le dévot comme la Lune, au moment de la pleine lune, surpasse les autres astres ».

Ce n'est pas dépourvu d'ambiguïté. On peut interpréter cela comme des phrases relatives à la connaissance de la religion, des sciences religieuses...

Bien sûr, mais cela dépend des interprétations que l'on en donnera plus tard. Celles-ci varieront selon les commentateurs mais aussi selon les époques. À partir du IXe siècle, par exemple, apparaît un débat sur les sciences. Or, cela correspond à la période où l'on assiste à un développement tous azimuts des activités intellectuelles, refusant pratiquement tout contrôle. Les textes fondateurs sont alors interprétés de manière très « ouverte », même si, ici ou là, des voix se sont élevées pour s'opposer à ces interprétations et pour condamner certaines sciences.

Il est arrivé que des historiens très postérieurs, parfois actuels, rapportent ces jugements, ces débats, de façon totalement anhistorique, partielle, sans référence au contexte social où ils ont eu lieu. Cela n'a évidemment pas de sens. Il est nécessaire, concernant telle ou telle déclaration, de la citer, bien sûr, de vérifier son authenticité, puis de s'interroger sur sa signification réelle en relation avec le contexte de sa formulation. Ensuite, il faut étudier son utilisation ultérieure, ou plutôt ses utilisations successives.

J'ai cité le propos du Prophète disant qu'il fallait aller chercher la science jusqu'en Chine, c'est-à-dire au bout du monde. A-t-il réellement dit cela ? Ensuite, qu'entendait-il par « science » ? En période d'essor scientifique, ce propos sera interprété de manière large. Certains diront : nous pratiquons les sciences des Anciens, à savoir les sciences profanes, parce que le Prophète a encouragé cela. S'il avait voulu viser uniquement les sciences de la religion, il l'aurait dit explicitement. S'il ne l'a pas fait, s'il s'est exprimé de cette manière, c'est que son propos était délibéré. D'autres, plus conservateurs, interpréteront les mêmes phrases du

Coran et du Ḥadīth de façon très restrictive, jusqu'à affirmer que même l'excès de l'étude de la grammaire arabe est dangereux. Il n'est donc pas étonnant que cela ait pu conduire, parfois, à des autodafés. Mais le phénomène est resté exceptionnel.

Et à part ces deux attitudes extrêmes, quelles autres interprétations a-t-on pu rencontrer ?

Je peux, par exemple, citer al-Ghazzālī (m. 1111), un théologien qui a vécu à Bagdad jusqu'au début du XIIe siècle. Ce n'est pas encore le déclin ; mais la période la plus faste de cette civilisation, et notamment dans le domaine scientifique, est en train de s'achever. Avec la prise du pouvoir politique par les Seljoukides, en 1055, on est entré dans une phase de réorientation. Dans son livre intitulé *Celui qui sauve de l'égarement*, al-Ghazzālī s'interroge sur le bien-fondé de l'exercice des sciences rationnelles. Il dit : « En elles, il y a des parties indifférentes, des parties utiles et des parties nuisibles. Par exemple, les mathématiques ne sont pas nuisibles, elles sont même utiles puisqu'elles facilitent le calcul de la répartition des héritages. » Cela étant, il précise qu'elles comportent quand même des aspects nuisibles parce que, dans leur dimension théorique, elles sont fondées sur le raisonnement, lequel dérive du syllogisme[4], lequel est l'instrument de la philosophie. Or, cette dernière est une discipline qui mène au relativisme. Donc, en s'initiant au syllogisme en mathématiques, on prend l'habitude de croire que des syllogismes corrects conduisent à la vérité, et cela dans tous les domaines ; ce qui peut conduire à l'athéisme. Al-Ghazzālī sous-entend donc qu'il faut faire des mathématiques appliquées, mais éviter les mathématiques théoriques, qui peuvent déboucher sur la philosophie. Pourtant, je le répète, on est déjà au XIIe siècle. Et puis l'opinion de ce théologien n'est pas

4. Le syllogisme est une opération qui permet d'aboutir à une conclusion à partir de deux prémisses, l'une dite majeure et l'autre mineure. Exemple classique : tous les hommes sont mortels (majeure), or je suis un homme (mineure), donc je suis mortel (conclusion).

I. LES SCIENCES DE TRANSMISSION

A. SCIENCES RELIGIEUSES

1. Exégèse
2. Lectures coraniques
3. Sciences du Hadith
4. Droit
5. Fondements du droit
6. Théologie
7. Mystique soufi

B. GÉOGRAPHIE

1. Géographie descriptive
2. Cartographie
3. Relations de voyages

C. SCIENCES DE LA LANGUE

1. Linguistique
2. Grammaire
3. Métrique
4. Lexicographie
5. Littérature

D. SCIENCES HISTORIQUES

1. Généalogies-Chronologies
2. Bio-bibliographie
3. Chroniques
4. Analyse historique

II. LES SCIENCES RATIONNELLES

A. SCIENCES PHYSIQUES

1. Sciences des êtres vivants et des plantes
   - a. Médecine
   - b. Sciences vétérinaires
   - c. Sciences de l'élevage
   - d. Agronomie
   - e. Botanique
2. Sciences des instruments
   - a. Poids spécifiques
   - b. Moments d'inertie
   - c. Leviers
   - d. Miroirs ardents
   - e. Machines de guerre
   - f. Mécanique hydrolique
3. Science des corps terrestres
   - a. Pharmacologie
   - b. Chimie
   - c. Géologie
   - d. Météorologie

B. PHILOSOPHIE

1. Logique
2. Fondements des mathématiques
3. Fondements de la physique
4. Métaphysique

C. SCIENCES MATHÉMATIQUES

1. Sciences numériques
   - a. Calcul indien
   - b. Théorie des nombres
   - c. Algèbre
   - d. Analyse combinatoire
2. Sciences géométriques
   - a. Géométrie des figures et des courbes
   - b. Géométrie de la mesure
   - c. Constructions géométriques
   - d. Arpentage
   - e. Architecture
   - f. Optique théorique
3. Astronomie
   - a. Science de l'observation
   - b. Trigonométrie
   - c. Théories planétaires
   - d. Instruments astronomiques
   - e. Science du temps
4. Musique
   - a. Théories musicales
   - b. Pratiques musicales
   - c. Instruments musicaux

III. LES SCIENCES INTERMÉDIAIRES

1. Science des héritages (droit, arithmétique, algèbre)
2. Astrologie (divination, astronomie, arithmétique)
3. Kalām (théologie, philosophie)

Les sciences arabes (VIIIe-XIXe siècles)

l'opinion dominante de la société et elle n'est en aucune manière l'opinion de la communauté scientifique.

On est donc en période, sinon de régression, du moins de stagnation de la civilisation arabo-musulmane.

En quelque sorte oui, bien que ce ne soit pas encore le déclin, lequel commence surtout au XIVᵉ siècle. On peut aujourd'hui déceler quelques amorces de déclin mais c'est un jugement après coup. À la mort d'al-Ghazzālī, l'orthodoxie sunnite a définitivement triomphé. Les Fatimides se sont effondrés et, avec eux, le rêve d'une jonction avec le chiisme asiatique. Les militaires seljoukides ont pris le pouvoir politique à Bagdad et les chiites, là où ils étaient implantés, ne représentaient plus une force dominante. L'important, ce n'est d'ailleurs pas tellement la victoire de l'orthodoxie sunnite. Si les chiites avaient triomphé, il est probable que le processus de déclin aurait été à peu près semblable parce que d'autres facteurs sont intervenus dans ce processus.

Incitations à la pratique des sciences

Dans un ouvrage récent[5], l'auteur prétend que la philosophie de l'Islam se prête remarquablement bien à l'esprit mathématique. Cela expliquerait pour une part, selon lui, la richesse de la production des mathématiciens des pays d'Islam. Que penser de cette idée ?

Je ne la partage pas du tout. Revenons d'ailleurs au Coran. On y trouve, en particulier, les versets suivants, qui ne comportent aucune référence explicite aux mathématiques : « Dieu suffit pour tenir le compte », « Dieu est rapide dans ses comptes », et « Dieu est le plus rapide des calculateurs »[6]. Il existe, dans les pratiques de l'Islam, des éléments

5.p Seyyed Hossein Nasr, *Sciences et savoir en Islam*, Paris, Sindbad, 1979.

6. IV, 6 ; XXIV, 3 ; VI, 62.

qui ont favorisé le développement du calcul (arithmétique puis algébrique), ainsi que celui de certains aspects de l'astronomie et de la trigonométrie. J'y reviendrai un peu plus loin, mais je peux déjà dire que la thèse de cet auteur ne résiste pas aux faits. Elle est à rapprocher de ce qu'on peut lire chez certains orientalistes occidentaux non spécialistes de l'histoire des sciences et à qui on a demandé leur avis sur ce sujet. Ils ont parlé des mathématiques arabes sans avoir jamais déchiffré et traduit un texte mathématique médiéval. On peut lire, par exemple, dans un de ces articles, que les Arabes ont inventé et développé l'algèbre parce que leurs structures mentales s'y prêtaient. Or les algébristes de l'Empire musulman étaient d'origines ethniques diverses : arabe, persane, berbère, ibérique, etc.

Ce que j'ai cru comprendre, c'est que l'auteur de l'ouvrage en question affirmait en quelque sorte que la philosophie coranique induisait implicitement ou explicitement une conception de l'univers de type pythagoricien[7].

Je ne le pense pas. Il s'agit d'une interprétation *a posteriori*. Comme cette civilisation a bien réussi dans le domaine mathématique, alors on cherche, après coup, à en trouver les causes dans le message originel. À mon sens, c'est d'abord l'activité critique exercée à propos de l'exégèse du Coran et de l'authentification du contenu du Ḥadīth ainsi que les premières recherches sur la structure de la langue arabe, puis l'influence ultérieure exercée par les œuvres philosophiques grecques, qui ont incontestablement favorisé le développement d'un esprit rationnel. Celui-ci a très fortement contribué à l'essor des sciences, et pas seulement des mathématiques.

---

7. Pour les pythagoriciens, tout est nombre dans l'univers. À cet effet, ils ont développé une théorie numérique permettant d'associer aux figures géométriques élémentaires des nombres dont les unités, disposées ingénieusement, reproduisent ces mêmes figures. Ce sont les fameux nombres figurés, qui sont exposés par Nicomaque de Gérase (fin du IIe s.) dans son livre *L'Introduction arithmétique*.

Il est communément admis que le Prophète ne savait ni lire ni écrire. Maxime Rodinson s'inscrit en faux contre cette opinion. Il écrit que le Prophète ne devait pas être analphabète et qu'il avait probablement une certaine culture scientifique.

Il faut d'abord remarquer que l'on peut être analphabète, c'est-à-dire ne pas savoir lire et écrire, et néanmoins posséder une certaine culture scientifique acquise oralement ou par l'observation. L'affirmation de Rodinson est plausible si elle signifie que le Prophète n'était pas ignorant.

Quant à l'idée, très répandue chez les musulmans, que le Prophète était analphabète, quelle que soit sa véracité, elle a son importance dans une vision précise. Elle permet en effet d'affirmer que, ne sachant ni lire ni écrire, toute sa connaissance des messages antérieurs, c'est-à-dire la Bible et un peu les Évangiles, ne provenait que du message divin qu'il était chargé de transmettre aux hommes, et non d'une initiation directe aux préceptes de ces deux religions monothéistes.

Le qualificatif peut également être interprété d'une manière profane : le Prophète, même analphabète, était un homme manifestement très intelligent, doté d'une culture orale importante. Il avait voyagé, tout au moins dans le Croissant fertile, avait rencontré beaucoup de gens différents, avait discuté avec eux, les avait écoutés. Il a fréquenté aussi, assez régulièrement, des membres des tribus juives et chrétiennes d'Arabie. C'est très probablement à travers ces divers contacts et entretiens qu'il a pu acquérir, avant la révélation, ses premières informations sur le contenu des textes sacrés des deux autres monothéismes.

Muḥammad était, à l'origine, marchand, probablement même un très bon marchand, sinon, on ne s'expliquerait pas pourquoi Khadīja, une dame fortunée de La Mecque, l'aurait recruté pour gérer ses affaires. Comme tel, il devait avoir une certaine culture mathématique orale, comportant une bonne pratique du calcul mental et, probablement, du calcul digital. Il existe encore, aujourd'hui, parmi les commerçants de Ghardaïa (en Algérie) et parmi les pêcheurs d'Oman, des gens qui calculent de cette manière et qui réussissent bien dans leur commerce sans avoir jamais appris à lire et à écrire.

Est-il vrai que des demandes concrètes, issues de la pratique religieuse, avaient été faites aux savants, notamment en mathématiques et en astronomie ?

C'est exact, encore que la pratique de l'Islam ait existé avant ces sollicitations et qu'elle se serait poursuivie même si les savants n'avaient pas trouvé de réponses à ces questions.

Pour les mathématiques, cela concerne surtout, au départ, des problèmes relatifs à la répartition des héritages. Cela étant, on savait partager les héritages bien avant l'avènement de l'Islam. Les techniques de calcul étaient fondées, essentiellement, sur la manipulation des fractions et, accessoirement, sur l'utilisation de quelques algorithmes, comme la méthode dite « de fausse position », pour la recherche de l'inconnue du problème[8]. Les procédés des Égyptiens et, surtout, des Babyloniens étaient du même type. Dans la société arabo-musulmane va apparaître de surcroît une sophistication des problèmes. Ce qui a été le prétexte à toutes sortes d'exercices mathématiques. On a même inventé des problèmes aboutissant à des équations du second degré[9]. Cela a effectivement joué en faveur du développement de certains aspects des mathématiques. On a constaté que les mathématiques facilitaient les calculs relatifs aux répartitions des héritages. Leur enseignement apparaissait donc utile à la société, d'où l'encouragement de son enseignement.

Il en est de même pour l'astronomie. Il fallait connaître la direction de La Mecque pour prier, et cela en tout lieu. Si l'on veut une direction rigoureusement exacte, le problème mathématique et astronomique posé est très compliqué dans

---

8. Il s'agit d'une formule mathématique qui permettait de déterminer la solution exacte du problème en partant de deux valeurs choisies arbitrairement.

9. Une équation du second degré est une relation entre l'inconnue d'un problème, le carré de cette inconnue et des nombres. Par exemple : $3x^2 + 5x = 7$.

sa résolution. Cela étant, comment a-t-on fait avant que les mathématiciens n'aient résolu la question ? Comment ont fait les premiers musulmans et le Prophète lui-même ? Ils se sont orientés vers La Mecque de deux manières. L'une est basée sur les étoiles. Dans ce cas la direction de La Mecque correspondait *grosso modo* à celle de l'étoile du berger. L'autre, celle de la tradition, correspondait à la direction choisie par le Prophète, c'est-à-dire vers le sud puisque Médine, la ville où il habitait, est au nord de La Mecque. Mais la direction, à partir d'un point quelconque du globe, n'a été établie qu'au IXe siècle, par l'astronome et mathématicien Ḥabash al-Ḥāsib. La formule mise au point est trop compliquée et, pour cette raison, n'a pas été souvent utilisée. D'ailleurs, on a très vite cherché à la simplifier et à la remplacer par une formule approchée plus commode. Malgré cela, la plupart des musulmans ont continué à se servir de l'un des procédés traditionnels. Pour prendre l'exemple de la ville du Caire, on y trouve des quartiers, et donc des mosquées, orientés de trois manières différentes : Le quartier d'al-Qāhira (construit par les Fatimides et qui donnera son nom à toute la ville) est orienté selon la *qibla* des compa-

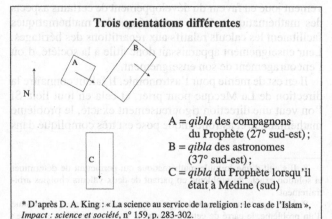

Trois orientations différentes

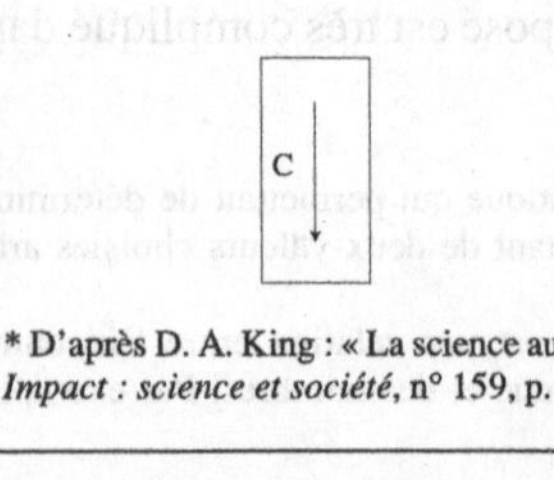

A = *qibla* des compagnons du Prophète (27° sud-est) ;
B = *qibla* des astronomes (37° sud-est) ;
C = *qibla* du Prophète lorsqu'il était à Médine (sud)

* D'après D. A. King : « La science au service de la religion : le cas de l'Islam », *Impact : science et société*, n° 159, p. 283-302.

gnons du Prophète (27° sud-est), celui des Mamelouks est orienté selon la *qibla* calculée par les astronomes (37° sud-est), enfin, celui d'al-Qarāfa est orienté plein sud, ce qui correspond en fait à l'orientation de la *qibla* du Prophète lorsqu'il était à Médine.

Les grands savants des pays d'Islam se sont-ils référés au Coran dans leurs travaux scientifiques ?

Non, jamais à ma connaissance. Prenons l'exemple d'Ibn al-Haytham (m. 1039), le grand spécialiste de l'optique. Dans ses écrits, il évoque l'observation, la recherche par induction et l'expérimentation pour établir un fait scientifique et ensuite le théoriser. Il n'a jamais évoqué le Coran à propos des idées et des méthodes qu'il a exposées dans ses œuvres. On peut dire la même chose pour d'autres grands mathématiciens. Tous évoquent Dieu, mais c'est pour le glorifier, en général au début de leurs ouvrages, ou pour rappeler ses paroles et celles du Prophète en faveur des sciences.

L'Islam et la science

Existe-t-il, dans les milieux scientifiques des pays d'Islam, vers la fin de ce que l'on appelle en Europe le Moyen Âge (XVe siècle), des débats sur l'héliocentrisme et l'équivalent de la condamnation formulée par le Vatican sur ce sujet ?

Dans le Coran, c'est la conception géocentrique de l'univers qui se dégage de la lecture des versets les plus explicites. On y lit, par exemple : « Le Soleil qui chemine vers son lieu de séjour habituel »[10] ; ou bien : « Dieu est celui qui a élevé les cieux sans colonnes visibles (…). Il a soumis le Soleil et la Lune ; chacun d'eux poursuit sa course vers un terme fixé »[11] ; ou bien : « Tu aurais vu le Soleil à son lever

10. XXXVI, 38.
11. XIII, 2.

s'écarter de leur caverne vers la droite et passer à leur gauche au moment de son coucher[12]. »

Compte tenu de l'époque où le texte coranique a été révélé au Prophète, le contraire aurait été étonnant. On pourrait donc s'attendre à exhumer des textes postérieurs où, s'appuyant sur cette conception géocentrique, leurs auteurs auraient ferraillé contre d'éventuelles positions héliocentriques. Mais, pour le moment, rien n'a été découvert concernant des débats sur l'une ou l'autre de ces deux conceptions.

Il existe, dans les écrits de l'astronome du XIe siècle al-Bīrūnī (m. 1048), les éléments d'un débat qui ne concerne que le problème de la rotation de la Terre sur elle-même. Il s'agit d'un débat entre savants de l'époque et d'un début d'application de ce qui n'était alors qu'une hypothèse. En effet, selon al-Bīrūnī, l'astronome as-Sijzī, son contemporain, avait conçu et réalisé un astrolabe basé sur cette hypothèse de la rotation de la Terre sur elle-même. Pressé de donner son opinion sur cette hypothèse, al-Bīrūnī a considéré qu'elle était parfaitement concevable et qu'elle ne contredit aucun phénomène connu ; mais il ajoute que l'hypothèse de la fixité de la Terre permet de rendre compte de la réalité de façon tout aussi satisfaisante. Comme on le verra plus en détail par la suite, son argumentation ne se réfère à aucune source religieuse.

Au-delà des débats entre savants, a-t-on connaissance d'une prise de position d'autorités religieuses de l'Islam comparable à celle de l'Église catholique ou protestante ?

Personnellement, je n'en connais pas ! Il faudrait peut-être la chercher du côté des penseurs musulmans qui se sont opposés aux philosophes à propos de questions très importantes, comme la finitude ou l'infinitude du monde, la divisibilité à l'infini de la matière ou sa réduction à des atomes indivisibles, etc.

12. XVIII, 17.

Est-ce que la question n'intéressait pas les théologiens musulmans, ou ce silence est-il dû au fait qu'il n'existait pas, dans l'Islam, de clergé et de hiérarchie qui auraient eu l'autorité nécessaire pour se prononcer sur ce sujet ?

L'Islam, à son origine et dans son corpus, n'a pas prévu de clergé puisque les fidèles n'ont pas besoin d'intermédiaires pour s'adresser à Dieu. Mais il y a ce que l'on peut appeler une « direction technique », c'est-à-dire les préposés à la conduite de la prière. Il y a enfin une direction politique, dans la mesure où l'Islam est concerné par la gestion de la cité. Au sommet, cette direction politique est incarnée, depuis 632, par le calife. Une Église implique l'existence d'intermédiaires – les prêtres – entre les fidèles et Dieu, ainsi que l'existence de structures hiérarchisées regroupant ces intermédiaires. Cette autorité a compétence pour dire ce qui est bon ou non, ce qui est conforme à la doctrine religieuse, etc. Rien de tout cela ne figure dans le corpus musulman. Cela dit, il y a des différences notables entre les orthodoxes musulmans (sunnites) et les chiites. Chez ces derniers, il y a des mollahs, des hodjatoleslams, des ayatollahs. C'est une conséquence de l'adoption, dès le VIIe siècle, du concept de l'imamat (mission de guider la communauté). Cette mission est donc confiée à un imam, c'est-à-dire un guide censé être le dépositaire du sens caché du message coranique. Alors que le sunnite se contente, pour être un bon musulman, de suivre les prescriptions du Coran, le chiite doit se rattacher à un guide qui lui enseigne l'aspect caché du message divin. C'est cette nécessité du guide qui va entraîner le développement de toute une hiérarchie religieuse dont l'une des missions est de choisir l'imam.

L'Islam et la rationalité

Ce que nous avons dit sur l'exercice de la démarche critique des intellectuels musulmans m'amène à vous demander ce que vous pensez de cette phrase de Maxime Rodinson : « La rationalité de la théologie musulmane est extrême, elle est admirable. Tout l'Islam intellectuel du Moyen Âge est placé sous les auspices de la raison. »

Ce que je peux dire, c'est que, à partir d'un corpus fondé sur une révélation, les théologiens musulmans ont mis en œuvre une démarche rationnelle, critique, dans le cadre de l'authentification des différentes récitations du Coran puis du contenu du Ḥadīth. Un travail du même type a été entrepris, ensuite, sur la langue arabe. Le caractère scientifique des méthodes d'investigation a été alimenté et conforté ultérieurement par l'emprunt d'un outil de la « science des Anciens » – principalement grecs –, la logique. Plus ou moins acceptée, plus ou moins combattue par certains théologiens, la logique aristotélicienne a complètement pénétré la vie intellectuelle du monde musulman. Cela explique pour une part pourquoi, au cours de la période de déclin, alors que la plupart des disciplines scientifiques (mathématiques, astronomie, physique, etc.) régressaient, alors que le conservatisme gagnait du terrain et qu'une sorte de frilosité conformiste envahissait certaines activités intellectuelles, la logique – conçue comme étant un instrument fondamental de la pensée humaine – reprenait de la vigueur dans différentes régions de l'Empire musulman.

Cette rationalité que vous évoquez, à quoi s'est-elle appliquée, au-delà de l'étude du corpus religieux et de la langue arabe ?

Elle s'est appliquée d'abord dans les domaines juridique et politique, autrement dit à la vie de la cité. Pour une part, principalement en ce qui concerne les versets médinois, le Coran est un code définissant les règles de fonctionnement de cette cité. Pour veiller à l'application des principes ainsi définis, une armée de fonctionnaires apparaît. Ces fonctionnaires sont les juges. Leur rôle n'a rien de religieux, même s'il consiste à veiller à l'harmonie de la cité selon les principes musulmans. Ils s'occupent de la répartition des héritages, du respect des règles de mitoyenneté, du châtiment des criminels, etc. Tout cela à partir d'une jurisprudence musulmane codifiée aux VIIIe-IXe siècles et régulièrement enrichie selon la démarche analogique.

Cela étant, ce corpus ne règle pas tout. Dans le cadre du développement de la société apparaissent des problèmes qui ne figurent pas dans la liste des situations initialement prévues. Et ces problèmes sont suffisamment nouveaux pour ne pas pouvoir être réglés par analogie avec tel ou tel comportement du Prophète ou par extrapolation d'un jugement rendu par tel ou tel calife. C'est alors qu'intervient le mufti. C'est quelqu'un qui connaît bien le code musulman et tout ce qui constitue déjà sa jurisprudence. C'est un savant de la religion auquel la société reconnaît, à un moment donné, la capacité à formuler un jugement sur une question non prévue par le dogme et par le code qui en découle, à innover dans une situation originale. Par exemple, le code indique ce qu'il faut faire quand on a un prisonnier musulman, chrétien ou juif. Mais que faut-il faire d'un prisonnier païen ? Faut-il le tuer ou le transformer en « protégé », et donc lui accorder un statut privilégié, prévu uniquement pour les monothéistes ? On ne va pas demander un avis circonstancié à un militaire, ni à un chef politique. On va le demander à un mufti. Son jugement sera alors une *fatwa*. La *fatwa* est la formulation d'une solution à un problème posé par la vie de la cité, solution qui n'est appelée à durer longtemps que si elle rencontre un consensus dans la société.

Nous avons traité de l'apport de la démarche critique exercée à l'égard du corpus religieux, ainsi que du travail relatif à la langue arabe. Cela fait deux des composantes de la construction de la rationalité. Existe-t-il d'autres composantes ?

On pourrait affirmer que toute la civilisation dans laquelle l'Islam est né et s'est développé y a concouru. Cela nous amène toutefois à évoquer les héritages reçus par cette civilisation (rapidement, car nous en traiterons plus tard de manière approfondie), en insistant plus particulièrement à cet égard sur l'apport grec.

Les sciences persane, babylonienne et égyptienne ont

malheureusement laissé peu d'écrits. Mais, ceux qui ont été retrouvés prouvent qu'il s'agissait surtout de sciences utilitaires. La géométrie visait à résoudre des problèmes d'arpentage et d'architecture. Le calcul était destiné à favoriser les transactions commerciales, les répartitions des héritages, le calcul des impôts, etc. Ces sciences comportaient un savoir, essentiellement empirique, et davantage encore de savoir-faire.

La société grecque, telle qu'elle s'est élaborée à l'époque classique (ve siècle av. J.-C.), et dans l'école d'Alexandrie, a une tout autre dimension. Elle implique un savoir, bien plus d'ailleurs qu'un savoir-faire (qui existe également mais qui est davantage le fait de techniciens et d'artisans que de savants ou de philosophes), mais aussi toute une conception de la science, toute une idéologie, qui sont parties intégrantes du corpus. Elle intègre une dimension théorique (qui n'existait pas auparavant), tout au moins dans certaines disciplines, qui prend place dans ce discours sur la science. Il s'agit là d'une dimension cruciale de cette construction de la rationalité, presque au sens moderne du concept. L'héritage que la civilisation arabo-musulmane reçoit de l'Antiquité grecque comporte donc un corpus scientifique important, mais aussi – je dirai même surtout, pour l'aspect que nous abordons ici – le discours sur la science, qui est l'œuvre des philosophes. Il n'existait ni dans la science babylonienne, ni dans celle de l'Égypte antique, ni d'ailleurs dans celles de la Perse et de l'Inde. Cette composante épistémologique, reprise par les savants arabes, a pour une large part forgé le comportement de ces derniers. Les peuples les plus « grecs » dans leur attitude intellectuelle, après les Grecs, ont été ceux de l'Empire musulman…

Le mécénat

Comment était financée l'activité des scientifiques dans l'Empire musulman ?

La forme habituelle de ce financement a été le mécénat. Sa variante la plus connue est le mécénat individuel de certains princes ou califes. Il a commencé chez les Omeyyades, avec le prince Khālid Ibn Yazīd, et il s'est poursuivi, à une échelle beaucoup plus grande, avec certains califes abbassides, et plus particulièrement avec quatre d'entre eux : al-Manṣūr (754-775), al-Mahdī (775-785), Harūn ar-Rashīd (786-809) et al-Ma'mūn (813-833).

Le règne de ce dernier est intéressant. Lui et son frère al-Amīn (809-813) se disputaient le pouvoir. Chacun était candidat d'un clan. Avec la victoire d'al-Ma'mūn intervient un nouveau rapport de force sur le plan idéologique et politique. En ce qui concerne le domaine de la culture, et singulièrement de la culture scientifique, la dynamique amorcée sous les califes précédents s'est accentuée. On a assisté à une lutte entre les rationalistes musulmans, en majorité de tendance mutazilite[13], et les traditionalistes. C'est à ce moment que le rationalisme grec pénètre en force les débats intellectuels et mêmes les discussions théologiques.

C'est à la tendance mutazilite que l'on doit l'exégèse rationnelle de la religion musulmane et la définition des cinq grands principes qui la distinguent des autres écoles théologiques : 1. l'affirmation de l'unité de Dieu (et donc le refus de tout attribut divin) ; 2. la justice divine (c'est-à-dire que Dieu ne fait que le bien) ; 3. la qualification morale de toute action humaine ; 4. la position intermédiaire (à savoir la possibilité pour le croyant d'être dans le péché sans être considéré comme hors de la foi) ; 5. le devoir « d'ordonner le bien et d'interdire le mal ».

Le mécénat d'al-Ma'mūn a été important quantitativement, mais aussi qualitativement. D'abord, parce qu'il se situe dans un contexte philosophique rationaliste. Ensuite, parce que l'exemple du calife va provoquer un élargissement du mécénat. Ce dernier va passer d'une attitude individuelle – celle du Commandeur des croyants – à un phéno-

13. Cette tendance est apparue à la fin du califat omeyyade à la suite de la rupture entre Wāṣil Ibn ᶜAṭā' (m. 750) et Ḥasan al-Baṣrī (m. 730). Les partisans du premier ont été alors appelés mutazilites parce qu'ils s'étaient *isolés* des autres, en choisissant de se réunir dans un coin de la mosquée de Basra.

mène sociétal. Des princes, des médecins, des marchands, des savants fortunés parfois, se mettent à consacrer une partie de leur fortune au financement d'activités scientifiques et culturelles. Durant les vingt ans de règne d'al-Ma'mūn, d'un comportement individuel d'élite, le mécénat devient un phénomène d'ensemble.

Cela se diffusera ensuite très largement dans la société. On verra de plus en plus de gens léguer, avant de mourir, une partie de leurs biens à la science. Tel mécène donnera sa maison pour que le Coran y soit enseigné, tel autre laissera une petite manufacture ou une petite entreprise dont les bénéfices iront à l'entretien d'une école ou d'une bibliothèque, parfois aussi à la prise en charge complète des étudiants nécessiteux. Ce phénomène va prendre une telle extension que les juristes l'ont inclus dans le droit musulman sous le nom de *Habous* ou *waqf*, ce qui signifie « bien de mainmorte ».

Avant l'avènement du *Habous*, il y avait dans le droit musulman la notion de donation. Il est prévu, selon les dispositions de ce droit, que l'on puisse léguer jusqu'au tiers de ses biens, non à ses héritiers légitimes, mais à des personnes physiques ou morales. Par ce biais, on a pu financer des activités scientifiques en permettant à des personnes de disposer à leur guise (et non pas en usufruit comme dans le cas des *Habous*), de sommes nécessaires à la poursuite d'une activité intellectuelle.

Ce mécénat, s'il est né à Bagdad, ne s'est pas limité au Croissant fertile. Il a essaimé dans tout l'espace musulman, à des degrés divers en fonction du développement économique et culturel des régions. L'un des exemples régionaux les plus significatifs est le mécénat du calife omeyyade de Cordoue, al-Ḥakam II (961-976). Il a consacré des sommes très importantes au financement de véritables missions scientifiques qui sont allées en Orient pour se procurer les ouvrages scientifiques, philosophiques et littéraires les plus connus. Il a pu ainsi constituer l'une des plus importantes bibliothèques d'al-Andalus. Selon un bibliographe ancien, le catalogue de cette bibliothèque comprenait une quarantaine de fascicules.

Mais on peut également citer le mécénat des Aghlabides au Maghreb, des Fatimides en Égypte, etc. À ce propos, on raconte que c'est le calife fatimide d'Égypte, al-Ḥākim (996-1021), lui-même, qui a invité le grand mathématicien Ibn al-Haytham à venir travailler et enseigner au Caire – et, pour marquer son respect pour la science et pour ce savant, le calife se serait lui-même déplacé pour attendre Ibn al-Haytham le jour de son arrivée au Caire.

Le mécénat sociétal, auquel l'exemple des princes donnait bien sûr une impulsion, s'est développé dans des milieux cultivés, raffinés, où le niveau d'instruction était élevé. Dans ces milieux, les femmes étaient également instruites. On sait aussi que les filles des princes étaient formées par des enseignantes. On connaît des noms de grandes juristes, de calligraphes renommées, de poétesses ou tout simplement d'intellectuelles dont l'histoire a retenu les noms parce que leurs fortunes personnelles leur ont permis de mener des actions de mécénat. À Fès, au VIIIe siècle, il y eut le cas d'Umm al-Banīn, qui a utilisé une partie de la fortune héritée de son père pour édifier la mosquée Qarawiyyīn et en faire un lieu d'enseignement. À Bagdad, au IXe siècle, Umm Jaᶜfar avait un salon très fréquenté : elle recevait des poètes, des astrologues, des médecins et des philosophes, et elle participait activement à leurs débats, dissimulée derrière un paravent.

Les observatoires astronomiques constituent une catégorie un peu à part dans ce que l'on appellerait maintenant des « équipements scientifiques ». C'est sans doute explicable par l'importance de l'astronomie dans la vie sociale, notamment en ce qui concerne l'établissement des calendriers. Les pouvoirs politiques, le plus souvent, ont été très soucieux de l'activité des astronomes et ont fréquemment été généreux à leur égard. Qu'en a-t-il été dans le monde arabo-musulman ?

Les observatoires ont été l'objet d'une grande attention de la part de certains pouvoirs musulmans. Cela est allé au-delà du simple mécénat. Il s'agissait de commandes d'État nécessitant un budget spécial pour plusieurs années. On demandait aux astronomes de recalculer certains éléments comme la longueur d'un degré de méridien, l'inclinaison de l'écliptique, d'établir des tables astronomiques ou d'améliorer celles qui existaient en affinant le calcul des valeurs qu'elles renfermaient. La première commande de ce type a été faite par le calife al-Ma'mūn. Il ne s'est pas agi, à l'époque, de construire un observatoire, mais de faire des observations et des calculs. Les calculs ont, semble-t-il, été faits dans le cadre des activités de la Maison de la sagesse, la fameuse institution créée par son père, Harūn ar-Rashīd, et dont il a développé et diversifié les activités. Quant aux observations, elles auraient été réalisées sur les sites les plus élevés de la région. Le premier vrai observatoire, avec ses bâtiments, ses instruments et des astronomes rattachés à l'établissement, ne voit le jour qu'au XIIIe siècle, dans la ville de Maragha, en Asie centrale. Il a été dirigé par le grand astronome et mathématicien Naṣīr ad-Dīn aṭ-Ṭūsī (m. 1274). Au XIVe siècle, un second observatoire a vu le jour à Samarcande, aux limites de l'Empire musulman. C'est Ulugh Beg (1393-1449) qui l'a financé et a permis à l'un des derniers grands mathématiciens et astronomes d'Islam, al-Kāshī (m. 1429), d'y réaliser ses observations et d'y rédiger ses traités.

Assez curieusement, ces observatoires n'ont été édifiés qu'en Orient. Nous n'en connaissons aucun qui ait été construit en Andalus ou au Maghreb. Compte tenu de la qualité de l'activité scientifique dans l'Espagne musulmane, on aurait pu s'attendre à ce qu'on y construise un ou deux observatoires. Cela n'a pas été le cas. En fait, les astronomes andalous semblent s'être surtout intéressés à l'astronomie théorique et à la conception d'instruments, au détriment de l'observation. Nous n'avons pas encore d'explication à cette caractéristique, mais c'est un fait avéré.

On observe le même phénomène au Maghreb : nous avons le témoignage d'un astronome de Tunis bien connu, Ibn Isḥāq, qui y vivait au XIIe siècle. Il nous apprend qu'il faisait faire ses observations par l'un de ses collègues juifs vivant en Sicile. À notre connaissance, il n'y avait pas d'observatoire en Sicile. L'intéressé devait donc travailler avec des moyens quelque peu rudimentaires. Mais, peut-être, les conditions d'observation étaient-elles meilleures en Sicile qu'à Tunis.

Savants des pays d'Islam

Les savants occidentaux du Moyen Âge ont, pour la plupart, été des clercs, des religieux. Qu'en a-t-il été dans l'Islam ?

En pays d'Islam, les hommes de science venaient de tous les horizons et ils n'avaient, pour la plupart, aucun lien avec les théologiens ou les religieux au sens large. Il faut, à ce sujet, détruire une « image d'Épinal » assez répandue. On s'imagine souvent – et cela figure dans de nombreux livres – que le savant des pays d'Islam était un polygraphe ayant excellé dans tous les domaines de la connaissance de son époque. Cette idée résulte de la publicité qui a été faite, en Europe, depuis la fin du XIXe siècle (parfois même depuis le XIIe), à certains savants, parmi les plus grands, qui ont effectivement fait à la fois de la géométrie, de l'algèbre, de l'astronomie, de la physique, de la médecine, de la philosophie et même de la poésie. Ce fut précisément le cas d'Ibn Sīnā [Avicenne] (m. 1037), d'al-Fārābī (m. 950), d'al-Kindī (m. vers 873) et d'Ibn Rushd [Averroès] (m. 1198), tous philosophes mais également bon mathématiciens et astronomes. Cependant, parmi tous ceux qui, par milliers, ont été des praticiens de la science, ces encyclopédies vivantes dont je viens de citer quelques noms ne représentent qu'une minorité. Al-Khwārizmī (m. 850), le créateur de l'algèbre, par exemple, a été mathématicien et astronome. C'était un grand spécialiste des calendriers. Mais il n'était ni médecin ni philosophe, encore moins théologien. Al-Kindī a été philosophe, mathématicien et astronome, mais il est clair que son apport fondamental se situe en philosophie, même s'il a publié plus d'ouvrages scientifiques que ses prestigieux successeurs, Ibn Sīnā et

Ibn Rushd. Ses livres d'optique et de mathématiques sont intéressants du point de vue de l'histoire des différentes traditions mathématiques pratiquées à son époque, mais leurs contenus ne sont pas comparables aux contributions des spécialistes dans ces différents domaines. Abū Kāmil (m. 930), mathématicien égyptien du Xe siècle, n'est évoqué par les bibliographes que pour ses écrits en algèbre. Même en géométrie, son apport consiste en la résolution de certains problèmes à l'aide de l'algèbre. En médecine, on peut citer des dizaines de grands spécialistes qui ne sont connus que pour leur savoir médical.

A-t-on une idée du cursus suivi par ces savants, donc en gros de l'organisation de l'enseignement ?

Un certain nombre de travaux traitant de l'enseignement en pays d'Islam, comme celui de George Makdisi, ont été publiés au cours de ces vingt dernières années, mais ils contiennent peu d'informations sur l'enseignement des sciences proprement dites. Souvent, on en est donc réduit à des conjectures, à partir de vagues indications des historiens ou à partir des biographies de certains spécialistes. Compte tenu du niveau des textes scientifiques qui nous sont parvenus, on ne peut pas imaginer que leurs auteurs ont, tous, été des autodidactes. Compte tenu aussi de la nature et du nombre de manuels qui ont été produits puis recopiés tout au long de l'histoire de cette civilisation, on peut aisément admettre qu'il y avait un enseignement graduel pour chaque discipline scientifique cultivée à cette époque.

Voici ce qu'il est possible de dire dans l'état actuel de nos connaissances. L'enseignement primaire se faisait le plus souvent dans des mosquées ou dans des locaux qui en dépendaient. Dans ce cas, il était public et financé par des fondations pieuses ou par les parents eux-mêmes. Mais il y avait également un enseignement privé, chez des particuliers (marchands, fonctionnaires, princes, etc.) qui payaient des précepteurs.

Les matières enseignées ont varié suivant les époques et les milieux considérés. Mais quelles que soient les particularités de cet enseignement, on y retrouvait l'apprentissage de la langue arabe, la récitation du Coran et l'instruction religieuse. À cette formation de base s'ajoutait, le plus souvent, l'étude de la grammaire et du calcul. Dans certains cas, on apprenait aussi de la poésie et on s'initiait à la calligraphie. Mais il faut préciser que ce programme n'a jamais été fixé par une institution centrale ou régionale, et que sa mise en pratique n'a pas été uniforme. D'autre part, il n'y a pas eu une seule pédagogie dans la diffusion de cet enseignement. C'est ce que dit explicitement l'historien maghrébin Ibn Khaldūn. D'ailleurs, après avoir exposé les pédagogies pratiquées à son époque au Maghreb, en Andalus et ailleurs, il critique celles qui forment des « têtes bien pleines », parce qu'elles ne font appel qu'à la mémoire en reportant à plus tard l'initiation aux connaissances rationnelles.

Nous ne savons pas jusqu'à quel âge se prolongeait cette première phase de formation, et les témoignages qui nous sont parvenus n'évoquent jamais un enseignement secondaire qui aurait succédé à un enseignement primaire et qui aurait préparé l'élève à un enseignement supérieur plus ou moins spécialisé. Mais nous sommes relativement mieux informés sur cette formation supérieure et sur son évolution.

La première phase de l'histoire de l'Empire musulman, qui s'achève vers le milieu du XIe siècle, avec un certain décalage pour les provinces occidentales et asiatiques, a été caractérisée par un enseignement supérieur privé dans lequel l'État intervenait par le biais du mécénat au même titre que des particuliers. Les programmes de cet enseignement n'étaient pas rigoureusement codifiés mais, sous l'influence des premières orientations de l'époque du calife al-Ma'mūn, la philosophie, les mathématiques et l'astronomie y avaient une place privilégiée. C'est également au cours de cette première période que se sont multipliées les bibliothèques, avec des statuts variables puisque certaines étaient publiques ou semi-publiques et d'autres privées. En plus de leur vocation propre, ces institutions ont été également des centres d'enseignement supérieur. En ce qui concerne les disciplines religieuses, les mosquées accueillaient les grands professeurs pour des cours hebdomadaires et pour des débats. Nous ne savons pas s'il y avait des lieux particuliers pour l'enseignement des mathématiques, de l'astronomie et de la physique. Mais, pour la médecine, on sait que de grands professeurs ont prodigué des cours soit chez eux, soit dans l'hôpital où ils exerçaient.

Quant à la seconde phase, qui commence avec l'avènement du pouvoir seljoukide en 1055, elle est caractérisée par l'institution de collèges supérieurs (ou d'universités d'État si l'on préfère), qui porteront le nom de *madrasa*. Ces nouveaux établissements se distinguent de ceux de la première phase sur un certain nombre de points. En premier lieu, ils sont financés exclusivement par l'État. En contrepartie, ce dernier a un droit de regard sur le choix du profil des enseignants et, par conséquent, sur le contenu du programme. En second lieu, ces établissements auront pour mission de promouvoir l'idéologie orthodoxe, donc de s'opposer aux autres idéologies, et plus particulièrement à celles des différents courants chiites. C'est même pour lutter contre un de ces courants, l'ismaïlisme, que les madrasa ont été créées. À partir du XIIe siècle, et jusqu'au XIVe, des dizaines d'établissements de ce type ont été construits un peu partout dans l'Empire musulman. D'ailleurs leur apparition en Égypte, au Maghreb et en Andalus correspond au retour et à la consolidation de l'orthodoxie sunnite.

C'est tout ce qu'il est possible de dire, pour le moment, sur les institutions d'enseignement. En particulier, et hormis quelques faits précis, il n'est pas possible de décrire le contenu et la pratique de l'enseignement scientifique, le profil des enseignants et leurs conditions de travail.

Outre les livres eux-mêmes, les savants ont communiqué entre eux, ont échangé des informations scientifiques, avant que ne paraissent les premières revues. A-t-on retrouvé de telles correspondances entre les savants de l'Islam ?

La civilisation arabo-musulmane a été une civilisation d'échanges, commerciaux bien sûr, mais aussi culturels et scientifiques. Ce qui signifie une grande circulation de l'information d'une extrémité de l'empire à l'autre. Cela vaut pour les échanges entre scientifiques, qui ont été rendus possibles par l'existence d'un support commode, le papier, dont le procédé de fabrication aurait été emprunté à la Chine[14]. Nous savons que des correspondances régulières entre savants ont eu lieu, dans le cadre d'un système postal régulier mis en place dans certaines régions. Quand les distances étaient beaucoup trop grandes – ainsi, entre Bagdad et Cordoue –, il n'y avait pas de courrier régulier, et les lettres suivaient les routes commerciales. À l'échelon régional, deux procédés étaient utilisés. En premier lieu, le courrier classique par porteur. D'ailleurs, il nous en est resté des traces en mathématique, avec des problèmes de courriers où il s'agit de calculer le nombre de jours nécessaires à un premier courrier à cheval pour rattraper un second courrier parti un certain temps avant lui et ayant une vitesse différente. L'autre procédé utilisait les pigeons voyageurs. Cette technique a d'ailleurs donné lieu à la fabrication d'un papier très fin, donc très léger, pouvant être transporté par ce volatile.

Revenons à la correspondance entre savants, sur laquelle nous avons des témoignages précis. Il y a, par exemple, au Xe siècle, la correspondance entre al-Bīrūnī, astronome travaillant momentanément dans la ville de Kath, en Asie centrale, et Abū l-Wafā', qui vivait alors à Bagdad, la capitale de l'empire. On sait aussi qu'Abū l-Wafā' a envoyé à al-Bīrūnī non seulement des lettres mais également des livres, en particulier son fameux ouvrage intitulé *La Révision de l'Almageste*. Un autre exemple a été révélé par la polémique qui s'est développée à propos d'une construction géométrique. Des lettres, parfois peu aimables, ont été échangées par de jeunes scientifiques qui deviendront célèbres ultérieurement : Abū l-Jūd, as-Sijzī, ash-Shannī et d'autres. Il nous est parvenu également le contenu de la correspondance entre al-Bīrūnī et Ibn Sīnā à propos de pro-

14. On ne connaît pas la date exacte de l'apparition du papier dans l'Empire musulman. Mais, selon certaines sources arabes, la première fabrique de papier a été construite à Samarcande et la deuxième à la fin du VIIIe siècle à Bagdad, sous le califat de Harūn ar-Rashīd.

blèmes physiques et philosophiques. En Occident musulman, l'exemple le plus connu est celui du philosophe Ibn Bājja (m. 1138), qui exposait ses idées scientifiques dans des lettres envoyées à deux de ses amis, Ibn al-Imām, alors ministre à Grenade, et Ibn Ḥasdāy, son ami d'enfance qui avait grandi avec lui à Saragosse et qui s'était ensuite installé au Caire.

L'existence de polémiques – que l'on retrouve en Europe au XVIIe et au XVIIIe siècle (entre Newton et Leibniz, etc.) est intéressante. Ce type d'échanges donne en effet des renseignements scientifiques, mais apporte aussi des informations sur le caractère des correspondants, parfois sur ce qu'ils font, sur la manière dont ils vivent... Ces polémiques ont-elles été fréquentes entre les savants des pays d'Islam ?

Oui, nous en connaissons un certain nombre. Pour rester dans le domaine des mathématiques et de l'astronomie, on peut citer celle au sujet de l'inscription de l'heptagone régulier dans un cercle, celle concernant l'établissement du théorème des sinus et celle, plus proche du débat scientifique que de la polémique, qui a eu lieu entre le philosophe Ibn Sīnā et l'astronome al-Bīrūnī.

Les polémiques de ce type ont eu lieu surtout aux Xe et XIe siècles, c'est-à-dire durant la période la plus féconde de l'activité scientifique en pays d'Islam. Plus tard, ce seront surtout les polémiques philosophico-théologiques qui se développeront, l'exemple le plus célèbre – même s'il s'agit cette fois d'une polémique indirecte, par livres interposés – étant celle déclenchée par le grand théologien du XIe siècle al-Ghazzālī, avec son livre *L'Incohérence des philosophes*, auquel répondra le grand philosophe du XIIe siècle Ibn Rushd, à travers son livre *L'Incohérence de l'incohérence*.

Un témoignage de l'astronome al-Bīrūnī (XIe s.) sur les polémiques scientifiques

Thābit Ibn Qurra consacra un livre au rapport composé, à ses différentes espèces et à ses applications, et un autre à la figure sécante, exposant comment en simplifier les démonstrations. Nombreux sont les auteurs modernes qui approfondirent cette question, tels Ibn al-Baghdādī et beaucoup d'autres. Ils lui accordèrent un intérêt particulier, car c'était en quelque sorte la pierre angulaire de l'astronomie ; sans elle, aucun des calculs ci-dessus mentionnés n'eût été possible. On en étudia donc les principes et les applications, et l'on en acquit l'usage.

Ainsi en fut-il jusqu'à l'époque actuelle, notre époque si étonnante, si prodigieusement féconde, mais non exempte de contradictions. J'entends par-là que si nos contemporains voient se multiplier les domaines de la connaissance, s'ils sont naturellement enclins à rechercher en toute science la perfection, s'ils réussissent même, par des mérites accrus, là où les Anciens les plus illustres avaient échoué, on trouve chez eux des comportements qui contrastent avec ce que nous venons de dire. Une âpre rivalité oppose ceux qui sont en compétition. Ils se jalousent mutuellement. Querelles et disputes l'emportent au point que chacun envie l'autre et se glorifie de ce qui n'est pas de lui. Tel pille les découvertes d'autrui, se les attribue et en tire profit, et il voudrait encore que l'on feigne de ne pas s'en apercevoir ; mieux, qui dénonce son imposture est aussitôt pris à partie et exposé à sa vindicte.

Ainsi l'a-t-on vu au sein d'une élite de nos contemporains à propos de la construction de l'heptagone régulier, de la trisection de l'angle et de la duplication du cube. C'est aussi ce qui se produit entre un certain nombre de savants au sujet d'une figure aisée à comprendre, facile à utiliser, qui vise les mêmes objectifs que la « figure sécante » et la remplace parfaitement dans toutes ses applications.

Source : M.-Th. Debarnot, *al-Bīrūnī. Les clés de l'astronomie*, Damas, Institut français de Damas, 1985, p. 93-94.

La langue arabe

Que sait-on de l'arabe antéislamique et de sa parenté avec d'autres langues ?

L'arabe serait une langue de la famille chamito-sémitique, comme l'hébreu et, semble-t-il, le berbère. S'y rattachent également des langues aujourd'hui disparues ou très peu utilisées, comme l'araméen, le syriaque, l'ancien égyptien et le libyque. Le persan serait à l'inverse une langue indo-européenne, comme l'allemand, l'anglais, le grec, les langues romanes (dont le français), le celte, le hindi, le sanscrit, etc. Le turc, qui jouera ultérieurement un rôle important dans l'Empire musulman, appartiendrait à une troisième famille, celle des langues altaïques (comme le mongol).

Les langues sémitiques que j'ai citées étaient, pour la plupart, parlées au Moyen-Orient, de même que quelques autres qui ont disparu depuis. L'arabe a de nombreux points communs avec ces langues. Il repose sur la construction de mots à partir de combinaisons de bases qui sont bilitères, trilitères, jusqu'aux sextilitères. L'alphabet arabe comporte vingt-huit lettres, auxquelles il faut adjoindre trois voyelles mues (*ḥaraka*) et une quatrième inerte (*sukūn*) qui sert à marquer l'absence de voyelle (comme dans « ablation », le phonème « b » n'ayant pas de voyelle associée).

Sur son origine, il faudrait interroger les linguistes et les historiens des langues. Il y a aussi des explications données par des auteurs arabes anciens. Elles ne sont pas toujours fiables, mais elles ont un certain intérêt dans la mesure où elles nous informent sur ce que pensaient de leur langue les Arabes à telle ou telle époque.

La langue arabe a été parlée, d'abord, par les communautés vivant en Arabie puis dans le Croissant fertile. Au VIIe siècle, quelques tribus importantes étaient représentatives pour la pratique de cette langue. Leurs membres étaient essentiellement des nomades, avec des groupes de commerçants et d'agriculteurs vivant dans les oasis de la péninsule Arabique. À cette époque, l'arabe était déjà utilisé dans le cadre de certaines activités culturelles et religieuses monothéistes ou païennes.

Il comportait une littérature ?

Son domaine privilégié était la poésie. La poésie arabe antéislamique est bien connue. Elle a même un nom spécifique : la poésie de la *Jāhiliyya*. Ce dernier terme est devenu quelque peu péjoratif après l'avènement de l'Islam, puisqu'il signifie « période de l'ignorance », par comparaison, bien entendu, à l'ère islamique. Du point de vue de la qualité de la production poétique, cette période n'est pas inférieure à celles qui lui ont succédé.

Il existait, à cette époque, deux types de littérature. D'une part la poésie elle-même, qui jouissait d'un grand prestige, comme le confirme le statut des poètes dans la société arabe antéislamique : chaque tribu devait posséder au moins un poète. Celui-ci avait à la fois une fonction idéologique, une fonction médiatique et une fonction culturelle. Quand la tribu était en guerre, c'est lui qui haranguait les hommes avant la bataille. En temps de paix, il était en quelque sorte le propagandiste de la tribu, composant la geste de ses hommes illustres et de ses faits d'armes. Mais il était aussi le poète des sentiments partagés, comme l'amour et la nostalgie, qu'il exprimait à travers sa propre expérience. Il y avait, par exemple, une catégorie de poèmes très répandus, connus sous l'appellation de « pleur sur les ves-

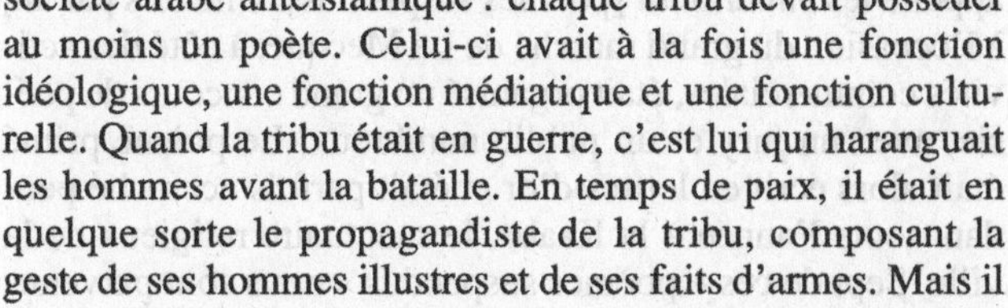

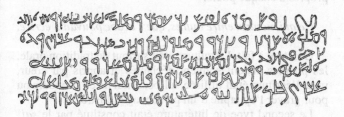

Écriture arabe ancienne
(épitaphe du poète Imru' u l-Qays, mort vers 540)

Quelques vers du « poème suspendu »
de Imru'u l-Qays (m. vers 540)

Arrêtons-nous et pleurons au souvenir de la bien-aimée et de la maison,
Près du tas de sable entre Dakhūl et Ḥawmal,
Ma guérison, c'est une larme qui coule,
Mais, doit-on être affligé par une trace qui s'efface ?
Mes compagnons y ont arrêté leurs montures,
En disant : ne meurs pas d'affliction et reprends-toi.

tiges », qui décrivent les lieux chers à la tribu ou au poète, avec tout ce que cela signifie comme bonheur perdu et souvenirs magnifiés.

Le *nec plus ultra* de cette poésie est constitué par ce qu'on appelle les *muᶜallaqāt* [poèmes suspendus]. Une fois par an, à l'occasion du grand marché de La Mecque, à côté des activités commerciales, était organisé un grand concours de poésie, avec un jury et un public nombreux. Le poème primé était alors écrit en lettres d'or et était parfois accroché pendant toute l'année à la Kaaba, le sanctuaire religieux de la ville. Sept de ces « poèmes suspendus » nous sont parvenus et sont encore étudiés aujourd'hui. À ce groupe, il faut ajouter quatre autres poèmes de grande qualité, mais qui n'ont pas été jugés dignes de porter ce qualificatif. C'est donc une dizaine de grands poèmes antéislamiques qui ont résisté au temps, sans compter ceux qui constituent les anthologies propres à chaque poète.

Ce qui montre, entre autres, que l'arabe pouvait s'écrire.

Oui, tout à fait. La culture était surtout de tradition orale, les poèmes étaient souvent déclamés et appris par cœur, mais l'écriture était utilisée, à l'occasion de ce concours ou pour graver l'épitaphe d'un personnage illustre.

Le second type de littérature était constitué par le *sajᶜ* [prose rimée], qui structure notamment les discours et qui est plus souple que la poésie dans la mesure où cette dernière est régie par des règles strictes faisant intervenir les hémistiches, la rime et, surtout, les rythmes.

Le poète, de par sa maîtrise du verbe, pouvait, en fonction des circonstances, être tenté par la divination ou la prophétie. C'est pourquoi Muḥammad a combattu certains poètes avec beaucoup de vigueur, les accusant d'être de faux prophètes, et a essayé, parfois avec succès, d'attirer à lui certains d'entre eux.

En résumé, il faut insister sur le fait que, à la veille de l'avènement de l'Islam, la langue arabe n'était pas seulement une langue de nomade et de commerçants. C'était surtout le véhicule d'une culture puissante, certes essentiellement orale, mais qui a joué le rôle de référence lorsque la poésie et la prose arabes sont devenues des objets de recherche, c'est-à-dire vers le milieu du VIIIe siècle.

La langue des sciences et de la philosophie

Quand commencent les études sur la langue arabe elle-même ?

Après la mort du Prophète. Probablement après que le calife ᶜUthmān eut donné l'ordre de retranscrire le Coran, donc après 644. L'analyse critique des paroles de Muḥammad rapportées par les témoins a débuté à ce moment-là. Le travail sur le Ḥadīth a encore accentué le processus. Le Coran ayant été transmis à travers la langue arabe, il devenait nécessaire d'en connaître les règles, de les analyser, de les codifier. Cela a conduit à des recherches grammaticales très poussées, qui ont commencé à l'époque omeyyade et se sont développées à la fin du VIIIe siècle, après l'avènement de la dynastie abbasside.

L'analyse de la composition interne de la langue, des phonèmes existants, la manière dont ils se combinent, les problèmes de lexicographie et de linguistique, les questions de morphologie et de syntaxe, tout cela commence à cette époque. À ma connaissance, cela n'existait pas auparavant.

Le vocabulaire s'est-il étoffé au moment des premières conquêtes ?

Oui, bien sûr. Les hommes qui ont participé aux différentes conquêtes, même si les premières régions contrôlées étaient géographiquement proches de l'Arabie, ont rencontré des lieux nouveaux, des sociétés différentes, des coutumes autres… Ils ont parfois découvert des objets qu'ils ne connaissaient pas, des métiers qui n'étaient pas pratiqués chez eux. Il a fallu nommer ces nouveaux concepts, ces nouvelles choses… Le plus simple, dans un premier temps, était d'utiliser les mots locaux, donc non arabes, qui désignaient habituellement ces notions ou ces choses. Cela se faisait souvent en arabisant leur prononciation puis leur écriture, quitte parfois à remplacer certaines appellations par des termes arabes.

De fait, l'évolution va être lente. Déjà, du vivant du Prophète, la langue arabe était passée d'une langue de communication, de la poésie, à la langue du Coran. Cela n'a pas nécessité de mots nouveaux. D'ailleurs le Coran n'utilise pas la totalité des termes qui existaient déjà dans l'arabe parlé de la période antéislamique. De plus, quand on connaît bien les règles de la construction des mots en arabe, on remarque que certains mots non arabes sont utilisés dans quelques passages du Coran ; ce qui signifie qu'ils étaient bien connus et même pratiqués par les Arabes eux-mêmes avant l'avènement de l'Islam.

Sur cette situation est venue se greffer une dimension idéologique concernant la capacité de la langue arabe de pouvoir tout exprimer, dans la mesure où elle avait pu, sans changement ni ajout, exprimer le message divin à travers le texte coranique. N'est-elle pas, dès lors, particulièrement apte à exprimer des savoirs élevés et à devenir la langue de la science et de la philosophie ? C'est ce que certains ont dû penser et affirmer dès cette époque.

Quant à la prééminence de la langue arabe dans l'expression liturgique, il ne semble pas qu'elle ait souffert d'une quelconque contestation. C'est ainsi que, depuis le VIIe siècle, elle est la langue des cinq prières quotidiennes, des sermons, et bien évidemment de l'étude et de la récitation du Coran, pour les musulmans du Croissant fertile comme pour ceux du Maghreb, d'Asie centrale, de Chine et d'Indonésie. Le Coran a été maintes fois traduit dans d'autres langues, mais il n'y a toujours pas de prière dans une autre langue que l'arabe.

Et en ce qui concerne les sciences et la philosophie ?

Cela viendra un peu plus tard, en particulier avec le phénomène des traductions. Mais, dans la première phase, et en relation avec les activités que nous venons d'évoquer, les Arabes se sont lancés dans l'étude de différents aspects de la langue arabe elle-même. Il faut toutefois préciser que dans ces domaines, et en nous en tenant à la région qui a connu l'avènement et la première extension de l'Islam, les musulmans ont été précédés par les chrétiens syriaques. Dans le cadre de leur lutte idéologique contre l'orthodoxie de Constantinople, ces derniers ont en effet développé l'étude de leur langue en élaborant des dictionnaires. Le syriaque étant très proche de l'arabe, ces travaux vont faciliter les recherches qui seront menées à partir du VIIe siècle, en particulier par al-Khalīl Ibn Aḥmad (m. vers 786). Son livre sur l'étude des structures de la métrique arabe est perdu, mais celui qu'il a consacré à la langue arabe nous est parvenu. Il est intitulé *Kitāb al-^{c}ayn* [Le Livre du < phonème > ^{c}ayn]. À partir de cet ouvrage, toute une école se crée et se développe, avec des ramifications vers la linguistique, la grammaire et la lexicographie. Il est intéressant de noter que le premier grand grammairien de la langue arabe est Sībawayh, un Persan, élève d'al-Khalīl. Son ouvrage de grammaire était tellement important aux yeux de ses contemporains qu'ils se référaient à lui en disant « le Livre » sans autre précision.

Je voudrais revenir au processus d'enrichissement de l'arabe et de sa transformation progressive en langue de la science et de la philosophie. Dans les premières décennies qui ont correspondu à la naissance d'une nouvelle tradition scientifique, l'arabe a bien sûr emprunté de nombreux termes à d'autres langues, essentiellement au grec, au syriaque et au persan. Parmi ces mots, certains sont restés tels quels, d'autres ont été transformés. Avec les progrès de l'activité scientifique et philosophique, l'arabe va continuer à s'enrichir, mais cette fois en puisant dans la langue elle-même et en donnant des sens nouveaux à des mots anciens. Toutes les langues qui, à un moment de leur histoire, ont eu à nommer les objets et les outils d'une science en activité, ou à exprimer ses notions et ses concepts, ont suivi les démarches qui viennent d'être évoquées : emprunt de mots et multiplication des sens d'un même mot de la langue. L'arabe l'a fait à partir du syriaque, du grec, du persan et du sanskrit. C'est ce que feront également le persan à partir du XIe siècle, le latin et l'hébreu à partir du XIIe siècle, en empruntant à l'arabe ce qui leur était nécessaire pour enrichir leurs langues scientifiques et philosophiques.

Ainsi, au XIe siècle, c'est-à-dire après la fin de la phase de traduction, l'astronome et mathématicien al-Bīrūnī évoque, en ces termes, un livre astronomique indien qui avait été traduit à la fin du VIIIe siècle : « La traduction est très mauvaise, le traducteur a laissé en sanskrit une grande quantité de termes. J'ai alors décidé de les traduire en bon arabe. » Et c'est effectivement ce qu'il a fait.

Un autre exemple concerne l'important ouvrage d'Apollonius (IIIe s. av. J.-C.), *Les Coniques*. Les sections coniques ont été étudiées dès l'Antiquité grecque, par Euclide, Archimède, et d'autres avant eux. Mais lorsque les Arabes purent se procurer une copie du livre d'Apollonius et qu'ils entreprirent sa traduction, ils n'avaient pas de termes pour nommer une section conique. Alors ils l'ont assimilée à quelque chose de connu et de concret. D'où le premier terme pour désigner une section conique : *qaṭ^{c} ṣanawbarī,* ce qui signifie « section en forme de pin ». C'est ce que l'on trouve effectivement dans les textes les plus anciens qui traitent des coniques. Un peu plus tard, ce terme sera remplacé par un autre, moins imagé et plus abstrait : *qaṭ^{c} makhrūṭī*. Contrairement au premier terme, qui était suggestif, le second a besoin, pour être compris, de revenir à l'étymologie ou à la définition mathématique.

Le premier arabe scientifique est donc en quelque sorte figuratif ?

Oui, en partie et par nécessité. Mais, parfois, on ne recherchait même pas le terme figuré, on se contentait d'arabiser la prononciation du terme grec que l'on avait rencontré dans le texte à traduire. Ce fut le cas par exemple pour les mots « parabole » et « hyperbole ». Le premier traducteur, qui sera suivi par les premiers mathématiciens arabes, transcrit les deux termes ainsi : *barabūlā*, *ibarbūlā*. Puis, à l'occasion d'une deuxième traduction, le traducteur, qui maîtrisait probablement mieux le grec, a traduit chaque terme à l'aide de deux mots pour tenir compte des préfixes « hyper » et « para ». Cela devient alors : *qaṭc zā'id* [section abondante] et *qaṭc mukāfi'* [section compensée]. Quelques siècles plus tard, les traducteurs latins procéderont de la même manière. C'est ainsi que, pour prendre l'exemple le plus célèbre, ils se contenteront au XIIe siècle de transcrire les mot *jabr* et *muqābala* au lieu de les traduire par les termes latins correspondant respectivement à « restauration » et à « comparaison », qui sont leurs sens respectifs dans le livre d'algèbre d'al-Khwārizmī.

Et dans les autres disciplines ?

La démarche a été semblable. Prenons le cas de la médecine. Les écrits des médecins grecs, et plus particulièrement ceux d'Hippocrate et de Galien, ont été largement traduits en arabe, soit directement, soit à partir de traductions syriaques antérieures à l'avènement de l'Islam. Dans les premières versions arabes de certains de ces écrits, on trouve aussi des transcriptions de mots grecs. C'est le cas des noms de quelques maladies, comme la dépression nerveuse, qui a gardé dans la médecine arabe son nom grec *melancholia*. La situation est semblable en philosophie, où des noms de concepts et des titres d'ouvrages d'Aristote ont été simplement transcrits en arabe : ainsi des *Topiques*, de la *Sophistique*, de la *fantaisie* (au sens d'imagination), qui sont devenus respectivement : *Ṭubiqa*, *Safsaṭa* et *fanṭaziyya*.

Après la splendeur

Après le XIIIe siècle, comment a évolué l'arabe ?

Ce qui nous intéresse ici, c'est la langue des sciences et de la philosophie. Nous avons vu que, lorsque l'Empire musulman était le siège d'intenses activités scientifiques et philosophiques, la langue arabe avait répondu aux besoins de ces activités de différentes manières : en empruntant des mots étrangers puis, au fur et à mesure du développement des activités, en donnant des sens nouveaux à des termes arabes anciens. Bref, elle a fait ce qu'ont fait, dans l'histoire, toutes les langues qui ont été, un temps, dominantes dans tel ou tel secteur de l'activité intellectuelle. Donc il est normal qu'avec le ralentissement des activités scientifiques et philosophiques, la langue arabe qui les exprimait cesse de s'enrichir de nouveaux termes ou de nouveaux sens. Or ce ralentissement est à l'œuvre à la fin du XIIIe siècle, et il est déjà observable au milieu du XIVe siècle, comme le signale le grand historien Ibn Khaldūn (m. 1406). Mais dans cette tendance générale, il y a des cas particuliers, comme la logique et la littérature. La première parce que, précisément, elle connaît un certain renouveau au XIIIe siècle, et la seconde parce que sa langue d'expression a été, depuis le VIIIe siècle, plus stable que celle des sciences et de la philosophie.

Quelle a été l'évolution parallèle des autres langues de l'Empire musulman, en particulier le persan, l'hébreu, le berbère ?

Dans la vie courante, ces langues ont continué d'être parlées comme auparavant, de s'enrichir aussi au contact de l'arabe. Il n'y a eu contre elles aucune mesure coercitive connue de la part des différents pouvoirs en place. Dans la mesure où les peuples qui parlaient ces langues admettaient la primauté du pouvoir politique musulman et de sa langue « officielle », l'arabe, ils n'ont en rien été empêchés de pratiquer leur langue ou même de l'enseigner, de l'étudier et de la développer, pas plus d'ailleurs qu'ils n'ont été empêchés de vivre selon leurs modes de vie et de pratiquer leurs coutumes. De la même manière, ces peuples et ces communautés ont continué de pratiquer leurs religions, sauf à quelques moments de crise sous tel ou tel pouvoir politique local ou régional.

En revanche, l'arabe s'est progressivement imposé à tous dans l'administration et dans les activités scientifiques et philosophiques. Dans ces domaines, les autres langues, même lorsqu'elles étaient majoritairement parlées dans leurs régions d'origine, ont été marginalisées. Pour tout ce qui concerne l'administration, cela s'est fait par décision politique, puisque l'on sait que les premiers décrets dans ce sens ont été pris par le calife omeyyade ᶜAbd al-Malik. En sciences et en philosophie, le résultat fut le même : marginalisation de toutes ces langues devant la langue arabe, sauf que ce ne fut pas la conséquence d'une décision autoritaire, mais le résultat de l'extension considérable des activités scientifiques et philosophiques en arabe. Tous les savants de la grande époque, quelle que soit leur ethnie d'origine, ont rédigé leurs œuvres scientifiques en arabe. Et cela est resté le cas pour la majorité d'entre eux même après cette époque, c'est-à-dire entre le XIIᵉ et le XVIᵉ siècle. Maïmonide (m. 1204) était juif, mais ses écrits fondamentaux, en sciences et en philosophie, furent écrits en arabe. Ce fut également le cas pour le Persan al-Khayyām, pour le Berbère Ibn al-Yāsamīn (m. 1204) dans le Maghreb extrême et pour l'Espagnol Ibn Bashkwāl (m. 1182).

La situation est moins tranchée pour tout ce qui concerne le domaine poétique et littéraire. Même si l'arabe était, là aussi, dominant, des œuvres de grande valeur ont continué à être produites dans d'autres langues. C'est ainsi qu'al-Khayyām, tout en rédigeant ses mathématiques en arabe, écrivait ses fameux quatrains en persan.

À partir d'une certaine époque, qui varie selon les régions (XIᵉ siècle en Andalus, XIIᵉ siècle en Asie centrale), des ouvrages scientifiques ont commencé à être publiés en hébreu ou en persan. Dans un premier temps, leurs auteurs traduisaient ou adaptaient des ouvrages qu'ils avaient auparavant rédigés en arabe. Puis sont apparus des livres écrits directement dans l'une ou l'autre de ces deux langues.

Mais ce phénomène n'a pas concerné toutes les langues qui étaient pratiquées à cette époque dans l'Empire musulman. Malgré la richesse culturelle et le passé prestigieux de certaines d'entre elles, comme l'araméen (qui fut la langue diplomatique de l'Antiquité moyen-orientale) et le syriaque (langue de la philosophie et de certaines sciences du IVe au VIIIe siècle), elles ont été complètement marginalisées par l'arabe, parfois même en tant que langue parlée. D'autres, comme le berbère, qui était pourtant pratiqué par autant d'individus que le persan, puisque c'était la langue de la majorité de la population du Maghreb et d'une forte minorité d'al-Andalus, n'a pas joué un rôle semblable pour ce qui est de la production scientifique, philosophique ou même littéraire. Il y a bien eu au VIIIe siècle, selon le témoignage du géographe al-Bakrī (1094), une tentative de traduction du Coran en berbère, dans le royaume des Barghwata, à l'extrême ouest du Maghreb. Plus tard, le grand historien Ibn Khaldūn évoque des chroniques qui auraient été écrites en berbère, quelques siècles avant lui, par des auteurs musulmans du Maghreb. Mais, en dehors de son utilisation dans des sermons religieux à l'époque almohade (XIIe-XIIIe siècle), nous n'avons pas de témoignage attestant une quelconque production scientifique en berbère, entre le IXe et le XVe siècle, c'est-à-dire au cours de la période qui nous intéresse ici. À partir du XVIe siècle, les bibliographes maghrébins évoquent des traductions ou des adaptations en berbère de textes religieux et astronomiques.

Cela dit, comparer le persan et le berbère n'est pas pertinent : en effet, même si, officiellement, à l'époque la plus brillante de l'Empire musulman, ces deux langues avaient des statuts similaires, leurs situations n'étaient pas identiques. D'une part, parce que, à l'avènement de l'Islam, la Perse avait déjà une vieille tradition de production écrite, ce qui n'était pas le cas du berbère au Maghreb, même si un alphabet très ancien était disponible. D'autre part, parce que, pendant toute la période du pouvoir abbasside, des Persans, nombreux et influents dans les structures administratives et politiques, n'ont jamais cessé de se nourrir de leur production littéraire ancienne. Au même moment, l'élite berbère du Maghreb et d'al-Andalus publiait exclusivement en arabe et revendiquait même parfois l'arabité.

Cela ne signifie pas que des écrits (y compris scientifiques) n'ont pas été écrits ou traduits en berbère, entre le IXe et le XVe siècle. Mais aucun témoignage ne nous est encore parvenu. La situation antérieure ne semble pas avoir été différente. En effet, aucune information ne nous permet, à l'heure actuelle, d'affirmer que, lorsque les armées musulmanes ont entrepris la conquête du Maghreb, elles y ont trouvé une tradition écrite ancienne et une production. Il y a eu bien sûr des intellectuels d'origine berbère avant l'avènement de l'Islam au Maghreb, comme saint Augustin. Il y eut aussi des rois berbères, tels Juba II, Massinissa et Jugurtha, mais il ne semble pas qu'ils aient écrit en berbère ou qu'ils aient même essayé d'officialiser l'utilisation de leur langue maternelle (au détriment du latin, utilisé par les dirigeants de l'époque).

Bien sûr, toutes ces affirmations et ces hypothèses reposent, pour l'essentiel, sur les témoignages ou les silences des historiens romains puis musulmans. Mais en l'absence d'informations, mêmes fragiles, venant les contredire, nous n'avons pas de raison de ne pas en tenir compte.

Quels ont été les derniers textes scientifiques marquants en arabe ?

En Orient, il y eut les ouvrages astronomiques et mathématiques d'al-Kāshī et plus particulièrement son livre intitulé *La Clé du calcul* et son épître sur le calcul du rapport de la circonférence d'un cercle à son diamètre (c'est-à-dire ce qui s'appellera plus tard π). Le premier écrit est une somme traitant des thèmes classiques du calcul, de l'algèbre et de la géométrie, mais il contient certains aspects originaux, comme le chapitre sur la géométrie décorative. Il y explique les procédés qui permettent de construire des portes et des coupoles, d'orner les murs et les plafonds avec des motifs appelés *muqarnas* [stalactite]. Dans son second livre, intitulé

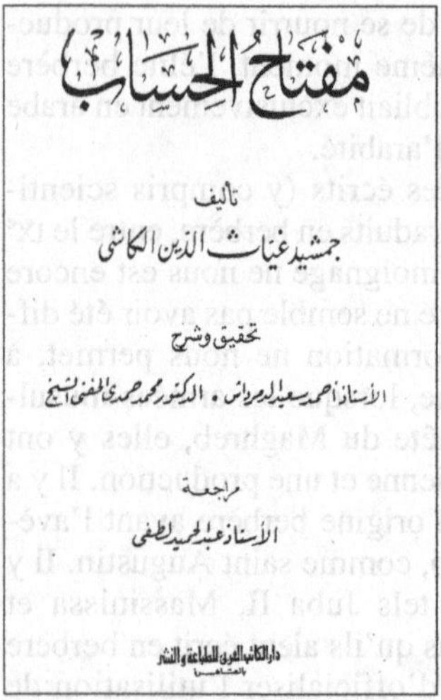

مفتاح الحساب
تأليف
جمشيد غياث الدين الكاشي
تحقيق وشرح
الأستاذ أحمد سعيد الدمرداش . الدكتور محمد حمدي الحفني الشيخ
مراجعة
الأستاذ عبد الحميد لطفي
دار الكاتب العربي للطباعة والنشر

Couverture du livre d'al-Kāshī

ar-Risāla al-muḥīṭiya [L'Épître sur la circonférence], il expose une méthode qui lui permet d'améliorer le calcul de π en déterminant une valeur approchée de ce nombre avec dix-sept chiffres après la virgule. Son calcul ne sera amélioré qu'en 1615 par Van Ceulen, qui calculera π avec trente-deux chiffres après la virgule.

En Occident, l'un des derniers mathématiciens qui a fait beaucoup parler de lui en Europe à la fin du XIXe siècle et au début du XXe est al-Qalaṣādī (m. 1486). Originaire de la province de Grenade (ville qui est restée musulmane jusqu'en 1492), il a complété sa formation à Tlemcen, dans le Maghreb central, et a longtemps vécu à Béja, en Ifriqiya. L'intérêt des historiens des sciences pour ce mathématicien tient au fait qu'un de ses livres, intitulé *Le Dévoilement des secrets des chiffres de poussière*, était le premier ouvrage connu contenant un symbolisme mathématique complet permettant d'exprimer toutes les opérations arithmétiques et algébriques pratiquées à cette époque.

Dans les disciplines non scientifiques, l'une des dernières grandes réalisations – probablement la plus grande dans le domaine de l'histoire pour toute la période du Moyen Âge –

Couverture du livre d'al-Qalaṣādī

est celle d'Ibn Khaldūn, que nous avons déjà évoquée à plusieurs reprises. Écrite à la fin du XIVᵉ siècle, cette œuvre est à la fois un couronnement et un aboutissement de la tradition historique arabe. Des quatorze volumes qui la composent, douze sont de facture classique. Ce sont les deux premiers volumes, conçus par leur auteur comme une introduction à tout l'ouvrage, qui contiennent une méthode et des idées tout à fait originales pour l'époque. Dans ces préliminaires de plus de neuf cents pages, Ibn Khaldūn montre que l'histoire ne se réduit pas à la chronologie des événements et expose ce qui, à ses yeux, caractérise une civilisation, ainsi que les critères permettant de dire si elle est en phase ascendante ou en déclin. Bref, il essaie de dégager les grandes tendances de l'histoire des sociétés, de montrer que cette histoire répond à des règles et que son déroulement n'est pas totalement aléatoire. À partir de là, certains auteurs du XXᵉ siècle ont avancé l'idée que la philosophie de l'histoire d'Ibn Khaldūn préfigurait, dans une certaine mesure, celle du marxisme. Peut-être faut-il être prudent à ce sujet, mais il est incontestable que la réflexion d'Ibn Khaldūn est novatrice et en totale rupture avec les démarches antérieures.

L'émergence politique des Turcs a-t-elle apporté des changements en ce qui concerne le langage scientifique ?

Les Turcs apparaissent, sur le plan politique, de manière décisive à partir de 1055. Entre cette date et celle de 1830, qui marque la fin de leur présence au Maghreb et le début de l'effritement de leur empire, on peut distinguer deux phases importantes. La première, la plus longue, va de 1055 au XVIe siècle. Les Turcs se contentent, dans les faits, du contrôle politique d'une grande partie de l'empire, d'abord militairement derrière le paravent du califat, puis en contrôlant directement tous les rouages du pouvoir. Cela se traduit par la création de l'Empire ottoman, dont la date officielle se situe vers 1299. Au cours de cette longue période, l'arabe reste la langue dominante dans les domaines littéraire, scientifique et philosophique. Ensuite, comme en Perse, mais avec un décalage notable dans le temps, les intellectuels ottomans se mettent à traduire en turc des textes scientifiques arabes ou persans, puis à en rédiger directement en turc. Au cours de la seconde période, c'est-à-dire à partir du XVIe siècle, ce phénomène s'amplifie et l'on se met à écrire

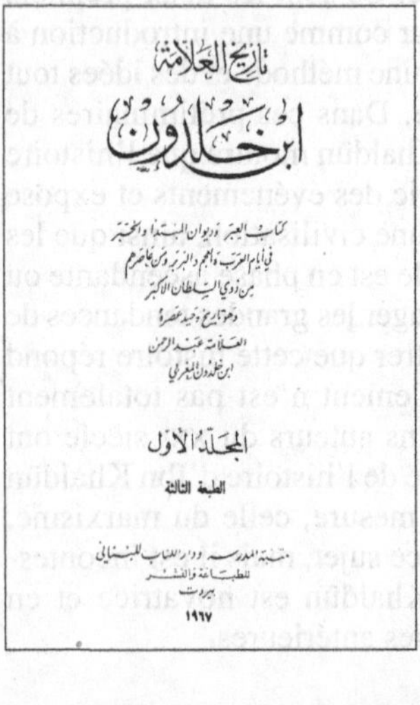

Couverture du livre d'Ibn Khaldūn

de moins en moins en arabe, sauf peut-être dans le domaine religieux. Cela va favoriser la création d'une langue scientifique et philosophique turque (avec toutefois de nombreux termes arabes et persans que l'on s'est contenté d'adapter à la phonétique turque).

A-t-il existé, à ce moment-là, une recherche originale et donc une création scientifique dans l'Empire ottoman ?

Non, pas à ma connaissance, mais les recherches futures pourraient atténuer ce jugement. La teneur connue de la tradition scientifique d'expression turque a été à l'image de celle qui se pratiquait en langue arabe, à la même époque, dans le reste de l'empire, c'est-à-dire sans aucune innovation dans le contenu et dans les orientations, avec même, pour certaines disciplines, un rétrécissement du domaine d'activité et une perte d'information importante par rapport aux apports des savants des Xe-XIIIe siècles. En fait, et en dehors peut-être de quelques exceptions, ces deux traditions n'ont pas connu de rupture par rapport à l'activité scientifique des XIVe-XVe siècles, dans la mesure où elles ont continué à subir les mêmes facteurs qui avaient contribué au ralentissement de différentes activités intellectuelles.

Les exceptions sont l'architecture et l'astronomie, qui semblent avoir mieux résisté à ce processus de déclin. Parmi les signes du dynamisme de l'astronomie, il y a les nombreux écrits qui nous sont parvenus ainsi que les informations précises concernant les activités de l'observatoire d'Istanbul. En architecture, les grandes réalisations de Sinān (1489-1578) et de son école ne peuvent se concevoir sans l'existence d'une forte et longue tradition dans ce domaine.

Retrouve-t-on en Turquie les innovations les plus significatives de la science occidentale : le système héliocentrique, la mécanique galiléenne, le calcul infinitésimal... ?

Ces éléments de la science moderne ont circulé plus tardivement. Mais on sait qu'à partir de la fin du XVIIIe siècle le pouvoir ottoman va se lancer dans une politique d'appropriation d'une partie du savoir occidental, dans le but de moderniser son administration et son appareil militaire. Les ouvrages concernant la technologie de la guerre (fabrication d'armes, fortifications, marines, etc.) vont être traduits en turc. C'est également à cette époque qu'a été introduit le système métrique en Turquie. J'en profite pour signaler que le même phénomène, mais à une échelle plus réduite, a été observé dans le Maghreb extrême au XIXe siècle, au cours du règne de Muḥammad IV (1859-1873). Ce dernier a encouragé, et parfois commandé, la traduction d'ouvrages scientifiques européens, notamment français, comme *Les Éléments de géométrie*, de Legendre, *L'Application de l'algèbre à la géométrie*, de Monge, et la *Bibliographie astronomique* de Lalande. Mais cela n'a pas donné une nouvelle impulsion à l'activité scientifique locale, qui est restée, dans sa plus grande partie, tributaire de la tradition scientifique héritée des XIVe et XVe siècles.

En revanche, en Turquie, c'est un processus à long terme qui s'est mis en place, et cela bien avant la fin de l'Empire ottoman et l'avènement de la république : de nombreux ouvrages, essentiellement techniques, vont être traduits, un nouvel enseignement va être dispensé dans des établissements supérieurs qui devaient former des ingénieurs.

*

RÉFÉRENCES BIBLIOGRAPHIQUES

Le Coran, Paris, Gallimard, coll. « Bibliothèque de la Pléiade », 1967, trad. D. Masson, préface de J. Grosjean.

Djebbar A., « Les activités mathématiques au Maghreb à l'époque ottomane », *in* Ihsanoglu E., Djebbar A. et Günergun F. (sous la dir. de), *Science, Technology and Industry in the Ottoman World*, in *Actes du XXe congrès international d'histoire des sciences*, Liège, 20-26 juillet 1997, vol. VI, Turnhout, Brepols, 2000, p. 49-66.

Gauthier L., « Une réforme du système astronomique de Ptolémée tentée par les philosophes arabes du XIIe siècle », *Journal asiatique*, 10e série, t. XIV, 1909, p. 483-510.

King D. A., « La science au service de la religion : le cas de l'Islam », *Impact : science et société*, n° 159, p. 283-302.

Laroui A., *L'Histoire du Maghreb. Un essai de synthèse*, Paris, Maspéro, 1970.

Nicomaque de Gérase, *Introduction arithmétique*, Paris, Vrin, 1978, p. 101-116, intro. et notes par J. Bertier.

Pinès S., « La théorie de la rotation de la Terre à l'époque d'al-Bīrūnī », in *Actes du VIIIe Congrès international d'histoire des sciences*, 1956, Bd. I, p. 299-303.

Rodinson M., *Entre Islam et Occident*, Paris, Les Belles Lettres, 1998.

Safadi Y. H., *Calligraphie islamique*, Paris, Chêne, 1978.

Seyyed H. N., *Sciences et savoir en Islam*, Paris, Sindbad, 1979.

Souissi M., *La Langue des mathématiques en arabe*, Tunis, Imprimerie officielle, 1968.

Sourdel D. et J., *La Civilisation de l'Islam classique*, Paris, Arthaud, 1968, p. 129-132.

3. Héritages et échanges

La civilisation arabo-musulmane, à l'instar des autres civilisations d'ailleurs, n'est pas née du néant. Sur le plan scientifique qui nous préoccupe ici, elle a bénéficié d'apports de sociétés antérieures. De même, elle a ensuite communiqué ses acquis à d'autres contrées. Nous devons donc évoquer non seulement les « produits » échangés (œuvres, concepts, techniques…), mais aussi la forme et les conséquences des échanges.

Un processus d'appropriation

J'évoquerai ces questions non de manière chronologique, mais à partir de trois remarques destinées à préciser la façon dont on devrait, à mon avis, aborder le problème et ce, différemment de ce qui est souvent retenu.

Le premier point concerne aussi bien la relation de la science arabe aux savoirs antérieurs que ses rapports à la science européenne postérieure. Il s'agit de la notion de « transmission ». On a l'habitude de dire que les Arabes ont transmis la science grecque à l'Occident. Je n'ai jamais lu que les Byzantins – pourtant héritiers naturels des Grecs – avaient transmis leurs sciences, ni aux Européens ni aux Arabes d'ailleurs…

Peut-être, en partie du moins, parce qu'ils n'ont effectivement rien transmis dans ce domaine !

Nous y reviendrons plus loin, ne serait-ce que pour préciser et réévaluer leur rôle. On ne dit pas non plus : les Sumériens, les Babyloniens, les Chinois, les Indiens… ont transmis leurs savoirs aux Arabes. Il faudrait, je crois, se décider enfin à utiliser le même langage dans tous les cas, car il s'agit de réalités semblables.

Puisque les mots ont un sens, je commencerai par faire remarquer, contrairement à ce qui se lit partout, que les Arabes n'ont rien transmis à l'Europe, pas plus d'ailleurs que les anciens peuples du Croissant fertile ne leur ont transmis leur science. Les Sumériens et les Babyloniens avaient, en tant que tels, disparus depuis plusieurs siècles. On ne pourrait donc pas, de toute façon, penser à une transmission directe en ce qui les concerne.

Serait-il cependant correct d'évoquer une transmission involontaire des sciences grecques et arabes à l'Occident chrétien ?

Même pas ! Des actes – culturels et politiques – ont été accomplis certes, mais ils n'ont aucun rapport avec une quelconque transmission, même passive.

Revenons quelques siècles auparavant. Que s'est-il passé aux VIIIe et IXe siècles dans le cadre de la civilisation arabo-musulmane ? Certains citoyens de la cité – compte tenu de leur avancée intellectuelle, de leur savoir ou de leur savoir-faire, de leur conscience, de leur curiosité, de leurs contacts…, que sais-je ! – ont pris l'initiative, soit individuellement, soit en groupe, et dans le cadre d'une dynamique qu'ils ne contrôlaient pas, d'« aller à la recherche » d'informations, de textes, etc. Il ne s'agissait pas d'un phénomène de transmission avec, d'un côté, des gens conservant un patrimoine et désireux de le transmettre et de le diffuser par un acte volontaire s'inscrivant dans une stratégie donnée et, de l'autre, des communautés plus ou moins prêtes à recevoir ce patrimoine mais n'engageant pas d'actions spéciales pour connaître son contenu. Dans le cas des sujets de la cité islamique des VIIIe et IXe siècles, il s'agissait bien, pour eux et dans leur diversité religieuse (puisque les premiers scientifiques étaient musulmans, chrétiens, juifs, sabéens ou même païens), d'une « démarche volontaire » de recherche de la science avec tout ce que cela suppose comme initiatives et comme activités préliminaires.

Il serait donc plus juste de parler, dans ce cas, d'un acte d'appropriation d'une partie de la science de leurs prédécesseurs. Cette « appropriation » est d'ailleurs confirmée par les témoignages et les anecdotes – authentiques ou non, cela importe peu – qui accompagnent le phénomène. Al-Ma'mūn, le calife abbasside, fils du célèbre Harūn ar-Rashīd, aurait écrit à l'empereur de Constantinople de l'époque, Léon V (813-820), pour lui demander de lui prêter des manuscrits scientifiques afin qu'ils soient traduits en arabe. Sur le conseil des ecclésiastiques de son entourage, l'empereur aurait refusé. Al-Ma'mūn aurait alors changé de ton et menacé Constantinople de guerre et de représailles. Après avoir consulté une seconde fois ses conseillers, Léon V aurait accepté avec, disent les chroniqueurs arabes, l'arrière-pensée (soufflée par les ecclésiastiques qui l'entouraient) que l'étude des textes philosophiques grecs jetterait sûrement le trouble chez les musulmans, créerait la discorde parmi eux et les affaiblirait considérablement en contaminant les esprits de leurs élites et en minant leur société de l'intérieur.

Le plus significatif dans cette anecdote, et qui doit contenir un peu de vrai, c'est le refus initial. C'est une attitude analogue qui sera rapportée par les historiens d'al-Andalus au sujet des musulmans cette fois, à travers le propos d'un intellectuel du XIIe siècle, originaire de la ville de Murcie, qui aurait déclaré à ses coreligionnaires à peu près ceci : « Protégez votre patrimoine, ne laissez pas les chrétiens s'en emparer et le traduire, car ils vont ensuite l'utiliser contre vous. »

À partir du XIIe siècle, la démarche de certains intellectuels chrétiens est analogue à celle des musulmans du VIIIe siècle. C'est à une nouvelle appropriation que l'on assiste, c'est-à-dire un acte volontaire qui a consisté à venir, de tous les coins de l'Europe, s'installer à Tolède, à y apprendre, parfois, un minimum d'arabe puis à se lancer pour toute une vie dans la traduction, de l'arabe en latin et en hébreu, d'ouvrages grecs mais aussi et surtout d'ouvrages arabes produits en Orient, en Andalus ou au Maghreb.

La deuxième remarque concerne la grande diversité du contenu du patrimoine préislamique qu'il a été possible d'exhumer et de traduire. La position géographique du centre de l'Empire musulman, la diversité de ses groupes humains et les contacts ou les liens qu'ils entretenaient mutuellement depuis des siècles ont facilité la récupération d'une partie de ce patrimoine scientifique, et cela avant même la grande période des traductions.

Une troisième remarque concerne les débuts du processus d'appropriation. On a eu tort d'identifier parfois ce processus avec le phénomène de traduction. L'essor de la science arabe à partir de la fin du VIIIe siècle, comme d'ailleurs celui de la réactivation de la science européenne après le XIIe siècle, montre qu'une partie de l'information scientifique à l'origine des deux phénomènes a été acquise à travers des circuits directs.

Pour les hommes de sciences des VIIIe et IXe siècles, un premier circuit a été celui de l'appropriation orale. Il concerne les pratiques locales héritées des sociétés antérieures qui vivaient dans la région du Croissant fertile. Un second circuit est celui de l'appropriation directe du contenu de certains ouvrages, sans passer par les traductions. Le phénomène est mal connu, mais des études comparatives ont permis d'affirmer son existence, en particulier en médecine, en agronomie et en astrologie.

Quelques sources

A-t-on une idée précise des sources de la science arabe ?

Je pense qu'il faut rappeler, même si cela a été déjà dit, que l'une des chances de la civilisation arabo-musulmane a été de contrôler des territoires où vivaient des populations de vieille civilisation détenant un patrimoine culturel et scientifique important. L'attitude des premiers responsables de la conquête a été, globalement, de préserver ce qu'ils trouvaient dans ces territoires et d'encourager les communautés assujetties à leur pouvoir à poursuivre leurs activités, même si, au départ, ces responsables étaient loin de penser redynamiser un jour les activités scientifiques de ces régions. Les actions et les décisions de ces chefs et de ces cavaliers, souvent incultes (au sens de la culture antique, bien sûr), étaient en fait inspirées par une partie du message de la nouvelle religion. De plus, l'Islam se présentait aux populations conquises comme un prolongement des anciennes religions monothéistes et un achèvement du message divin. Ce n'était donc pas en ennemis idéologiques que les défenseurs de l'Islam se montraient lorsqu'ils étaient en face de populations monothéistes, du moins pas dans les premiers temps de la conquête.

Le monothéisme n'est pas, en lui-même, une explication suffisante. L'Empire byzantin était, lui aussi, monothéiste.

Vous avez raison, le monothéisme musulman a contribué à la préservation du patrimoine récupéré par les conquêtes, mais cette attitude n'explique pas, bien évidemment, le formidable dynamisme scientifique ultérieur. La réponse renvoie en fait implicitement à la polémique qui a agité les milieux intellectuels européens du XIXe siècle. Des historiens avaient en effet affirmé que les Arabes, au cours de leurs conquêtes, avaient tout détruit. Puis, quand ils se sont civilisés au contact de peuples plus évolués qu'eux, ils ont fait acte de contrition et ont tenté de récupérer et de protéger ce que leur fureur de conquérants n'avait pas éliminé. Il y a des citations fameuses allant dans ce sens. C'est historiquement une contrevérité, dont le seul intérêt est qu'elle nous renseigne non pas sur les Arabes mais sur l'état d'esprit de ceux qui en parlaient. Il suffit de lire ce qu'ont écrit à ce sujet les premiers grands historiens français des sciences, comme Montucla (1799) et Chasles (m. 1880), qui ont pourtant fait beaucoup pour une meilleure connaissance de l'astronomie et des mathématiques arabes.

Quant à la dynamique scientifique ultérieure, l'analyse de ses causes n'est pas simple du tout. Il y a bien sûr l'explication facile qui en fait un miracle de la nouvelle religion. Mais on trouve peu de personnes, même chez les musulmans du Moyen Âge, qui se contentent de cette explication. Lorsqu'on lit les informations rapportées par les historiens

**Les Arabes vus
par le mathématicien Chasles**

Les arts et les sciences s'affaiblissaient déjà, lorsque l'Égypte devint la conquête des Arabes, et que l'embrasement de la fameuse bibliothèque des Ptolémées, dépôt précieux, depuis dix siècles, de toutes les productions du génie et de l'érudition, fut le signal de la barbarie et des longues ténèbres qui enveloppèrent l'esprit humain.

Cependant, ces mêmes Arabes, après un ou deux siècles, reconnurent leur ignorance, et entreprirent eux-mêmes la restauration des sciences. Ce sont eux qui nous transmirent soit le texte, soit la traduction dans leur langue, des manuscrits qui avaient échappé à leur fureur fanatique. Mais, c'est là, à peu près, la seule obligation que nous leurs ayons. Car la géométrie, à l'exception toutefois du calcul des triangles sphériques, resta stationnaire entre leurs mains, leurs travaux se bornant à admirer et à commenter les ouvrages grecs, comme s'ils marquaient le terme le plus élevé et le plus sublime de cette science.

Source : M. Chasles, *Histoire de la géométrie*, Paris, Gauthier-Villars, 3e éd., 1889, p. 51-52.

arabes ayant écrit sur les sciences dans leur civilisation, on constate qu'il s'agit plutôt d'un phénomène complexe dans lequel interviennent des facteurs économiques, sociaux, culturels, et probablement d'autres éléments que nous ne percevons pas encore, parce que les recherches sur plusieurs aspects de cette civilisation ne sont pas assez avancées.

A-t-on une idée de ce qui a été préservé à Constantinople comme patrimoine scientifique et philosophique ? La capitale de l'Empire byzantin avait en effet recueilli une bonne partie de l'héritage grec et hellénistique. Elle avait potentiellement tout ce qui était nécessaire à la création d'une science originale. Qu'a-t-elle fait de ce trésor ?

Le rôle de Constantinople dans l'histoire des activités scientifiques au Moyen Âge est sans doute à réévaluer. Il semble que l'Empire byzantin ait maintenu, à partir du

VIIIe siècle et au temps de la plus grande splendeur musulmane, une activité minimale. Puis, il y aurait eu une sorte de reprise à partir du XIIIe siècle, grâce à une relative osmose avec l'activité scientifique arabe. La circulation des idées n'a jamais été interrompue, même pendant les conflits.

Cela dit, la production endogène de Constantinople est restée faible en comparaison de celle de l'Empire musulman. Malgré la richesse du patrimoine philosophique et scientifique hérité des Grecs, les conditions n'existaient apparemment pas pour qu'une réactivation des sciences ait lieu dans cette capitale. Faut-il incriminer le rôle de la religion officielle, les structures sociales, les caractéristiques économiques de ce qui restait du grand Empire byzantin ? Il faudrait interroger les spécialistes de son histoire. À l'inverse, Constantinople a conservé, pendant des siècles, des trésors scientifiques et culturels. Certains ont pu être traduits par les musulmans, mais un certain nombre n'a pas pu être récupéré par les traducteurs des VIIIe et IXe siècles. On sait par exemple qu'au Xe siècle l'empereur de Constantinople a offert une copie du *Traité des plantes* de Dioscoride (Ier s.) au calife de Cordoue cAbd ar-Raḥmān III et qu'il lui a même envoyé un prêtre bilingue pour en assurer une nouvelle traduction en arabe. On sait également qu'au XIIIe siècle les traducteurs qui travaillaient en Sicile, à la cour de l'empereur Frédéric II (m. 1250), ont utilisé des ouvrages grecs provenant directement de Constantinople et dont certains étaient différents de ceux utilisés par les premiers traducteurs arabes. C'est le cas en particulier pour une copie des *Éléments* d'Euclide.

Dans les centres actifs, que peut-on dire des modes d'acquisition des savoirs par l'Islam ?

Il faut se garder d'une représentation simpliste ou enjolivée de ce phénomène. Ce ne fut sûrement pas une invasion des foyers scientifiques par des hordes d'incultes brusquement illuminés par les préceptes de la nouvelle religion. Cela a dû se passer d'une manière plus sereine, plus naturelle. Comme je l'ai déjà dit, les premiers acteurs faisaient partie des gens instruits qui vivaient dans ces foyers, qui appartenaient sans nul doute aux élites locales, qui maîtrisaient une ou deux langues en plus de leur langue maternelle (leur environnement cosmopolite et leurs activités intellectuelles le leur permettaient). Ils devaient aussi connaître des textes anciens, soit parce qu'ils pouvaient les lire dans leur langue d'origine, soit parce qu'ils disposaient déjà d'une traduction en syriaque ou en persan. Pour cette catégorie de nouveaux sujets du pouvoir musulman, la seule chose qui a dû changer – et quel changement de taille ! –, ce fut la naissance d'une dynamique inédite liée au nouveau contexte politique créé par l'avènement du pouvoir musulman et par sa manière de gouverner les populations désormais sous son contrôle.

D'ailleurs la dynamique scientifique n'a pas été instantanée. Qu'on en juge. Le Prophète est mort en 632. Or le témoignage le plus ancien concernant la traduction d'un texte astronomique en arabe date de 773, soit cent quarante et un ans plus tard. Il s'agit d'un ouvrage indien offert au calife al-Manṣūr et dont ce dernier aurait ordonné la traduction. Dans l'intervalle, il y a eu surtout une réactivation des foyers anciens, prise en charge essentiellement par ceux qui y travaillaient déjà. Le contexte ayant changé, leurs écrits et leurs enseignements, qui répondaient aux nouveaux besoins, ont dû circuler prioritairement, sans être traduits, puisque leurs utilisateurs potentiels pouvaient les lire dans leur langue d'origine ou dans leurs anciennes traductions. Ce fut le cas, par exemple, pour des dizaines d'ouvrages de médecine qui avaient été traduits en syriaque ou en pehlvi à partir des versions grecques. Ils ont été utilisés dans ces deux langues par les médecins au service des califes omeyyades, c'est-à-dire jusqu'en 750, et même plus tard par ceux qui étaient au service des premiers califes abbassides.

Il s'agit, comme on le voit, d'un processus complexe, non d'un simple rapport mécanique de cause à effet.

Traductions

Venons-en maintenant à la traduction des textes anciens – notamment grecs – en arabe.

Il faut d'abord rappeler que, dans certains domaines, la traduction du grec au syriaque a été antérieure à celle du grec à l'arabe. Une tradition de traduction existait depuis au moins le IVe siècle dans certaines régions, et tout un système d'écoles syriaques avait été mis en place. Puis on a traduit du syriaque à l'arabe, sans grands problèmes d'ailleurs car les gens des milieux cultivés pratiquaient souvent les deux langues (du reste très proches). On peut, mais à un moindre degré, dire la même chose du sanskrit et du pehlvi. Dans les deux cas s'est produite une phase intermédiaire, qui a d'autre part chevauché la phase des traductions directes. Il y a des exemples nombreux, particulièrement en médecine, de familles de lettrés ou de médecins ayant commandé des traductions syriaques d'ouvrages grecs. La traduction directe en arabe – et l'écriture des textes scientifiques dans cette langue – s'est accentuée dans le cadre du processus général d'arabisation. Puis le facteur culturel et idéologique a dû jouer pleinement.

Il faut également dire que le phénomène de traduction n'a pas été rapide, ni mené rationnellement. Il n'a pas été non plus exhaustif. Personne n'a décidé, un jour, au niveau le plus élevé de l'État califal, qu'il fallait réunir tous les textes scientifiques – grecs et autres –, les confier à une cohorte déjà prête de traducteurs, leur ordonner de se mettre au travail et d'achever les traductions dans un délai de quelques mois. Bien sûr, des anecdotes allant dans ce sens nous sont parvenues, mais elles renseignent plus sur la mentalité de leurs auteurs que sur les événements qu'elles sont censées illustrer. Elles ont la même vertu que la pomme de Newton ! Dans la réalité, le phénomène de traduction a été plus complexe, plus long et pas du tout coordonné. On ne sait même pas d'ailleurs quand il a commencé. Il a existé des traductions locales, individuelles, dont on a peu parlé parce qu'elles ne s'inscrivaient pas dans le grand courant que l'histoire allait retenir.

On sait, par exemple, que certains textes fondamentaux ont été traduits plusieurs fois en arabe et parfois par la même personne. Quand il s'agit de traductions pionnières, la raison est facile à deviner : la langue arabe était, à la naissance de l'empire, assez pauvre dans les domaines scientifique et philosophique. Plus tard, les choses ayant évolué et la langue s'étant enrichie, le traducteur a ressenti alors le besoin de reprendre son travail et de l'améliorer. Mais ces traductions n'ont pas toujours été accomplies dans le seul but d'améliorer la terminologie et l'expression scientifiques. Le souci de rigueur et de fidélité au texte a également joué.

Pour répondre à cette exigence, il fallait disposer de nouvelles copies des textes en question. Or il faut bien reconnaître que, tout au long du IXe siècle et jusqu'au milieu du Xe, la recherche des textes à traduire a été aléatoire, chaotique, pas toujours fructueuse, réalisée au hasard des butins, des héritages, des découvertes de bibliothèques, etc. D'autre part, lorsqu'une nouvelle copie d'un texte déjà traduit est trouvée, le réflexe du traducteur – qui exerce désormais un métier, avec ses règles de travail et son éthique professionnelle – est de comparer son contenu à l'ancienne copie, de l'utiliser pour améliorer la première traduction, même s'il en est l'auteur, ou pour en réaliser une nouvelle. C'est ce qui est arrivé, par exemple, à Ḥunayn Ibn Isḥāq, qui raconte comment, après trente ans d'investigations, il finit par trouver, à Alexandrie, une copie des *Topiques* d'Aristote meilleure que celle qui lui avait servi, dans sa jeunesse, pour réaliser la première traduction. Il s'engagea alors, avec le même enthousiasme, dans une seconde traduction. Un autre exemple nous est donné par les frères Banū Mūsā (IXe s.). Dans l'introduction à la version arabe des *Coniques* d'Apollonius, ils racontent, dans le détail, ce qui leur est arrivé lorsqu'ils étaient à la recherche d'une copie de ce joyau de la géométrie grecque. Ayant découvert quatre des huit livres de l'ouvrage, ils ont alors chargé Ibn Abī Hilāl d'en faire la traduction. Plus tard, ils ont trouvé trois autres livres manquants. Ils les ont fait traduire par Thābit Ibn

Qurra (m. 901). Mais il leur manquait le livre VIII. L'un de ces trois frères, devenu entre-temps gouverneur d'une province, fera tout son possible pour le retrouver, mais en vain. Presque trois siècles plus tard, convaincu de ne plus pouvoir retrouver le dernier chapitre des *Coniques*, le mathématicien et physicien Ibn al-Haytham décide tout simplement de reconstituer son contenu. Cette tentative nous est d'ailleurs parvenue et elle a même fait l'objet d'une thèse qui a été soutenue, il y a quelques années, dans une université américaine.

Quels ont été les ouvrages d'Aristote traduits en arabe, et à quels moments ? Quelles sont les thèses qui ont été reprises par les philosophes et les scientifiques de l'Islam ?

D'abord une première remarque sur l'appropriation du corpus philosophique grec par les intellectuels des pays d'Islam. En ce qui concerne la philosophie elle-même, les Arabes ont traduit tout ce qui leur est tombé sous la main : non seulement des écrits d'Aristote et de Platon, mais également ceux d'auteurs moins importants. Par ailleurs, ils se sont beaucoup préoccupés de ce que l'on pourrait appeler, en reprenant l'expression d'Ibn Rushd, la « connexion » entre la philosophie et la théologie. De ce fait, la philosophie arabo-musulmane englobe à la fois des spéculations purement philosophiques, dans le prolongement de la tradition grecque, et des analyses plus ciblées, relatives à des problèmes théologiques que les débats et les schismes des premiers siècles de l'Islam avaient soulevés.

Une seconde remarque s'impose : les Arabes n'ont pas fait le tri dans le corpus philosophique grec. Tout les a intéressés, et ils ont étudié et commenté le moindre texte qu'ils ont pu traduire. Ils ont d'ailleurs attribué des textes à certains auteurs sans que l'on sache si cette attribution est de leur fait ou imputable aux Grecs eux-mêmes. Plusieurs ouvrages sont ainsi attribués à Pythagore[1], notamment l'*Épître aux*

1. Auteur du ve siècle av. J.-C., né dans l'île de Samos. Il est surtout connu comme mathématicien (théorème de Pythagore) et comme auteur

révoltés de Sicile et l'*Épître sur l'extraction des nations*. Les spécialistes doutent de l'authenticité de ces attributions mais, parfois, il est difficile de trancher parce que les textes en question sont perdus, même dans leur version arabe.

D'une manière plus précise, les Arabes ont traduit un certain nombre d'écrits de Platon (*République*, *Timée*, *Lettre à Creton*...). Mais c'est surtout Aristote, qu'ils appelaient respectueusement le « Premier Maître », qui les a le plus intéressés. Son œuvre a dominé l'activité philosophique en pays d'Islam du IXe au XIIIe siècle, avant d'être violemment attaquée, surtout à partir du XIIe siècle, par des théologiens de différentes obédiences. L'importance d'Aristote apparaît clairement d'ailleurs dans la manière dont les biobibliographes arabes ont présenté sa vie et son œuvre. Ibn an-Nadīm (m. 995), par exemple, a noté scrupuleusement non seulement la liste de ses écrits qui ont été traduits en arabe, mais également celle de ses commentateurs, d'abord grecs puis arabes. C'est avec la même rigueur qu'il a essayé de préciser, à chaque fois, la nature des traductions (du grec au syriaque, du grec ou du syriaque à l'arabe).

Pour compléter la réponse à votre question, je voudrais dire quelques mots sur les références à l'œuvre d'Aristote dans les écrits des scientifiques des pays d'Islam. On peut considérer que, à quelques exceptions près, les physiciens, les mathématiciens et les astronomes antérieurs au XIIIe siècle ont travaillé dans un cadre conceptuel aristotélicien. Comme on le verra par la suite, c'est en référence à Aristote que les critiques les plus virulentes ont été dirigées contre le système astronomique de Ptolémée. En physique, ce sont les analyses du grand philosophe qui sont reprises par ceux qui ont étudié le mouvement des corps. En mathématiques, on est allé même plus loin puisque, pour prendre l'exemple d'al-Khayyām, c'est en se fondant explicitement sur le principe d'Aristote relatif à la divisibilité à l'infini d'une grandeur continue qu'il établit un résultat lui permet-

d'une première théorie scientifique de la musique. Le personnage est en partie légendaire, mais l'existence d'une école pythagoricienne est parfaitement établie.

Écrits d'Aristote traduits en syriaque ou en arabe

Par Ḥunayn Ibn Isḥāq
– *Les Catégories*
– *Premiers Analytiques* (du grec au syriaque)
– *Seconds Analytiques* (du grec au syriaque)
– *Le Livre de la génération et de la corruption* (du grec au syriaque)
– *Le Livre de l'âme* (du grec au syriaque)

Par Isḥāq Ibn Ḥunayn
– *Les Topiques* (du grec au syriaque)
– *La Rhétorique* (du grec à l'arabe)
– *Le Livre de la génération et de la corruption* (du syriaque à l'arabe)
– *Le Livre de l'âme* (du syriaque à l'arabe)
– *Métaphysique*, petit alpha (du grec à l'arabe)

Par Abū Bishr Matta
– *Seconds Analytiques* (du syriaque à l'arabe)
– *La Poétique* (du syriaque à l'arabe)
– *Réfutations sophistiques* (du grec au syriaque)
– *Les Météorologiques* (du grec à l'arabe)

Par Ibn ᶜAdī
– *Les Topiques* (du syriaque à l'arabe)
– *La Poétique* (du grec à l'arabe)
– *Métaphysique*, lambda (du grec à l'arabe)

Par Ibn Nāᶜima
– *Réfutations sophistiques* (du grec à l'arabe)
– *La Physique*, livres V-VIII (du grec à l'arabe)

Par Théodore
– *Premiers Analytiques* (du grec à l'arabe)

Par ad-Dimashqī
– *Les Topiques* (du grec à l'arabe)

Par Qusṭā Ibn Lūqā
– *La Physique*, livres I-IV (du grec à l'arabe)

Par Ibn al-Baṭrīq
– *Du ciel* (du grec à l'arabe)

Par Naẓīf Ibn Yumn
– *Métaphysique*, grand alpha (du grec à l'arabe)

Par Eustache
– *Métaphysique*, bêta-fin (du grec à l'arabe)

Par Ibn Zurᶜa
– *Métaphysique*, kappa (du grec à l'arabe)

tant de fournir une explicitation ou une nouvelle interprétation du rapport de deux grandeurs. Cette adhésion aux idées aristotéliciennes est encore plus visible lorsque les scientifiques polémiquent entre eux. C'est ainsi qu'a propos du fameux postulat des parallèles, al-Khayyām dit : « Quant aux erreurs des Modernes dans la démonstration de cette prémisse, elles sont dues < au fait > qu'ils ont négligé les principes hérités du Sage [c'est-à-dire Aristote] et ne se sont fondés que sur les < principes > qui ont été donnés par Euclide au début du Livre I. Or ce qu'il a donné est insuffisant. » Quelques décennies plus tard, Naṣīr ad-Dīn aṭ-Ṭūsī n'hésite pas à qualifier le grand mathématicien Ibn al-Haytham (XIe s.) d'incompétent en philosophie parce qu'il n'a pas respecté les règles énoncées par Aristote à propos des objets de la géométrie.

Mais il faut bien dire que ce respect, à nos yeux excessif, du corpus aristotélicien n'a pas toujours rendu des services aux scientifiques. On peut même montrer qu'il a constitué, ici ou là, un frein à des développements féconds tant en mathématiques qu'en physique ou en astronomie. Pour cette dernière discipline, le discours aristotélicien a effectivement aidé à ébranler le système ptoléméen mais il n'a pas permis, du moins au vu des textes qui nous sont parvenus, de lui

aṭ-Ṭūsī (XIIIe s.) critiquant Ibn al-Haytham (XIe s.) au nom de l'orthodoxie aristotélicienne

Quant à Ibn al-Haytham – que Dieu lui accorde sa miséricorde – il a remplacé, dans son livre *La Résolution de ce qui est douteux dans le Livre d'Euclide*, cette prémisse [c'est-à-dire le postulat des parallèles] par une autre (…). Mais les allusions qu'il fait dans ce livre (…) font apparaître l'incohérence de son discours, la confusion qu'il fait entre deux arts différents, son manque de compétence dans la science dans laquelle on corrige les principes de la géométrie (…). Tout cela indique qu'il ne maîtrise pas la science qui permet de corriger les fondements des sciences.

Source : K. Jaouiche, *La Théorie des parallèles en pays d'Islam. Contribution à la préhistoire des géométries non euclidiennes*, Paris, Vrin, 1986, p. 204-205.

substituer un nouveau modèle. En mathématique, et malgré les initiatives de certains calculateurs ou algébristes, on a continué pendant des siècles à affirmer, dans la droite ligne de la tradition philosophique grecque, que *un* n'est pas un nombre (ainsi que zéro, par voie de conséquence), que le mouvement doit être banni des définitions et des démonstrations géométriques, et que l'homogénéité doit être toujours respectée dans la manipulation des grandeurs.

On aurait pu penser qu'à partir du XIIIe siècle, avec la marginalisation progressive de la philosophie, les scientifiques allaient se libérer de ces « contraintes ». Il n'en a rien été. Probablement parce que cette marginalisation n'a pas été un dépassement vers de nouveaux horizons de pensée, mais une régression qui s'est traduite par un certain conformisme dans la réflexion sur les objets et les outils de la science, ou tout simplement par une absence de réflexion.

Ces remarques étant formulées, quelles ont été les sources privilégiées des premiers intellectuels musulmans, et comment leur communication s'est-elle établie ?

Il y a eu trois canaux principaux par l'intermédiaire desquels l'appropriation des connaissances et des savoir-faire s'est opérée. Un premier canal, dont l'histoire a été quelque peu négligée par manque de témoignages explicites, est ce que l'on pourrait appeler l'appropriation sans médiation écrite. À ce propos, il faut rappeler que les tablettes cunéiformes exhumées au début du XXe siècle et analysés par Neugebauer, Sachs et Thureau-Dangin, nous autorisent à dire qu'un certain nombre de pratiques scientifiques datant de l'époque séleucide (IIIe s. av. J.-C.), et peut-être même de la grande époque babylonienne (1800-1600 av. J.-C.), ont vraisemblablement été transmises de génération en génération, avec parfois des modifications, des ajouts, des améliorations, dus à l'esprit inventif des hommes et à la nécessité de résoudre des problèmes nouveaux. C'est ainsi que, dans le domaine des héritages, des techniques de calcul ont été utilisées durant des siècles dans toute la région. Il a dû en être de même pour l'arpentage et l'architecture, où interviennent des propriétés et des procédés de construction géométriques établis et testés depuis longtemps sans que leurs utilisateurs aient éprouvé le besoin d'en démontrer, rigoureusement, la validité. Il y a enfin le vaste domaine des transactions commerciales, qui a utilisé, très tôt, des systèmes de numération, des algorithmes et des formules de calcul. Tous ces apports, liés à la vie quotidienne de toute société, n'ont pas attendu la période des traductions pour circuler et opérer dans les nouvelles conditions créées par l'avènement de l'Islam, surtout qu'aucun obstacle linguistique ne venait freiner leur diffusion.

Or, nous savons aujourd'hui, grâce aux études comparatives, que bien avant la découverte des manuscrits scientifiques et philosophiques grecs et sanskrits, une pratique scientifique locale et un savoir-faire technologique étaient observés dans certains secteurs de la vie de tous les jours (ils concernaient la répartition des héritages, l'arpentage, les transactions commerciales, les techniques d'irrigation, la pratique des soins, etc.). Pour prendre l'exemple des héritages, on constate que les pratiques préislamiques utilisaient des procédés arithmétiques, géométriques ou même algébriques antérieurs à la période des traductions et qui avaient été assimilés soit par enseignement soit par initiation directe dans les lieux de travail. Cet ensemble de savoir-faire, que la pratique avait longuement testé et que l'habitude avait pérennisé, ne va pas être balayé, du jour au lendemain, par le nouveau savoir que les traductions vont révéler et que le nouvel enseignement va essayer de populariser. D'ailleurs, et pour nous limiter au domaine des mathématiques, on constate que certains procédés de résolution antérieurs aux traductions étaient tellement familiers aux utilisateurs que des mathématiciens les ont intégrés à leurs manuels, à côté des nouveaux procédés, ou bien leur ont tout simplement consacré des manuels indépendants. On peut en dire autant de la médecine et de la mécanique.

Le deuxième canal de circulation des connaissances est constitué par l'accès direct à des textes anciens. Ce phénomène est surtout attesté au cours de la première phase, celle des débuts de l'expansion de l'Islam, quand des intellectuels se sont mis à découvrir des éléments de la science des pays conquis. Cela était possible grâce à différents moyens : soit par la maîtrise de la langue dans laquelle étaient écrits certains documents (comme pour le grec et, surtout, le persan), soit par la pratique d'une langue intermédiaire dans laquelle des traductions avaient déjà été faites dans le passé (ce fut le cas pour le syriaque), soit par l'utilisation d'écrits utilisant la matière des sources en question mais sans référence à elles.

Quant au troisième canal, celui des traductions, il a été le moteur essentiel dans la mise en place des éléments constitutifs de la nouvelle pratique scientifique. D'une manière plus précise, nous savons maintenant que les traductions en arabe ont commencé avant le VIIIe siècle et qu'elles ne se sont interrompues que vers le milieu du Xe siècle. Elles ont grandement profité de l'existence d'un certain nombre de foyers scientifiques qui se trouvaient à l'intérieur des territoires contrôlés par le pouvoir musulman, et qui fonctionnaient bien avant l'avènement de ce pouvoir. Les plus connus de ces centres intellectuels étaient Alexandrie (en Égypte), Rās-al-ᶜAyn (en Syrie), Gundishāpūr (en Perse), Antioche et Édesse (en Asie Mineure).

Jusqu'à l'avènement de l'Islam, la ville d'Alexandrie avait réussi à maintenir une activité intellectuelle, en particulier en médecine et en philosophie. Parmi les savants qui y ont travaillé et enseigné, citons Jean Philippon (première moitié du VIe s.), qui a commenté les œuvres d'Aristote, et Alexandre de Tralles (525-605), qui a écrit un ouvrage intitulé *Therapeutica*. Au VIIe siècle, Paul d'Égine pratiquait et enseignait la médecine jusqu'à la veille de la conquête de l'Égypte. Il est également célèbre pour ses publications, notamment une *Encyclopédie* en sept livres et le *Livre sur les maladies des femmes*. À la même époque, le prêtre Ahrūn enseignait également la médecine.

Les activités que nous venons d'évoquer ne peuvent se concevoir sans un minimum d'échanges scientifiques, d'enseignement, et sans l'existence de bibliothèques privées plus ou moins spécialisées. Nous sommes sûrs que des bibliothèques existaient encore à Alexandrie à l'arrivée des premiers cavaliers musulmans. Un témoignage qui va dans ce sens est celui du traducteur Ḥunayn Ibn Isḥāq, qui dit y avoir trouvé des manuscrits grecs. Il faut ajouter que, après la conquête de l'Égypte, Alexandrie a continué d'être un foyer scientifique, comme en témoignent les activités de Paul d'Égine et de Stéphane l'Ancien.

Le deuxième foyer scientifique de la région, encore en activité à la veille de la conquête musulmane, était en Perse. Il avait pour pôle Gundishāpūr, cité fondée par le souverain sassanide Khuṣrū Anūsharwān (521-579). En plus de la médecine, d'autres activités scientifiques et philosophiques étaient pratiquées dans la ville. On sait, par exemple, que les Sassanides avaient accueilli, au VIe et au VIIe siècle, des savants grecs et syriaques chassés par les pouvoirs byzantins de l'époque, qui reprochaient à certains d'entre eux leurs activités philosophiques et à d'autres leur adhésion à un christianisme non officiel. Il semble que cet exode ait été plus important en 529, après la décision de l'empereur Justinien de fermer l'académie d'Athènes. Parmi les scientifiques et les philosophes qui ont rejoint Gundishāpūr, il y aurait eu sept néoplatoniciens dont Simplicius, célèbre commentateur d'Aristote et d'Euclide.

On sait aussi que le mécénat de Khuṣrū ne s'est pas limité à l'accueil de savants persécutés, puisqu'il y eut aussi, de la part de ce grand roi, une volonté de développer une tradition scientifique persane. Dans ce but, il aurait fortement encouragé la traduction, en pehlvi, d'ouvrages grecs et sanskrits. Il aurait même, si l'on en croit certains témoignages, envoyé en Inde son propre médecin pour rapporter des manuscrits ou pour les copier. Quel que soit le degré d'authenticité de ces témoignages, en particulier ceux concernant le rôle de Gundishāpūr, une chose est sûre : la Perse a bien contribué à l'avènement de ce qu'on appelle communément la science arabe, soit comme foyer relativement actif aux VIIe et VIIIe siècles, soit comme relais pour les courants de pensée et pour certains ouvrages provenant de l'Empire byzantin et de l'Inde.

Un troisième centre scientifique a joué un rôle important dans la préservation de la science et de la philosophie et dans leur transmission, même si cette transmission a été indirecte puisque le centre n'existait plus au VIIe siècle. Il s'agit de la ville d'Édesse, dont les activités d'enseignement et de traduction ont commencé dès le IIIe siècle et se sont poursuivies jusqu'à la fin du Ve. En 489, son école est fermée sur ordre de l'empereur Zénon (475-491), à cause des tendances nestoriennes de ses membres. Ses activités philosophiques et théologiques se sont alors déplacées à Nisibe, où elles se sont poursuivies jusqu'au VIIe siècle. À cette école se rattachent, directement ou indirectement, des centres qui ont accueilli, à un moment ou à un autre, des savants prestigieux. C'est le cas de certaines villes (Antioche, Ḥarrān, Rās al-ᶜAyn), ou de monastères et de cloîtres (comme celui de Kenesrin).

Les informations qui nous sont parvenues au sujet des savants ayant travaillé à Édesse, à Nisibe ou dans les villes et monastères avoisinants nous permettent de parler d'une véritable tradition, avec une filiation de maîtres à élèves, une spécificité linguistique (l'utilisation du syriaque), et une continuité dans l'étude de certaines disciplines, comme la théologie, la philosophie, la logique et la grammaire. Ces mêmes informations ne contiennent pas d'éléments permettant de dire que l'exercice des mathématiques et de l'astronomie était très poussé dans les foyers en question.

Parmi les figures représentatives de cette longue activité, il y a d'abord Probus (VIe s.), l'un des premiers traducteurs d'œuvres philosophiques du grec au syriaque. Au VIIe siècle, citons Sévère Sebokht (m. 667), qui est originaire de Nisibe et a vécu dans le cloître de Kenesrin. Il a traduit et commenté les *Analytiques* d'Aristote, mais il s'est occupé également de sciences exactes puisqu'il a rédigé un traité sur l'astrolabe et d'autres ouvrages sur l'astronomie et la géographie. C'est enfin le premier, à notre connaissance, qui aurait eu quelques acquis sur le contenu de la tradition scientifique indienne, puisqu'il en aurait étudié des éléments de géométrie et, surtout, le système décimal positionnel. Sévère Sebokht a eu un certain nombre d'élèves, comme Jacques d'Édesse, qui a traduit des traités médicaux de Galien et *Les Catégories* d'Aristote, et qui était également spécialiste de grammaire. On peut encore signaler Athanase (m. 686), qui a étudié à Kenesrin et a traduit, entre autres, l'*Isagoge* de

Porphyre. Son travail a été poursuivi par ses élèves, dont le plus connu est Georges des Arabes, devenu évêque de Kūfa. Ce dernier a traduit l'*Organon* et *Les Catégories* d'Aristote.

À ces savants, qui constituent une véritable école, il faudrait en ajouter d'autres qui, même s'ils n'ont pas eu de liens directs avec les premiers, ont inscrit leurs activités dans la tradition syriaque. C'est le cas de Sergius de Rās al-ᶜAyn, qui traduisit en syriaque *La Logique* d'Aristote, douze ouvrages d'Hippocrate et vingt-cinq de Galien.

Comme on le voit, l'un des aspects essentiels de cette école, au-delà de la diversité de ses préoccupations, a été son activité de traduction, qui fera du syriaque un vecteur incontournable au moment où commenceront les traductions en arabe. Un autre aspect, qu'il est utile de souligner pour comprendre les orientations ultérieures des activités intellectuelles en pays d'Islam, est relatif au contenu de ces traductions. On constate en effet qu'elles concernent essentiellement deux domaines, la médecine et la philosophie. La médecine sera évoquée plus loin, mais pour ce qui est de la philosophie, il faut remarquer que seule une partie du corpus philosophique grec semble avoir bénéficié de traductions puisque les sources biobibliographiques ne mentionnent que les ouvrages d'Aristote. Quant aux sciences exactes, nous avons trouvé peu de témoignages à leur sujet, même si l'utilisation d'ouvrages astronomiques et mathématiques dans les foyers intellectuels syriaques est implicitement confirmée par le témoignage de Sévère Sebokht et par des fragments de manuscrits qui nous sont parvenus.

Quelles ont été les premières initiatives de traductions ?

Les premières traductions (qui ne concernaient pas encore les sciences exactes) semblent avoir été réalisées à la fin du VIIᵉ siècle et au tout début du VIIIᵉ, à l'initiative de quelques rares personnes passionnées par tel ou tel domaine et ayant les moyens de financer des travaux de ce type. Parmi ces premiers mécènes, il y a le fameux prince omeyyade Khālid Ibn Yazīd. Il est peut-être le premier à avoir fait une commande conséquente de traductions de textes d'alchimie et d'astrologie. Il aurait même fait venir spécialement d'Alexandrie le prêtre Ahrūn, un lettré grec de l'époque, pour lui faire traduire des ouvrages d'astrologie. Les initiatives de ce prince étaient peut-être en avance sur son temps, donc isolées, mais elles ont fait des émules (encore ignorés) et ont permis de garnir les rayons des premières bibliothèques dont l'existence est mentionnée dès cette époque.

Il faut signaler que, durant cette même période, la médecine a connu une réactivation déterminante ; mais celle-ci n'a nullement favorisé la traduction d'ouvrages grecs pour la bonne raison, nous l'avons vu, que les plus importants d'entre eux étaient déjà accessibles en syriaque.

Avec l'avènement du califat abbasside, c'est-à-dire à partir de 750, le phénomène de traduction va se poursuivre, se diversifier et impliquer l'État, en particulier grâce aux initiatives et au mécénat de trois califes : al-Manṣūr, ar-Rashīd et al-Ma'mūn. Outre les ouvrages de médecine qu'il aurait fait traduire par Jurjus Ibn Jibrīl et par al-Baṭrīq, al-Manṣūr aurait financé la traduction, par Ibn al-Muqaffa^{c}, de trois des livres de *La Logique* d'Aristote, de l'*Isagoge* de Porphyre et, par Muḥammad al-Fazārī, du *Sindhind*, fameux ouvrage astronomique indien.

Premiers livres scientifiques

À quel moment sont apparus les premiers ouvrages scientifiques écrits en arabe ?

Il semble que cela ait eu lieu parallèlement aux traductions. D'une manière plus précise, il y eut d'abord, et bien avant le phénomène des traductions, des travaux concernant des disciplines littéraires, comme la linguistique, la lexicographie, la grammaire et la poésie, ou religieuses, comme l'exégèse du Coran et l'authentification du contenu du Ḥadīth. Mais les premiers écrits scientifiques n'ont pas tardé à paraître.

Si l'on fait abstraction du cas très particulier et isolé du prince omeyyade Khālid Ibn Yazīd, les premiers ouvrages scientifiques écrits en arabe ont été publiés dans la seconde moitié du VIIIe siècle, et ils ont concerné la chimie et l'astronomie. En chimie, les premiers livres en arabe ont été écrits à l'époque d'al-Manṣūr. C'est également sous l'impulsion de ce calife que Muḥammad al-Fazārī a rédigé son ouvrage d'astronomie, intitulé *as-Sindhind al-kabīr* [Le Grand Sindhind], à partir de la traduction qu'il avait faite du livre indien offert à al-Manṣūr. À la même époque, Māshā'allāh a commencé à publier des ouvrages d'astrologie utilisant des techniques astronomiques, ce qui suppose déjà une certaine maîtrise des outils classiques de cette spécialité. Mais nous ne savons rien sur la formation de cet astrologue célèbre, ni d'ailleurs sur celle d'al-Fazārī, et nous n'avons aucune information sur les premières institutions d'enseignement en arabe, en particulier sur les premiers enseignements scientifiques.

Qui étaient les traducteurs ? Comment travaillaient-ils ?

Quantitativement, on estime à près d'une centaine le nombre de traducteurs répertoriés par les biobibliographes durant les deux siècles qui nous intéressent ici. Ibn an-Nadīm cite les noms de quarante-cinq d'entre eux qui ont traduit du grec ou du syriaque. Il donne également les noms de seize traducteurs du persan, de deux traducteurs du sanskrit et d'un seul qui aurait traduit à partir du nabatéen. D'autres biographes citent d'autres noms ou bien évoquent des traductions d'ouvrages sans préciser les noms de leurs auteurs. C'est le cas d'Ibn Juljul (m. après 994), qui signale, pour l'Espagne musulmane, quelques traductions du latin à l'arabe. Il s'agit des *Aphorismes* d'Hippocrate, traduits à l'époque de ᶜAbd ar-Raḥmān II (826-852), du *Livre des plantes* de Dioscoride et de la *Chronologie* de Paul Orose, tous deux traduits pour le calife ᶜAbd ar-Raḥmān III (912-961).

Qualitativement, les traductions aux IXe et Xe siècles se rattachent à plusieurs traditions bien distinctes : grecque, persane, indienne, syriaque, et même babylonienne pour certains écrits astrologiques et agronomiques. On y constate des différences quant à la technique des traductions et à la qualité de leurs résultats. Pour prendre l'exemple des mathématiques et de l'astronomie, les premières traductions n'ont pas été jugées satisfaisantes par les spécialistes de chacune des disciplines concernées. An-Nayrīzī (Xᵉ s.) nous dit, dans son commentaire des *Éléments* d'Euclide, à propos des traductions de cet ouvrage par al-Ḥajjāj, que ce dernier a dû en réaliser une deuxième traduction et « a abandonné la première version, telle quelle, aux gens du commun ». Quelques décennies plus tard, cette deuxième traduction sera elle-même jugée insuffisante puisque Isḥāq Ibn Ḥunayn (m. 910) éprouvera le besoin d'en réaliser une troisième, qui sera révisée par le mathématicien Thābit Ibn Qurra.

Un autre exemple significatif nous est fourni par l'*Almageste* de Ptolémée. Ibn an-Nadīm nous dit que cet important ouvrage, qui a servi de fondement à l'astronomie en pays d'Islam, a bénéficié, probablement dès la seconde moitié du VIIIᵉ siècle, d'une première traduction ; jugée non satisfaisante, elle fut très vite remplacée par une deuxième. Cette traduction sera elle-même révisée, une première fois par Abū l-Ḥasan et Salm, le directeur de la Maison de la sagesse de Bagdad, et une seconde fois par Thābit Ibn Qurra. Une troisième traduction sera réalisée par al-Ḥajjāj Ibn Maṭar (m. 830), puis une quatrième par Isḥāq Ibn Ḥunayn.

Ces traductions successives s'expliquent d'abord par le progrès enregistré dans les activités scientifiques, qui va entraîner un enrichissement de la langue arabe et, par voie de conséquence, une plus grande exigence quant à la fidélité au contenu des sources traduites. Une autre raison peut expliquer la multiplication ou l'amélioration des traductions, à savoir la découverte de nouveaux manuscrits. Pour les mathématiques, on peut citer le cas de Naẓīf al-Mutaṭabbib, qui avait projeté de retraduire le livre X des *Éléments* à partir d'une version grecque contenant cent quarante-neuf propositions (alors que les traductions antérieures n'en contenaient que cent cinq dans la seconde version d'al-Ḥajjāj, et cent neuf dans celle d'Isḥāq-Thābit).

Héritages orientaux

Connaissant l'existence de traditions scientifiques préislamiques (chinoise, indienne, babylonienne, égyptienne et grecque), les historiens se sont demandé si elles avaient toutes alimenté la science arabe et quels en avaient été concrètement les emprunts. Est-ce que ces sources ont été accessibles aux VII*e et* VIII*e siècles ?*

Examinons la question des emprunts à la Chine, qui sont souvent évoqués. De multiples hypothèses ont été avancées au sujet d'une éventuelle circulation d'inventions technologiques, de procédés de calcul, etc. Mais, en dehors de rares témoignages d'historiens arabes sur des questions précises, les preuves pour confirmer ces hypothèses n'existent pas ou sont souvent fragiles. Pour prendre l'exemple des mathématiques, nous n'avons aucune information fiable concernant les apports chinois éventuels à la science du calcul, à l'algèbre ou à l'astronomie. Ce qui n'a pas empêché la diffusion d'informations ou de simples interprétations, parfois fantaisistes, sur la circulation de tel ou tel procédé.

C'est le cas, ainsi, pour la « méthode de fausse position ». C'est un procédé de calcul permettant de trouver l'inconnue dans un problème lorsque les relations entre cette inconnue et les données sont « linéaires ». Nous savons depuis longtemps que ce procédé a été utilisé en Chine, en Inde et en pays d'Islam avant d'arriver en Europe (par l'intermédiaire des traductions de manuels de calcul arabes). Les mathématiciens européens du Moyen Âge ont appelé ce procédé « règle d'*alcatayn* ». Plus tard, un calculateur ou un auteur de manuel ayant probablement trouvé que le mot *alcatayn* avait une consonance chinoise a alors baptisé la méthode « règle chinoise ». En fait, *alcatayn* est un mot arabe légèrement déformé. C'est la forme « duelle » du mot *khaṭa'* qui signifie « erreur ». Les mathématiciens d'Orient parlaient en effet de *Ṭarīqat al-khaṭa' ayn* [la méthode des deux erreurs] (ceux du Maghreb préférant l'expression *Ṭarīqat al-kaffāt* [méthode des plateaux]).

Pour revenir à votre question, il faut préciser que les Arabes parlent de la civilisation chinoise avec respect. Des biobibliographes importants, comme Ibn an-Nadīm au Xe siècle et Ṣāᶜid al-Andalusī au XIe, évoquent le peuple chinois, mais ce qu'ils en disent montre qu'ils n'étaient pas informés dans le détail de tous les aspects des activités scientifiques de la Chine et de leur richesse. Prenons par exemple le passage où Ṣāᶜid parle des Chinois. Après les avoir classés, avec les Turcs, dans la catégorie des peuples qui « ne se sont pas occupés de science », il précise toutefois qu'ils « ont perfectionné les arts appliqués »[2]. Mais il ne dit rien sur leur apport aux mathématiques et à l'astronomie arabes alors que, dans le même livre, il cite explicitement les sources indiennes et grecques qui ont nourri ces deux disciplines.

Les techniques du papier paraissent être d'origine chinoise et elles ont beaucoup apporté à la circulation de la culture.

Leur importance est en effet indéniable. Quant à l'antériorité de la Chine dans ce domaine, elle est affirmée par les historiens arabes eux-mêmes. Cela étant, en dehors de ces affirmations qui sont reprises d'un auteur à l'autre, nous n'avons pas vraiment d'informations précises sur le contexte et sur les conditions de ce transfert technologique. Il faudrait, pour clarifier ce point, étudier les techniques chinoises de fabrication du papier, les matériaux utilisés, etc., puis les comparer à celles qui sont apparues dans l'Empire musulman à partir de la fin du VIIIe siècle. Il serait également nécessaire de préciser les conditions dans lesquelles ont été construites les premières fabriques de papier, d'abord à Samarcande puis à Bagdad, et les conséquences sur une forme de spécialisation de l'agriculture dans certaines régions de l'empire. Ce sont des recherches qui, à ma connaissance, n'ont pas encore été approfondies, probable-

2. Ṣāᶜid al-Andalusī, *Kitāb Ṭabaqāt al-umam* [Livre des catégories des nations], p. 40.

ment à cause de la rareté des matériaux et du caractère pluridisciplinaire de la question.

Est-il possible d'être plus clair à propos de l'aimant et de la boussole ?

Non, pas vraiment. À ce propos, le transfert n'est nullement établi et, d'une manière générale, pour ce qui est de l'Empire musulman, les informations sur l'utilisation de l'aimant et de la boussole sont rares ; et quand elles existent, elles concernent la période postérieure au XIIe siècle.

Thalès connaissait la « pierre d'aimant », au VIIe siècle av. J.-C. et, selon Plutarque, les Égyptiens anciens la connaissaient également. La première étude expérimentale que l'on connaisse sur le magnétisme et la boussole est une lettre de Pierre de Maricourt, écrite en 1269. On aurait pu penser que la boussole était passée de Chine aux navigateurs arabes, puis en Europe. L'utilisation occidentale précéderait donc celle de l'Empire musulman ?

Ce que l'on sait à l'heure actuelle, grâce aux documents qui ont déjà été étudiés, c'est que des marins chinois la possédaient vers l'an 1000 et des marins européens vers 1200. Quant aux musulmans, les premiers textes arabes connus qui traitent de la boussole sont du XIIIe siècle. Mais nous n'avons aucune indication fiable sur le mode de transfert de cet objet, si transfert il y a eu, entre l'Extrême-Orient, l'Europe et l'Empire musulman. L'antériorité chronologique de la Chine rendrait en effet vraisemblable son emprunt par les Européens. Mais il n'y a aucune certitude historique à ce propos ni, pour l'instant, aucune indication sur une possible utilisation de la boussole par les marins arabes avant le XIIIe siècle. L'apparition précoce d'une innovation dans une première civilisation, et plus tard dans une seconde, n'autorise pas – sauf document le prouvant – à prétendre que la seconde l'a empruntée à la première. L'hypothèse est plausible, mais il en est d'autres qui sont tout aussi vraisemblables. C'est du moins ce qu'enseigne l'histoire des sciences…

Il est vrai que l'on connaît des exemples de découvertes simultanées, voire conjointes, sans relation évidente de causalité entre elles.

Il arrive aussi qu'une trouvaille surgisse à une certaine date dans une civilisation donnée et réapparaisse, bien plus tard, dans le cadre d'une autre société, et cela sans qu'il ait existé de connexion entre les deux événements. Prenons un exemple dans le domaine des mathématiques. On sait, depuis quelques années seulement, que certains résultats d'analyse combinatoire étaient déjà utilisés à Marrakech à la fin du XIIe siècle. Or, on retrouve ces mêmes résultats, avec les mêmes démarches et sous une forme identique, au XVIIe siècle en France. Pourtant, il ne peut pas s'agir d'une transmission et d'un plagiat. Ce sont plutôt deux phénomènes successifs à deux stades différents de leur développement : les résultats du mathématicien de Marrakech Ibn Munᶜim (m. 1228), sont, au XIIe siècle, l'aboutissement d'une longue tradition qui semble s'achever en un dernier feu d'artifice, alors que les résultats de Mersenne (m. 1648), au XVIIe siècle, marquent le début, foisonnant, tâtonnant et un peu brouillon, d'une tradition naissante et pleine de promesses. Ce qui explique d'ailleurs pourquoi les démarches de Mersenne contiennent certaines maladresses et certaines lourdeurs que l'on ne trouve pas dans le texte arabe du XIIe siècle. Il est évident que si Mersenne avait eu connaissance de ce texte, il aurait très vite assimilé son contenu et aurait écrit ses ouvrages de combinatoire différemment. Je suis même convaincu qu'il n'aurait jamais écrit certains d'entre eux, par exemple son ouvrage de 674 pages intitulé *Table de tous les chants qui se peuvent faire de 8 notes (octave) par la combinaison ordinaire à savoir 40320*[3]. Cet ouvrage devient inutile à partir du moment où on a établi une formule arithmétique.

---

3. Ms. Paris, BN, fonds français, n° 24256. Cité par E. Coumet : *Mersenne, Frénicle et l'élaboration de l'analyse combinatoire dans la première moitié du XVIIe siècle*, thèse de doctorat de 3e cycle, Paris, 1968.

Une innovation peut être conçue dans un certain contexte scientifique et culturel, pour répondre à des problèmes précis, puis réapparaître à une autre époque et dans un autre lieu, sans qu'il existe entre les deux faits de lien attesté. Dans des conditions techniques et conceptuelles similaires, un autre auteur arrive à la même découverte en repartant de zéro, parce que les deux civilisations ont été tout à fait étanches sur ce sujet.

Je ne sais pas si cela s'est passé ainsi pour la boussole, mais c'est possible. Toujours est-il que nous n'avons aucun indice nous permettant d'affirmer que les Arabes l'ont empruntée aux Chinois. Elle a pu être transmise directement de Chine en Europe et, pourquoi pas, ensuite aux pays d'Islam ou le contraire. Nous n'en savons rien et, contrairement au papier, aucun historien arabe connu ne mentionne la boussole parmi les héritages empruntés aux Chinois ou aux Européens.

A-t-on quelques indications sur l'assimilation par les Arabes des traditions scientifiques non grecques, antérieures à la période médiévale, notamment celles de l'Égypte pharaonique et celles de Mésopotamie (tradition sumérienne, babylonienne, etc.) ?

L'héritage égyptien pose un problème. D'abord, ce qui nous en est parvenu, et donc ce que nous en connaissons réellement, ne semble représenter qu'une infime partie de la production scientifique de cette grande civilisation. À titre d'exemple, il faut rappeler que nous ne disposons, à l'heure actuelle, que de douze textes témoignant de l'activité mathématique en Égypte pour la période antérieure à l'avènement de la science grecque. En ce qui concerne les Arabes et ce qu'ils ont pu connaître de ce patrimoine scientifique, les bio-bibliographes musulmans qui ont évoqué l'apport d'autres civilisations sont silencieux sur ce sujet, et aucune autre source n'en parle. Il est cependant possible que la longue et riche tradition scientifique égyptienne ait imprégné quelques pratiques locales, en particulier dans les domaines du calcul transactionnel, des procédés de mesurage et de l'architecture. Néanmoins, il s'agit de ces courants invisibles qui par-

Le quantième égyptien

À l'exception de la fraction 2/3, les calculateurs égyptiens ne manipulaient, dans leurs calculs, que des fractions dont le numérateur est 1 et que l'on appelle les quantièmes. Ce qui les a amenés, pour pouvoir faire leurs calculs, à inventer des procédés de décomposition d'une fraction quelconque (quand cela est possible) en somme de quantièmes.

ticipent à la vie d'une activité mais dont on ne peut pas encore écrire l'histoire. Par exemple, il est tout à fait raisonnable de penser que le concept de quantième et le procédé de multiplication par duplication (c'est-à-dire n'utilisant que des multiplications par 2), qui sont deux apports égyptiens indiscutables, sont parvenus aux calculateurs arabes ou du moins à certains d'entre eux.

Ne serait-ce que par l'intermédiaire de la science grecque et, en particulier, de celle de l'école d'Alexandrie…

Oui, probablement. Les historiens grecs, notamment Hérodote, rapportent que Thalès et Pythagore seraient allés apprendre en Égypte. Que les auteurs arabes ne mentionnent rien à propos d'une éventuelle circulation du savoir scientifique égyptien et babylonien peut avoir plusieurs significations. Cela peut vouloir dire tout simplement qu'ils n'ont pas d'informations, qu'il y ait eu ou non circulation ; ou encore que ce qu'ils en savent ne leur paraît pas suffisamment important pour qu'ils le mentionnent. Les historiens des pays d'Islam n'avaient en effet aucune animosité à l'égard des Chinois, des Égyptiens ou des Babyloniens. Comme nous l'avons déjà dit, ils évoquent spontanément tout ce que la science arabe doit aux Indiens et aux Grecs. Nous pouvons donc raisonnablement penser que, s'ils ne parlent pas des autres peuples, ce n'est pas pour passer sous silence leurs apports éventuels et se les attribuer, mais tout simplement parce qu'aucune information à leur propos ne leur est parvenue.

Le produit par duplication des Égyptiens

La multiplication de deux nombres quelconques peut se faire, sans retenue, en les décomposant en sommes de puissances de 2. Voici comment procédaient les scribes pour faire le produit de 5 par 12 :

\`1	**12**
2	24
\`4	**48**

Comme 5 = 2 × 2 + 1, le scribe coche les chiffres de gauche dont la somme donne 5. Il ne retient alors de ses duplications que celles qui sont en vis-à-vis de 1 et de 4. D'où : 5 × 12 = 12 + 48 = 60.

On peut aussi envisager une autre hypothèse concernant les civilisations anciennes du Moyen-Orient antérieures à l'Islam. Leur héritage fait partie du « fond commun » qui entre naturellement dans la culture et le savoir-faire des populations de ces régions. Or les historiens, les chroniqueurs et les biobibliographes du Moyen Âge ne traitent généralement pas des pratiques ordinaires. Les spécialistes de sociologie et d'ethnologie, si. Mais ces disciplines n'existaient pas à l'époque, même si l'on peut en repérer des prémices chez tel ou tel auteur. Par exemple, un historien de ce temps n'aurait pas eu l'idée de rechercher, dans les manières de répartir les héritages, de calculer des impôts ou de réaliser des arpentages, les traces d'apports des Babyloniens ou des Égyptiens de la civilisation pharaonique. Pour lui, elles faisaient partie des techniques qu'il voyait pratiquer depuis son enfance. Elles étaient, somme toute, un élément de son « environnement culturel ».

Ils connaissaient sans doute très peu ces civilisations anciennes, sinon par quelques traditions orales ayant souvent une forme semi-légendaire.

Je le pense aussi. Évidemment, comparés aux outils de cette époque, ceux d'un historien en ce début de IIIe millénaire sont infiniment plus performants. Mais l'historien continue de se heurter aux mêmes obstacles liés à l'absence ou à la rareté de l'information. Prenons l'exemple des recherches, relativement récentes, sur le patrimoine scientifique babylonien et, plus généralement, mésopotamien. Alors que l'Égypte ancienne ne nous a guère légué qu'une poignée de documents mathématiques exploitables, ceux de l'époque babylonienne se comptent par centaines, depuis que l'on a découvert, au début du XXe siècle, de véritables bibliothèques constituées de tablettes cunéiformes. Lorsque les spécialistes ont pu déchiffrer le contenu de certaines d'entre elles, on s'est aperçu que des liens importants ont existé entre les pratiques mathématiques babyloniennes et celles des Arabes aux VIIIe et IXe siècles. C'est là une illustration éclairante de la réalité d'un héritage presque passif transmis, non par les structures d'enseignement au sens habituel de l'expression, mais par les réseaux constitués des différents métiers de l'époque.

... par les pratiques de la vie sociale de tous les jours...

Oui, par les arpenteurs, les comptables, les juristes, les marchands...

Que sait-on des héritages dans d'autres domaines que ceux des mathématiques, en médecine par exemple ?

Le corpus médical préislamique non grec était relativement abondant. La connaissance de certaines maladies et d'une pharmacopée substantielle, la maîtrise de certains actes médicaux, faisaient partie de cette médecine « populaire » que nous avons déjà évoquée, qui était pratiquée avant l'avènement de l'Islam et qui s'est perpétuée ensuite. On trouve parfois des traces de ces connaissances chez les poètes arabes préislamiques, comme le célèbre ᶜAnṭar, qui dit, dans un de ses poèmes fameux : « Dès qu'il a tâté ton pouls et ton bras, le médecin te dit : "J'ai ton médicament". »

Cela dit, il reste beaucoup de champs d'étude qui peuvent révéler des apports encore inconnus, surtout que la science actuelle fournit de plus en plus de techniques d'investigations nouvelles et extrêmement performantes. On sait, grâce à des analyses chimiques de produits cosmétiques égyptiens, que les fabricants de produits de beauté de l'époque pharaonique savaient réaliser des synthèses chimiques assez sophistiquées. On peut penser que des savoirs analogues existaient dans d'autres domaines, comme la pharmacopée et l'agronomie.

Les apports de l'Occident musulman

Vous avez déjà évoqué les traductions en arabe effectuées en Espagne à partir d'ouvrages latins. Ces traductions ont-elles circulé dans le reste de l'Empire musulman ? Connaît-on également des circulations ultérieures d'ouvrages arabes, cette fois de la partie occidentale de cet empire vers sa partie orientale ?

Il est possible que les traductions des ouvrages latins soient parvenues en Orient. Mais les biobibliographes n'en disent rien. Dans ce cas, l'expérience montre que c'est l'analyse des textes scientifiques eux-mêmes qui pourrait éventuellement répondre à la question.

Pour ce qui est de la production scientifique arabe d'Espagne et du Maghreb et de sa circulation vers l'Orient, nous avons des témoignages précis de transferts d'idées, de techniques, d'instruments, d'ouvrages scientifiques. Un premier phénomène connu a été la circulation d'ouvrages, à partir du XIe siècle, d'al-Andalus vers le Maghreb. Cela correspond à une époque où le Maghreb a, en quelque sorte, pris le relais, compte tenu des changements internes et régionaux survenus dans la péninsule Ibérique. Ainsi, la chute de Tolède en 1085 a ouvert la voie au processus de reconquête chrétienne de la partie musulmane de l'Espagne. Néanmoins cette reconquête va mettre du temps puisque son dernier épisode a été la chute de Grenade en 1492. Durant ces quatre siècles, on a observé, à différentes époques, un phénomène d'émigration vers le Maghreb. C'est ainsi qu'un certain nombre de savants ont préféré s'installer à Ceuta, à Bougie, à Tlemcen, à Tunis, à Fès ou à Marrakech.

Mais, indépendamment de la *Reconquista*, il y a toujours eu des va-et-vient de voyageurs, de professeurs, d'étudiants, de marchands, entre toutes les régions de l'Empire musulman. À ces différentes occasions, des textes scientifiques ont bien évidemment circulé, dans les deux sens, de l'Andalus vers le Maghreb mais aussi de l'Andalus et du Maghreb vers l'Orient, et en particulier vers l'Égypte. Les événements politiques au Maghreb ont également favorisé ces échanges. C'est ce qui s'est passé au Xe siècle, avec l'avènement de la dynastie fatimide. Soutenus par des forces maghrébines, et propageant une idéologie contestataire, les Fatimides vont fonder un État en Ifriqiya mais avec l'unique but de conquérir le califat. Toutes leurs actions furent déterminées par ce but, qu'ils n'atteindront pas complètement puisqu'ils réussiront à fonder un califat en Égypte, mais ils n'iront pas plus loin. Après la conquête de l'Égypte, c'est toute une population qui a quitté le Maghreb : armée, fonctionnaires, scientifiques, poètes, avec des milliers d'ouvrages de toute sorte, en particulier des œuvres produites en Andalus et au Maghreb, et dont le contenu s'est nécessairement diffusé en Orient.

Mais, en dehors de ces événements exceptionnels, ce sont surtout les initiatives individuelles de gens concernés par telle ou telle discipline qui ont permis la circulation des écrits scientifiques d'un foyer vers un autre : des mécènes ou des scientifiques qui commandent des copies d'ouvrages devenus célèbres, des scientifiques qui se déplacent avec leurs bibliothèques, etc.

Les échanges entre les communautés juives ont-elles eu des effets similaires ?

Les communautés juives ont beaucoup contribué à faire circuler des ouvrages scientifiques et philosophiques à l'intérieur même de l'Empire musulman. Depuis le IXe siècle au moins, les échanges et la circulation d'écrits scientifiques et philosophiques n'ont jamais cessé entre différentes personnes et différents groupes appartenant aux communautés juives disséminées à travers l'empire. L'exemple le plus célèbre, même s'il est chronologiquement tardif, est celui de Maïmonide, mais il y en eut d'autres, beaucoup moins connus, comme Ibn Ḥasdāy, l'ami du philosophe andalou Ibn Bājja. Le premier était au Caire, le second à Saragosse, et ils s'écrivaient régulièrement. Une de leurs lettres nous est même parvenue. Ibn Bājja y informe son ami de questions mathématiques et philosophiques importantes. Il est donc tout à fait raisonnable de penser, à partir de ce fait, que ces deux personnes ont également échangé des ouvrages qui concernaient leurs préoccupations scientifiques et philosophiques.

Encore un autre exemple que des recherches récentes ont révélé : il s'agit de la circulation de l'ouvrage du mathématicien al-Mu'taman (m. 1085). Nous sommes sûrs qu'une copie de ce livre se trouvait dans les bagages de Maïmonide lorsqu'il est parti s'installer au Caire. Nous savons, grâce au témoignage d'un de ses étudiants, Ibn ᶜAqnīn (m. 1226), que ce livre a été annoté, commenté et enseigné par Maïmonide. Plus tard l'étudiant s'installe à Bagdad avec, vraisemblablement, une copie du manuscrit de Saragosse. C'est ce qui pourrait expliquer la présence du livre d'al-Mu'taman en Asie centrale, au XIIIe siècle. J'ai personnellement découvert, il y a quelques années, une preuve indiscutable de la présence d'une copie dans cette région. Il s'agit de l'ouvrage d'un mathématicien d'origine asiatique, Ibn Sartāq. Ce traité, qui nous est parvenu dans deux copies – dont l'une a appartenu au sultan ottoman Bayazid II (1481-1512) –, montre que son auteur avait étudié minutieusement le contenu du livre d'al-Mu'taman et qu'il en a réalisé une nouvelle rédaction proche de l'originale, mais plus commentée.

Saragosse, située bien plus au nord que Tolède, n'aurait-elle pas dû être reconquise plus tôt que cette ville par les catholiques ?

Non, pas du tout. Le « ventre mou » de la partie musulmane de l'Espagne était constitué par les petits États du Centre et du Sud. C'est là où les Castillans ont enregistré leurs premières victoires. Ils sont même arrivés jusqu'à la ville côtière de Tarifa, à l'extrême sud de la péninsule Ibérique, qu'ils ont assiégée un certain temps. La ville de Saragosse et ses dépendances constituaient alors un État très riche et bien géré, qui s'est même permis de se payer des mercenaires chrétiens pour se protéger contre les assauts des Castillans. À ce propos, il serait peut-être utile de réécrire, un jour, même sous forme romancée, l'histoire de ce petit royaume, précisément à l'époque où régnait al-Mu'taman. On pourrait alors y mettre en scène les faits suivants, historiquement avérés : pendant qu'al-Mu'taman rédigeait son important traité de mathématique, son royaume était protégé efficacement contre les chrétiens de Castille par une armée de mercenaires, également chrétiens, dirigés par le fameux Rodrigo Diaz (m. 1099), plus connu sous le nom d'as-Sayyid [le seigneur], titre honorifique que lui avait donné le roi de Saragosse et qui est devenu plus tard « El Cid El Campeador ». Bien sûr, ces faits contredisent quelque peu la version de Corneille dans sa pièce *Le Cid*, mais le dramaturge français n'a jamais prétendu faire œuvre d'historien.

Les persécutions des chrétiens à l'égard des juifs et des musulmans, dans les territoires reconquis par les catholiques de Castille, ont entraîné plusieurs vagues de départs. Ont-elles été également un support de la transmission des idées scientifiques et philosophiques ?

Les communautés juives ont, la plupart du temps, vécu paisiblement dans les différents États musulmans du Moyen Âge qui ont constitué l'empire. Ils y ont même parfois trouvé refuge quand ils fuyaient les persécutions chrétiennes, mais également quand ils voulaient échapper à la répression d'un pouvoir musulman. Bien sûr, il ne faut pas idéaliser, et nous savons qu'il y eut, ici ou là, dans des États musulmans en crise, des répressions sévères de la part des agents de l'État ou des persécutions organisées par la société civile elle-même, avec l'indifférence ou la bénédiction des pouvoirs locaux. Ces exactions ne visaient pas d'ailleurs uniquement les « minorités ». Elles ont également concerné, et avec la même violence, des communautés musulmanes. Mais, même dans ces cas, les persécutés, lorsqu'ils en avaient la possibilité bien sûr, choisissaient d'aller vivre sous la protection d'un autre État musulman.

Pour revenir à la *Reconquista*, il semble que la répression qui a suivi la chute de Grenade ait contraint des communautés entières, musulmanes et juives, à quitter l'Espagne pour s'installer, avec leurs savoirs, leurs savoir-faire, leurs cultures, au Maghreb, dans le sud de la France, en Turquie et même en Europe centrale. Les études faites sur l'art (en particulier celui de la céramique), sur le mode de vie et sur la culture, ont permis de suivre assez exactement ces déplacements. Cela a constitué, pour l'Espagne, une perte culturelle immense et, à l'inverse, un apport nouveau et un enrichissement pour les pays qui ont accueilli ces migrants forcés.

Traductions européennes

Nous avons brièvement évoqué, au début du chapitre, l'appropriation par les Européens de l'héritage antique et de l'héritage arabe. Quand cela a-t-il commencé, et y a-t-il des phases plus fastes que d'autres ?

Comme pour les IXe et Xe siècles en Orient, les échanges entre l'Europe et l'espace culturel musulman n'ont pas toujours été la conséquence de traductions. Il se trouvait aussi des intellectuels qui, ayant vécu un certain temps dans une communauté arabophone, en avaient assimilé la langue et une partie du savoir enseigné. Ils ont ensuite retranscrit ou réécrit ce qu'ils avaient appris, non pas sous forme de traductions des livres arabes, mais sous forme d'adaptation ou même sous forme d'œuvres portant leur marque propre.

Ce phénomène a été observé dès la fin du Xe siècle avec les activités scientifiques menées ou animées par Gerbert d'Aurillac, avant qu'il ne devienne pape sous le nom de Sylvestre II. Son séjour en Catalogne lui aurait permis d'accéder à des écrits astronomiques arabes traitant de l'astrolabe. Cela s'est fait probablement par une lecture directe assurée par une autre personne qui connaissait à la fois l'arabe et le latin.

Le même phénomène va se reproduire, mais à une échelle plus large, à la fin du XIe siècle et au début du XIIe, à la fois dans les milieux latins et dans les milieux hébraïques. Pour la tradition latine, parmi les exemples qui illustrent ce type de circulation directe de l'information scientifique, sans passage par la traduction, on peut citer un livre de mathématique intitulé *Liber Mehamalet* [Livre des transactions]. Son auteur, qui pourrait être Jean de Séville, a eu manifestement accès aux sources arabes d'Espagne, dont il a assimilé le contenu avant d'en faire une nouvelle rédaction, en latin cette fois. On se trouve en effet devant un ouvrage où aucune citation explicite de textes n'est donnée, mais qui foisonne de matériaux, d'idées, de techniques, d'algorithmes, dont l'origine arabe, et même andalouse, a été prouvée par des

Gerbert d'Aurillac
(945-1003)

Il a reçu sa première formation dans le couvent des bénédictins de Saint-Géraud à Aurillac. En 967, il accompagne Borel, le comte de Barcelone, en Catalogne, où il poursuit ses études sous la direction de Atto, évêque de Vich. Il étudie probablement les écrits mathématiques de Boèce, de Cassiodore et de Martianus Capella. Il n'y a pas d'information précise sur ce qu'il a pu étudier en mathématique et en astronomie arabes.
En 970, il accompagne Borel et Atto à Rome, où il attire l'attention de Jean XIII et d'Otton Ier, empereur du Saint-Empire romain (qui résidait alors à Rome). En 987, il assiste au couronnement du roi de France Hugues Capet. En 991, il est nommé archevêque de Reims. En 999, il est élu pape, sous le nom de Sylvestre II.
De nombreux écrits mathématiques ont été attribués à Gerbert d'Aurillac ou à ses élèves, sans possibilité d'authentification. Il aurait écrit sur l'arithmétique, la géométrie, la sphère armillaire et, peut-être, un livre sur l'astrolabe (qui lui est attribué).

recherches récentes. D'ailleurs, lorsque ces techniques ou ces méthodes sont anciennes, leurs auteurs musulmans sont cités. C'est le cas d'al-Khwārizmī et d'Abū Kāmil, deux des plus importants algébristes de l'Empire musulman. Mais, à côté de ces emprunts, on trouve des problèmes et des méthodes qu'il n'a pas été possible de rattacher à une source antérieure précise et qui semblent être des apports personnels de l'auteur anonyme. Nous sommes donc là devant un phénomène d'appropriation, doublé, peut-être, d'une démarche créatrice.

On peut citer un autre savant, bien connu celui-là, et dont l'œuvre illustre clairement ce double phénomène. Il s'agit de Léonard de Pise, connu également sous le nom de Fibonacci (m. vers 1240). Ayant probablement appris l'arabe puis les connaissances de base du calcul dans la ville de Bougie (aujourd'hui Béjaïa), dans le Maghreb central, il a eu la possibilité d'accéder directement aux sources arabes, occidentales d'abord, puis orientales lorsqu'il est allé en Orient pour faire du commerce ou pour accompagner son père, un marchand important de la ville de Pise. Comme son prédécesseur anonyme d'Espagne, Fibonacci cite très peu d'auteurs arabes, mais le contenu de ses écrits, en particulier celui de son célèbre *Liber Abbaci* (1202), parle pour lui : une comparaison même rapide révèle des filiations indiscutables en ce qui concerne les types de problèmes, les méthodes de résolution, la terminologie et même le symbolisme. Mais ce livre témoigne aussi de l'apport personnel de son auteur.

Dans un autre domaine scientifique, la médecine, on a l'exemple très particulier de Constantin l'Africain (m. vers 1087), qui a publié en latin, dans la ville de Salerne en Italie, toute une série d'ouvrages qu'il s'est attribués mais qui, quelques siècles plus tard, se sont révélés être des plagiats ou des traductions de livres arabes publiés par des médecins prestigieux d'Orient (al-Majūsī, Ḥunayn Ibn Isḥāq…) et d'Occident (Ibn ᶜImrān [m. 892], Ibn al-Jazzār [m. 980]…).

Pour la tradition hébraïque, le phénomène est beaucoup plus important, et il se manifeste au moins un siècle avant le début des traductions. Les communautés juives, compte tenu de leurs liens très forts avec la civilisation arabo-musulmane, dont elle était d'ailleurs partie prenante, a eu en permanence un accès direct aux productions de la science arabe (quand ce ne sont pas ses membres qui en étaient les auteurs). Ses intellectuels ont donc lu les écrits disponibles, les ont souvent étudiés, assimilés, puis en ont réécrit certains en hébreu, en y introduisant parfois des éléments nouveaux ou en les adaptant à des préoccupations particulières. Il est même arrivé que des ouvrages scientifiques ou philosophiques arabes aient été simplement transcrits phonétiquement en lettres hébraïques. C'est-à-dire qu'il suffit, aujourd'hui, au lecteur comprenant l'arabe de ne connaître que les lettres de l'alphabet hébraïque pour restituer le texte originel.

Pour souligner encore l'importance de l'hébreu dans ce qui reste de la tradition scientifique arabe, il faut préciser que l'on continue à exhumer des textes mathématiques, astronomiques ou philosophiques écrits ou simplement transcrits en hébreu, et qui sont peut-être définitivement perdus dans leurs versions arabes.

Et qu'en est-il de ce que vous appelez la transmission directe, à savoir les traductions en latin d'ouvrages grecs et arabes ?

Dans ce domaine, il y a eu de véritables écoles, les plus importantes pour les sciences et la philosophie étant celles de Tolède et de Sicile. La première a démarré ses activités vers 1116. Nous savons qu'entre cette date et 1187, plus de cent ouvrages fondamentaux en science et en philosophie ont été traduits en latin. Parmi les grands traducteurs de cette époque, citons Gérard de Crémone et Robert de Chester.

Certaines villes ont-elles eu un rôle privilégié dans ces traductions et ces échanges ?

Surtout Tolède et Palerme pour les traductions ; mais également Bougie, Montpellier, Avignon, pour les échanges directs.

Quelques traductions d'ouvrages arabes en latin

Par Gérard de Crémone

– Ibn Aflaḥ : *Iṣlāh al-Majisṭī* [Révision de l'Almageste (de Ptolémée)]
– Ibn ad-Dāya : *Risāla fī l-qusiyy al-muṭashābiha* [Épître sur les arcs semblables] ; *Kitāb fī n-nisba wa t-tanāsub* [Livre sur la proportion et la proportionnalité]
– Arīb Ibn Sa^c^d : *Kitāb al-anwā'* [Livre des saisons]
– Ibn Sīnā : *al-Qānūn fī ṭ-tibb* [Le Canon en médecine]
– Abū Bakr : *Risāla fī t-taksīr* [Épître sur le mesurage]
– Les frères Banū Mūsā : *Kitāb fi ma^c^rifat al-ashkāl al-basīṭa wa l-kuriyya* [Livre sur la connaissance des figures planes et sphériques]
– al-Kindī : *Kitāb al-manāẓir* [Livre d'optique]
– al-Khwārizmī : *al-Mukhtaṣar fī ḥisāb al-jabr wa l-muqābala* [L'Abrégé du calcul par la restauration et la comparaison]
– an-Nayrīzī : *Sharḥ Uqlīdis* [Commentaire < des Éléments > d'Euclide]
– ar-Rāzī : *al-Kitāb al-Manṣūrī fī ṭ-ṭibb* [Le livre Manṣūrī sur la médecine]
– Thābit Ibn Qurra : *ash-Shakl al-qaṭṭā^c^* [La figure sécante] ; *Kitāb al-qarasṭūn* [Le Livre de < la balance > romaine]

Par Robert de Chester

– al-Khwārizmī : *al-Mukhtaṣar fīḥisāb al-jabr wa l-muqābala* [L'Abrégé du calcul par la restauration et la comparaison]

Par Jean de Séville

– al-Majrīṭī : *Risāla fī l-asṭurlāb* [Épître sur l'astrolabe]

Les croisades puis le commerce de certains ports – notamment italiens – ont-ils joué un rôle dans ces échanges ? Ont-ils conduit, par exemple, à l'arrivée en Occident d'ouvrages en arabe ?

S'il s'agit d'ouvrages scientifiques et philosophiques, il ne semble pas qu'il y ait eu un projet semblable à ce que l'on a observé en Andalus et en Sicile, ni même des traductions isolées d'ouvrages marquants. Mais les recherches de ces dernières décennies tendent à confirmer l'existence d'un ensemble d'initiatives, non coordonnées, qui ont permis la circulation, d'est en ouest, de textes arabes traitant essentiellement d'astrologie, de médecine, de fauconnerie. On admet aussi que, parmi les personnes cultivées qui accompagnaient les croisés, certains ont probablement rapporté, à leur retour d'Orient, des livres arabes. Il y a eu également quelques traductions, comme le *Secretum secretorum*, attribué à Aristote, et le *Traité sur les talismans* de Thābit Ibn Qurra. Parmi les rares traducteurs ou auteurs qui ont travaillé en Orient à l'époque des croisades, les recherches récentes évoquent Stéphane d'Antioche, pour la médecine et la cosmologie, Philippe de Tripoli et Théodore d'Antioche pour la philosophie, la médecine et la fauconnerie.

En relation avec ce phénomène, il faut signaler un autre type de circulation qui s'est limitée à l'Orient, mais qui pouvait constituer un relais pour une diffusion plus large de la production scientifique arabe. Il s'agit des traductions, de l'arabe au grec, qui ont été effectuées à Constantinople aux XIe et XIIe siècles. On sait en effet, depuis peu, que des écrits astronomiques, produits à Bagdad entre le IXe et le Xe siècle, ont été à cette époque soit traduits, soit adaptés en grec. Les sources accessibles contiennent essentiellement des matériaux d'astronomes arabes du IXe siècle, comme Yaḥyā Ibn Abī Manṣūr, al-Khwārizmī et Ḥabash, du Xe siècle, comme Ibn al-Aᶜlam (m. 985) et Ibn al-Muthannā, et même du XIe siècle, comme Ibn Yūnus.

Cela dit, et au vu des documents qui nous sont parvenus, ces initiatives ne semblent pas avoir eu d'effet déterminant sur la circulation des œuvres scientifiques grecques ou arabes d'Orient vers l'Occident. En fait, les textes scientifiques traduits de l'arabe étaient déjà, pour la plupart, en Occident musulman, quelques-uns en Sicile et la plus grande partie en Andalus. On sait d'ailleurs que, depuis le IXe siècle, la plupart des ouvrages traduits du grec et une partie des écrits scientifiques arabes d'Orient étaient parvenus dans les métropoles régionales du Maghreb et de l'Espagne. Ce qui explique pourquoi des copies étaient disponibles dans les principales villes d'al-Andalus au moment où les traductions en latin et en hébreu vont commencer.

Et les éphémères États latins ?

Dans ce domaine et en tant qu'États, ils n'ont, malheureusement joué aucun rôle. Mais ce que je dis là est bien évidemment tributaire des sources connues. On en saura peut-être plus dans quelques décennies, lorsqu'on aura exhumé et analysé de nouveaux documents.

Pour compléter ce qui a été dit à propos des facteurs ayant permis le démarrage de la science en Europe à partir du XIIIe siècle, il ne faut pas négliger le rôle joué par Constantinople. Comme capitale chrétienne, elle a été régulièrement visitée par des marchands et des lettrés de l'Occident latin, soit à l'occasion des croisades, soit pour d'autres motifs. Ces voyageurs ont rapporté, quelquefois, des copies de livres grecs anciens conservés dans cette ville. Certains de ces écrits seront traduits rapidement, d'autres le seront aux XVIe et XVIIe siècles. Mais, comparée à l'apport arabe d'al-Andalus et de Sicile, cette contribution est restée modeste, même si le regard porté sur elle par le courant humaniste de la Renaissance a eu tendance à surévaluer son importance.

*

RÉFÉRENCES BIBLIOGRAPHIQUES

Chasles M., *Aperçu historique sur l'origine et le développement des méthodes en géométrie*, Paris, Gauthier-Villars, 3e éd., 1889.

Coumet E., *Mersenne, Frénicle et l'élaboration de l'analyse combinatoire dans la première moitié du XVIIe siècle*, thèse de doctorat de 3e cycle, Paris, 1968.

Djebbar A., « La production scientifique arabe, sa diffusion et sa réception au temps des croisades : l'exemple des mathématiques », in *Actes du colloque international sur « L'Occident et le Proche-Orient au temps des croisades, traductions et contacts scientifiques entre 1000 et 1300 »* (Louvain-la-Neuve, 24-25 mai 1997), Liège, Brepols, 2000, p. 343-368.

Djebbar A., « Le phénomène de traduction et son rôle dans le développement des activités scientifiques en pays d'Islam », *in* S. Önen et C. Proust (sous la dir. de), *Les Écoles savantes en Turquie. Sciences, philosophie et arts au fil des siècles*, Actes des journées d'Ankara (24-29 avril 1995), Istanbul, Éditions Isis, 1996, p. 93-112.

Libera A. de, *La Philosophie médiévale*, Paris, PUF, coll. « Premier cycle », 1993.

Montucla J. E., *Histoire des mathématiques*, 1re éd. (2 vol.), Paris, 1758 ; 2e éd. (4 vol.), Paris, 1799-1802.

Sesiano J., « Le *Liber Mahamaleth*, un traité mathématique latin composé au XIIe siècle en Espagne », in *Actes du Ier Colloque maghrébin d'histoire des mathématiques arabes* (Alger, 1er-3 décembre 1986), Alger, Maison du Livre, 1988, p. 69-98.

Thureau-Dangin F., *Textes mathématiques babyloniens*, Leyde, 1938.

Tihon A., « Les textes astronomiques arabes importés à Byzance aux XIe et XIIe siècles », in *Actes du Colloque international sur « L'Occident et le Proche-Orient au temps des croisades, traductions et contacts scientifiques entre 1000 et 1300 »* (Louvain-la-Neuve, 24-25 mars 1997), Liège, Brepols, 2000, p. 313-324.

4. L'astronomie

L'astronomie constitue, avant même la mathématique, la première science qui apparaisse. Les causes de cette précocité sont nombreuses : impératifs liés à l'établissement des calendriers avec l'avènement de l'agriculture ; recherche de repères d'orientation en mer et dans les déserts ; raisons d'ordre religieux, etc. Progressivement, se manifestent également des tentatives de construire une représentation de l'univers.

Toutes les civilisations de l'Ancien Empire égyptien et de Sumer à Alexandrie ont développé une astronomie. Était-ce aussi le cas de l'Arabie préislamique ?

Une astronomie populaire

Bien sûr, l'Arabie ne représentait pas, de ce point de vue, une exception. L'ensemble des connaissances astronomiques des Arabes acquises avant l'avènement de l'Islam, et jusqu'à la période des traductions, constitue ce que les spécialistes appellent « l'astronomie populaire ». Elle englobe la connaissance des saisons, les phénomènes météorologiques, les positions des étoiles fixes, la détermination du temps et les déplacements du Soleil le long de l'écliptique[1], ainsi que celui de la Lune à travers ses différentes stations. Comme son nom l'indique, cette astronomie était à la portée de tous. En effet, son élaboration n'utilisait aucun calcul puisqu'elle reposait sur la seule observation et sur l'accumulation des

1. Pour les astronomes du Moyen Âge, l'écliptique est la trajectoire du mouvement apparent du Soleil au cours d'une année. Aujourd'hui, on le définit comme l'intersection du plan de l'orbite terrestre et de la sphère céleste.

L'astronomie géocentrique

Le géocentrisme est un ensemble d'affirmations que le grand astronome grec Ptolémée (IIe s.) exprime ainsi :

1. Le ciel est sphérique et il se meut comme une sphère, autour d'un axe passant par son centre.
2. La Terre est sphérique.
3. Elle est située au centre du ciel.
4. Elle est comme un point dans la sphère des étoiles fixes.
5. Elle n'est animée d'aucun mouvement de translation.

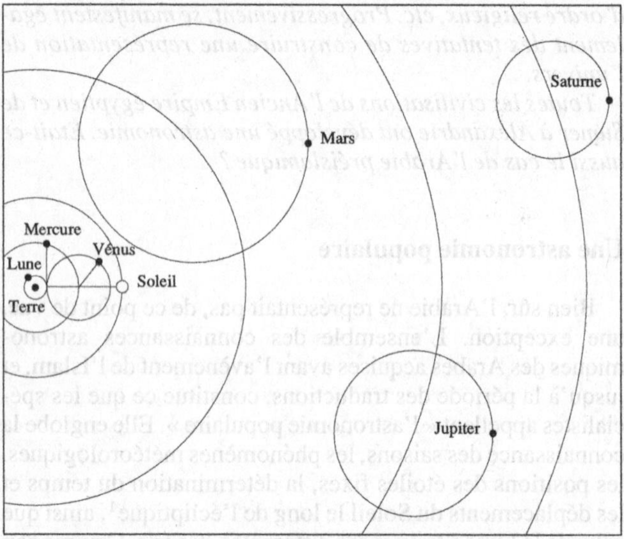

expériences ; aucune formation théorique n'était nécessaire pour en assimiler tous les éléments et pour les appliquer.

L'ensemble de ces connaissances a constitué, aux IXe et Xe siècles, la matière de nombreux ouvrages, qui portent le nom de *Kutub al-anwā'* [Livres des saisons]. En Orient, plus de trente auteurs ont publié des livres de ce type. Parmi les plus célèbres, on peut citer Abū Ḥanīfa ad-Dīnawarī

(m. 895), dont l'ouvrage n'a pas encore été retrouvé, ou bien Ibn Qutayba (m. 889), dont le livre nous est parvenu à travers plusieurs copies, ou encore Sinān Ibn Thābit (m. 942).

Cette tradition des *Anwā'* s'est transmise à l'Occident musulman puisque de nouveaux ouvrages ont été écrits en Espagne, en particulier par Arīb Ibn Sa^c^d al-Qurṭubī (Xe s.), par al-Kātib al-Andalusī (XIe s.) et par ^c^Abdallāh Ibn ^c^Āṣim (m. 1013). On sait également que cette tradition s'est poursuivie au Maghreb. Au XIIIe siècle, Ibn al-Bannā (m. 1321) a écrit un livre sur ce sujet, livre qui nous est d'ailleurs parvenu et dans lequel il a repris des éléments importants de la tradition de l'Espagne musulmane.

Qu'est-ce qui a changé, à ce sujet, avec l'avènement de l'Islam ?

Nous en avons parlé précédemment. Il s'agit d'abord de l'expression de nouveaux besoins liés à une nouvelle pratique cultuelle. Cette pratique nécessitait la connaissance des moments des cinq prières quotidiennes, la détermination de la direction de La Mecque, la fixation du début et de la fin du

Le contenu d'un livre andalou de *Anwā'*

Ceci est un livre dans lequel j'ai rassemblé ce qui te permet de connaître les conceptions des Arabes dans l'appellation du ciel, son univers, son pôle, son zodiaque, ses mansions, les plus célèbres de ses étoiles, la signification de la surveillance et de l'observation, la signification du *Naw'*, de son moment et de sa durée, la signification du coucher et du lever. J'ai également rapporté leurs propos sur le Soleil et la Lune, ainsi que sur les cinq planètes, sur leurs noms, sur leurs caractéristiques, sur la durée de leur séjour dans chaque tranche du ciel, sur celles qui sont au-dessus du Soleil et celles qui sont en dessous, ainsi que leur manière de nommer les nuits, les jours, les mois, les années et ce qui complète l'année solaire.

Source : ^c^Abdallāh Ibn ^c^Āṣim, *Kitāb al-anwā'*, cité par F. Sezgin, *Geschichte des Arabischen Schrifttums*, Band VII, Leyde, 1979, p. 359.

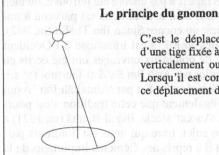

Le principe du gnomon

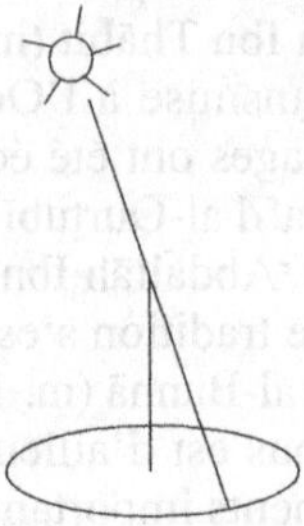

C'est le déplacement de l'ombre d'une tige fixée à une surface plane, verticalement ou horizontalement. Lorsqu'il est correctement gradué, ce déplacement donne l'heure.

ramadan, c'est-à-dire le mois de jeûne des musulmans, et, plus généralement, l'établissement du calendrier lunaire.

Mais la nouvelle pratique religieuse exigeait des réponses rapides. Elle ne pouvait donc pas attendre le développement de l'astronomie théorique. C'est la raison pour laquelle on voit apparaître, au VIIIe siècle, deux types d'ouvrages qui fournissaient des solutions approximatives aux deux premiers problèmes. Ces solutions ne s'appuyaient ni sur des tables ni sur des calculs. Ainsi, les heures des prières étaient traitées dans les *Kutub al-mawāqīt* [Livres de la détermination du temps], qui utilisaient le déplacement de la Lune pour la nuit et la technique du gnomon pour le jour. L'orientation des mosquées et la direction de La Mecque étaient, elles, étudiées dans des ouvrages intitulés *Dalā'il al-Qibla* [Les Indicateurs de la direction de La Mecque]. Les procédés utilisés étaient fondés sur les levers et les couchers astronomiques. Quant à la visibilité du croissant de lune, elle restera encore un certain temps basée essentiellement sur l'observation, à cause de la grande difficulté du problème.

Certains auteurs affirment que l'essor de l'astronomie arabo-musulmane est uniquement – ou principalement – dû à ces facteurs religieux, qu'elle ne se serait pas développée s'ils n'avaient pas été présents. Je pense qu'il faut réfuter cette idée. Il est incontestable que ces facteurs ont joué, au départ, un rôle positif, mais il est excessif de les créditer de l'extraordinaire dynamique qui a caractérisé l'astronomie dans cette civilisation, surtout lorsqu'on sait que les trois problèmes déjà évoqués ont été résolus, mathématiquement, relativement tôt par les astronomes. On aurait pu penser que l'élaboration scientifique de ces solutions allait ralentir les activités astronomiques puisque les motivations religieuses n'avaient plus de raisons d'intervenir. Pourtant, c'est le contraire qui a été observé. En fait, comme pour les autres sciences, le développement de l'astronomie a été essentiellement provoqué et soutenu par un contexte de civilisation et un environnement culturel dont la composante religieuse a été un élément parmi d'autres, même si, dans les premiers temps, cet élément a pu être déterminant.

Quels ont été les autres facteurs ?

Un deuxième facteur, qui est d'une certaine manière à l'opposé du premier, est d'ordre psychologique ou psychosociologique si l'on préfère. Il s'agit du besoin de connaître l'avenir, que l'on observe dans toutes les couches d'une société donnée. L'astronomie est intervenue dans ce domaine par l'intermédiaire de l'astrologie, celle-ci se chargeant, comme par le passé, de répondre aux attentes des individus, des groupes et des gens du pouvoir.

Il ne s'agit pas en fait de toute l'astrologie, mais d'une certaine pratique qui était étroitement liée aux mouvements des corps célestes et qui allait connaître un grand développement entre le VIIIe et le XVe siècle, malgré les critiques dirigées contre elle à la fois par des philosophes et par des théologiens. Ces critiques ne visaient d'ailleurs pas les aspects mathématiques et astronomiques de l'astrologie, mais uniquement ses fondements cosmologiques et ses jugements. L'astrologie astronomique repose, effectivement, sur le principe qui dit que le monde sublunaire et tous les être vivants qui le composent sont soumis aux effets des mouvements des astres. Les astrologues admettaient même que la configuration du ciel au moment de la naissance d'un individu déterminait le destin de cet individu. En conséquence, les mouvements des corps célestes devaient selon eux influer directement ou indirectement sur les événement liés à la vie individuelle ou collective des êtres humains. D'où la nécessité pour le bon astrologue du Moyen Âge de connaître, avec le plus de précision possible, le mouvement des astres et leurs positions à tout moment, c'est-à-dire d'avoir accès à des informations qui constituent l'objet même de l'activité astronomique.

Si l'on tient compte de cette dernière remarque et de la demande sociale évoquée précédemment, on ne s'étonnera pas de deux choses : en premier lieu, et malgré l'interdit prononcé par la religion contre la divination et la prédiction, l'astrologie astronomique n'a cessé d'être pratiquée tout au long du Moyen Âge, comme en témoignent les centaines d'ouvrages publiés sur les différents thèmes de cette pratique. En second lieu, le souci de perfectionner cet outil de prédiction, en y introduisant les connaissances astronomiques les plus avancées de l'époque, va avoir un effet bénéfique sur le développement de l'astronomie. Effectivement, cette discipline va profiter de l'engouement des hommes de pouvoir pour l'astrologie afin de bénéficier de leur aide financière, nécessaire à la réalisation de son « programme » scientifique (comme la construction de grands instruments astronomiques ou d'observatoires), ou bien pour solliciter leur protection contre des courants conservateurs hostiles à l'astronomie et à la philosophie.

La troisième raison qui a permis le développement de l'astronomie arabe n'est pas particulière à cette science. Elle n'est pas, non plus, particulière à son environnement islamique. Elle caractérise toute tradition scientifique dont le but est la recherche de réponses aux questions externes posées par les autres sciences, mais également aux questions qu'elle-même s'est posées à un moment ou à un autre de son activité. Ainsi, parmi les problèmes internes à la tradition astronomique préislamique que les savants de l'Islam vont de nouveau étudier, il y a, sur le plan théorique, la recherche des lois qui régissent les mouvements des différents corps célestes, le perfectionnement de modèles planétaires anciens ou l'élaboration de modèles nouveaux, l'invention ou le perfectionnement des outils mathématiques qui permettent d'obtenir ces lois. Dans le domaine appliqué, il y a la réalisation d'instruments de plus en plus performants pour améliorer l'observation et les mesures.

Quelles ont été, dans ce contexte, les principales étapes de l'essor de l'astronomie arabe ?

Je distinguerai une première phase de traduction, d'assimilation et d'étude critique de l'héritage astronomique préislamique et, dans le domaine pratique, la poursuite de certaines activités astronomiques anciennes et leur application aux problèmes posés dans la nouvelle société. Dans une seconde phase (mais parfois parallèlement aux activités de traduction), on observe la naissance puis le développement de nouvelles traditions d'enseignement et de recherche astronomiques. L'apport de ces traditions sera multiforme : perfectionnement des techniques d'observation et de calcul, invention d'instruments, élaboration de théories.

Toutes ces innovations apparaîtront dans le cadre d'activités de plus en plus spécialisées qui finiront par se constituer en disciplines, avec leurs techniques propres, leurs ouvrages et leurs traditions. D'ailleurs, pour avoir une idée de la richesse et de la diversité des orientations de l'astronomie arabe, entre le IXe et le XVe siècle, il suffit de lire les titres des différents chapitres qui composent cette science et qui finiront par constituer de véritables disciplines. Dans le domaine théorique, il y a la description des étoiles, l'astronomie sphérique, la trigonométrie, l'étude des modèles planétaires et, surtout, l'élaboration des tables astronomiques. Dans le domaine des applications, il y a l'observation du mouvement des corps célestes et de certains phénomènes inhabituels et non cycliques, la conception et la fabrication d'instruments astronomiques, la détermination du temps, l'élaboration de calendriers et de diverses tables qui servent à résoudre des problèmes concrets.

Donc un ensemble très riche ?

Riche, brillant et quantitativement très imposant. À tel point que, en termes de volume des publications, la production astronomique a dépassé, et de loin, la production mathématique dans son ensemble. C'est d'ailleurs ce que l'on constate en parcourant le contenu de trois ouvrages publiés par le biobibliographe Fuat Sezgin, entre 1974 et 1979 : le premier, de cinq cents pages, est consacré à tous les aspects de l'activité mathématique arabe durant la période allant du milieu du VIIIe siècle au milieu du XIe. Les deux autres (chacun ayant à peu près le même nombre de pages que le premier) sont consacrés aux écrits astronomiques, astrologiques et météorologiques publiés au cours de la même période.

La période de traduction

À quel moment a-t-on procédé à de telles traductions d'ouvrages astronomiques et astrologiques ?

Nous ne le savons pas exactement. En revanche, nous sommes certains qu'elles étaient déjà relativement nombreuses dès la fin du VIIIe siècle et qu'elles se sont poursuivies jusqu'au XIe siècle, au gré des découvertes de manuscrits ou des contacts avec des savants de pays non musulmans.

Selon les témoignages des biographes arabes, comme Ibn an-Nadīm ou Ibn al-Qifṭī (m. 1248) et, parfois, selon les informations rapportées par des astronomes eux-mêmes, tels Ṣāᶜid al-Andalusī (m. 1071) dans ses *Ṭabaqāt al-umam* [Catégorie des nations], ou al-Bīrūnī dans son *Taḥqīq mā li l-Hind* [Enquête sur ce que possède l'Inde] et dans son *Ifrād al-maqāl fī amr aẓ-ẓilāl* [Individualisation du propos sur la question des ombres], on constate l'existence, entre le VIIIe et le XIe siècle, de cinq traditions préislamiques qui vont être à l'origine des premiers travaux arabes en astronomie : grecque, indienne, persane, syriaque et babylonienne.

Les écrits babyloniens évoqués par les historiens des sciences ne concernent que l'astrologie, bien que nous sachions, par d'autres sources, que la tradition astronomique babylonienne a été partiellement transmise aux savants arabes d'Orient, qui la transmettront à leur tour à ceux de

Ouvrages astronomiques indiens traduits en arabe

Brahmagupta
– *as-Sindhind* [Brāhmasphuṭasiddhānta] (traduction partielle)
Anonyme
– *Zīj al-Arkand* [Tables astronomiques d'Arkand]
Syāvabala
– *Zīj Kandakātik* [Tables astronomiques de Kandakātik]
Vijayanandin
– *Zīj Karanatilaka* [Tables astronomiques de Karanatilaka]
Vittesvara
– *Zīj Karanasara* [Tables astronomiques de Karanasara]
Kanaka
– *Kitāb al-adwār wa l-qirānāt* [Livre des périodes et des conjonctions]

l'Espagne. D'autre part, il semble que, du point de vue du contenu, la tradition syriaque ait été un prolongement de l'héritage grec, alors que la tradition persane était davantage d'inspiration indienne, avec toutefois quelques emprunts aux Grecs.

Plus précisément, on sait que les premiers astronomes de l'Islam ont eu connaissance directement, et bien avant la période de traduction, de certains aspects de l'astronomie grecque et indienne, parfois par l'intermédiaire de spécialistes syriaques, comme Sévère Sebokht, qui écrivit un *Traité des constellations* en 661, c'est-à-dire l'année de la prise du pouvoir par les Omeyyades. Il semble que les traductions des traités indiens aient commencé sous le règne du calife abbasside al-Manṣūr et sous son impulsion. Ṣāᶜid al-Andalusī donne quelques précisions sur le contenu de l'astronomie indienne et sur les savants de l'Islam qui l'ont enseignée et utilisée.

Les historiens ne nous ont pas transmis le contenu détaillé de ces ouvrages mais, d'après les références des astronomes arabes eux-mêmes, on sait qu'ils contenaient les premiers outils trigonométriques, telle la notion de sinus (les astro-

Le premier livre astronomique indien à Bagdad

En l'an 156 [773] se présenta au calife al-Manṣūr un homme de l'Inde spécialiste du calcul, connu sous le nom de Sindhind, qui est relatif aux mouvements des étoiles et qui contient des équations basées sur les kardajāt qui sont calculées de demi-degré en demi-degré, ainsi que différentes espèces d'opérations astronomiques comme les éclipses, l'ascension des burūjs et d'autres choses. al-Manṣūr donna l'ordre de traduire ce livre en arabe et de rédiger à partir de lui un ouvrage que les Arabes utiliseraient comme référence pour < l'étude > des mouvements des planètes. Muḥammad ibn Ibrāhīm al-Fazārī entreprit donc ce < travail > et il en fit un ouvrage que les astronomes appellent le Grand Sindhind.

Source : Ṣāʿid al-Andalusī : *Kitāb Ṭabaqāt al-umam* [Livre des catégories des nations]. Éd. critique par H. Boualwane, Beyrouth, 1985, p. 131.

nomes arabes la préféreront à la notion de corde utilisée par les Grecs), ainsi que de petites tables donnant les valeurs des sinus et des sinus verse[2] pour des angles donnés. On y trouve également des algorithmes[3] de calcul de certains paramètres permettant la constitution des tables astronomiques, et des procédés de mesure comme celui qui, pendant longtemps, a servi à déterminer la méridienne à l'aide de ce que les Arabes appelaient le « cercle indien ».

Sur le patrimoine astronomique grec et sa traduction arabe, les biobibliographes nous fournissent des informations plus précises, à la fois sur le contenu, sur les traducteurs, voire sur les différentes traductions ou corrections d'un même ouvrage. Nous savons ainsi que l'*Almageste* de Ptolémée a d'abord été traduit du syriaque en arabe par al-Ḥasan Ibn Quraysh (VIIIe s.) ; puis, à la fin de ce même siècle,

---

2. Le sinus verse correspond à la flèche de l'arc (au sens concret). D'où la formule : $\text{Vers}(\theta) = R[1 - \cos(\theta)]$.

3. Algorithme : ensemble de règles mathématiques qui s'enchaînent pour aboutir à un résultat. C'est le cas par exemple de l'algorithme de résolution d'une équation du second degré.

Les écoles astronomiques indiennes

Parmi les écoles indiennes en astronomie, il y a les trois écoles qui sont célèbres chez eux et qui sont l'école du Sindhind, qui signifie le monde éternel, l'école de l'Arjabhad et l'école de l'Arkand. Il ne nous est parvenu d'une manière sûre que l'école du Sindhind, qui a été suivie par un groupe de savants de l'Islam qui y ont produit des Zīj, comme Muḥammad ibn Ibrahim al-Fazārī, Ḥabash ibn ᶜAbdallah al-Baghdādī, Muḥammad ibn Mūsā al-Khwārizmī et al-Ḥusayn ibn Muḥammad ibn Ḥāmid, connu sous le nom d'Ibn al-Ādamī, ainsi que d'autres.

Source : Ṣāᶜid al-Andalusī : *Kitāb Ṭabaqāt al-umam, op. cit.*, p. 54-55.

Yaḥya ibn Khālid al-Barmakī a ordonné d'en faire une traduction à partir du grec. Il est également possible que Sahl aṭ-Ṭabarī ait, à la même époque, repris la version grecque. Mais ce sont deux autres traductions qui nous sont parvenues, celles d'al-Ḥajjāj Ibn Maṭar et d'Isḥāq Ibn Ḥunayn

Le cercle indien

Cela consiste à tracer, sur le sol, un cercle (AB) de centre O et à ériger une tige OG qui servira de gnomon. On repère sur le cercle les deux points A et B par lesquels passe l'ombre du gnomon avant midi et après midi. Alors la ligne méridienne sera le segment EOH, qui est la bissectrice de l'angle AOB.

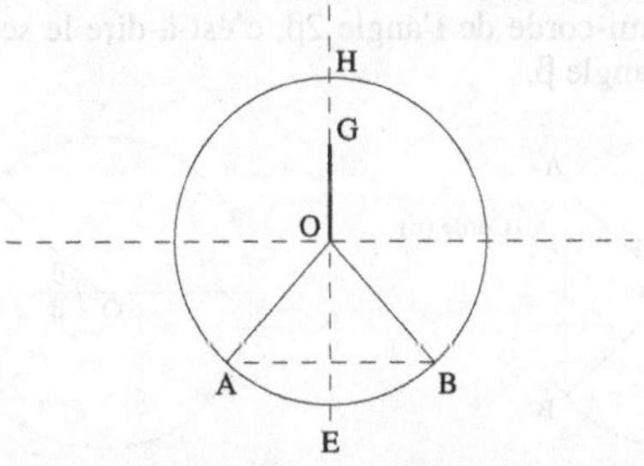

(cette dernière fut révisée par le grand mathématicien Thābit Ibn Qurra). Deux autres livres de Ptolémée ont également été traduits. Il s'agit du *Livre des hypothèses* et du *Planisphärium*.

Dans le domaine de l'astronomie appliquée, quelques écrits sur les instruments astronomiques étaient disponibles, comme le livre sur la sphère armillaire et celui sur l'astrolabe, tous deux de Théon d'Alexandrie (IVe s.). À ces textes purement astronomiques, il faut ajouter ceux qui traitent des outils mathématiques de cette discipline. Ils sont relatifs à la géométrie sphérique. Les plus importants sont *La Sphère mobile* d'Autolykos (IIIe s. av. J.-C.), le *Livre de la sphère* de Théodose et, surtout, le livre des *Figures sphériques* de Ménélaüs.

Il est par ailleurs vraisemblable que des traductions d'ouvrages astrologiques aient été effectuées avant même celles de traités astronomiques et mathématiques, comme le laisse supposer les biobibliographes à propos de l'engouement pour l'astrologie du prince omeyyade Khālid Ibn Yazīd. Dans ce domaine aussi, nous retrouvons les traditions grecque, indienne, persane et babylonienne, avec, pour cette

Définitions de la corde et du sinus

Corde d'un angle α
La corde d'un angle α est le segment AB opposé à α.

Sinus d'un angle β
C'est la demi-corde de l'angle 2β, c'est-à-dire le segment AH opposé à l'angle β.

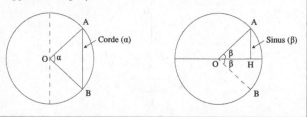

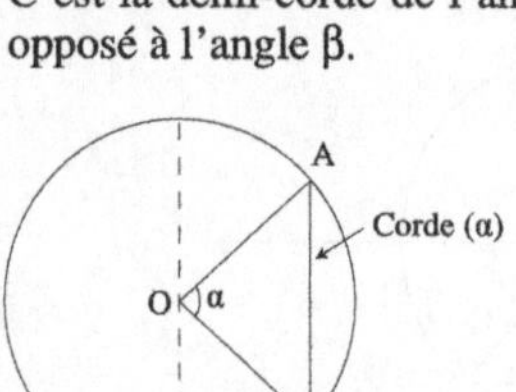

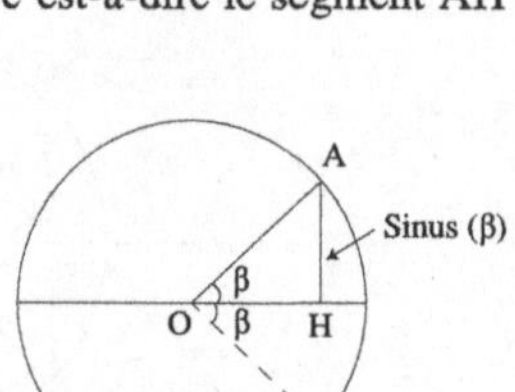

Principaux ouvrages astronomiques grecs traduits en arabe

Ptolémée
– *al-Majisṭī* [*Almageste*] (traduit par al-Ḥajjāj puis par Isḥāq)
– *Risāla fī tasṭīḥ al-kura* [Épître sur la projection de la sphère = Planisphärium]
– *Kitāb al-manshūrāt* [Le livre des hypothèses]

Ménélaüs
– *al-ashkāl al-kuriya* [Sphériques] (traduit par Isḥāq)

Théodose
– *Kitāb al-ukar* [Livre des sphères] (traduit par Ibn Lūqā et par Ibn Qurra)
– *Kitāb al-ayyām wa l-layālī* [Livre des jours et des nuits]
– *Kitāb al-masākin* [Livre des habitations]

Autolykos
– *al-Kura al-mutaḥarrika* [La sphère mobile] (traduit par Isḥāq)
– *Kitāb aṭ-ṭulūᶜ wa l-ghurūb* [Livre du lever et du coucher]

dernière composante, des références explicites à des ouvrages et à des auteurs. On remarque également que des écrits astrologiques sont attribués par les Arabes à des auteurs plus connus pour leurs œuvres philosophiques (Aristote, Platon…) ou astronomiques (Ptolémée…).

Peut-on penser que les travaux originaux des savants arabes aient commencé dans le cours même de la période des traductions ?

C'est en effet très vraisemblable, même si nous ne disposons guère d'informations sur les conditions dans lesquelles sont apparues ces premières activités astronomiques. Cependant, quelques noms de pionniers nous sont parvenus, ainsi que quelques indications sur leur production.

Dans le domaine des instruments, nous connaissons Muḥammad al-Fazārī, qui est considéré comme le premier à avoir confectionné un astrolabe. Il écrivit un ouvrage sur la sphère armillaire et un autre sur l'utilisation de l'astrolabe.

Après lui, le célèbre astrologue Māshā'allāh a publié un livre sur les procédés de construction et d'utilisation de ce même instrument.

Dans le domaine théorique, l'étude et l'application des techniques et des conceptions indiennes dominent durant le dernier tiers du VIIIe siècle : après une période d'assimilation du contenu des *Sindhind*, c'est-à-dire des ouvrages indiens, les astronomes arabes ont publié une série de tables astronomiques, comme le *Zīj ^c^alā sinī l-^c^Arab* [Tables selon le calendrier arabe] d'al-Fazārī et le *Zīj al-maḥlūl fī s-Sindhind li daraja daraja* [Tables décomposées à partir du *Sindhind* de degré en degré] de Ya^c^qūb Ibn Ṭāriq, ou le *Zīj al-laṭīf* [Tables subtiles] de Jābir Ibn Ḥayyān (m. 815).

À partir du IXe siècle, et parallèlement à la tradition indienne, représentée en particulier par les travaux d'al-Khwārizmī (m. 850), se constitue une puissante astronomie grecque avec l'étude de l'*Almageste* de Ptolémée. Parmi les savants du IXe siècle qui ont mis le contenu de cet ouvrage à la portée des étudiants et qui l'ont enrichi de leurs corrections et de leurs propres contributions, on peut citer : Muḥammad an-Nihāwandī, qui a écrit *al-Mudkhal ilā ^c^ilm al-hay'a* [L'Introduction à l'astronomie] ; al-Farghānī et son *Mudkhal fī l-Majisṭī* [L'Introduction à l'*Almageste*] ; Thābit Ibn Qurra et son *Tashīl al-Mājisṭī* [La Facilitation de l'*Almageste*] ; enfin, Ibn ^c^Iṣma et son *Sharḥ al-Majisṭī* [Commentaire de l'*Almageste*]. Malheureusement, de tous ces traités, seuls quatre feuillets nous sont parvenus.

D'autres ouvrages grecs ont été également introduits dans le programme de formation du futur chercheur en astronomie. Il s'agit des livres de géométrie sphérique de Ménélaüs, d'Autolykos et de Théodose que nous avons déjà évoqués.

L'influence grecque paraît dominante…

En effet, car les ouvrages que je viens de citer constituent le programme « intermédiaire » de la formation du futur astronome. Cet enseignement a été appelé ainsi parce qu'il était dispensé après l'enseignement mathématique de base, qui comprenait le calcul, l'arithmétique et la géométrie euclidienne, avant l'étude des *Coniques* d'Apollonius et, surtout, de l'*Almageste* de Ptolémée.

Il s'agit ici principalement d'astronomie théorique et instrumentale. Qu'en a-t-il été de l'observation ?

La tradition arabe de l'observation naît également au IXᵉ siècle. Elle va ensuite se poursuivre pendant plusieurs siècles dans les différentes métropoles de l'Empire musulman. Les premières observations et les premières mesures se sont faites à la demande du calife abbasside al-Ma'mūn. Elles avaient pour but de déterminer l'inclinaison de l'écliptique, la longueur d'un méridien, et d'étudier la précession des équinoxes pour les mouvements moyens du Soleil[4].

D'autre part, avec le progrès des connaissances astronomiques et mathématiques et sous l'effet de l'environnement islamique, des recherches sont menées en vue de trouver des solutions mathématiques aux trois problèmes posés par la pratique religieuse (les moments des prières, l'apparition du croissant de lune et la direction de La Mecque). On peut citer, par exemple, les écrits des frères Banū Mūsā sur la visibilité du croissant de lune, celui d'al-Kindī qui montre que cette visibilité ne peut être qu'approchée, les livres de Thābit Ibn Qurra et de Ḥabash al-Ḥāsib qui proposent des procédés de calcul pour résoudre ce problème, et enfin, toujours au IXᵉ siècle, le livre d'Ibn ᶜIṣma sur la conception d'un instrument pour connaître la visibilité du croissant.

C'est en utilisant les nouveaux outils géométriques et astronomiques que des savants du IXᵉ siècle, comme ad-Dīnawarī et surtout Ḥabash, ont pu proposer des solutions mathématiques précises pour la détermination de la direction de La Mecque.

---

4. La précession est un mouvement conique très lent de l'axe de rotation de la Terre autour de l'axe perpendiculaire au plan de l'écliptique. La précession des équinoxes est l'avance annuelle de l'équinoxe produite par la rétrogradation du point équinoxial. Cette avance est la conséquence du mouvement de précession.

Je suppose qu'une production astrologique s'est poursuivie, parallèlement aux travaux en astronomie.

Ses premiers pas ont, semble-t-il, précédé ceux de l'astronomie, mais c'est au VIIIe siècle, en particulier sous l'impulsion des califes abbassides et en liaison avec les activités astronomiques, que se développe une véritable tradition arabe dans ce domaine, avec des astrologues officiels rétribués par les califes – ainsi, an-Nawbakht et Māshā'allāh furent notamment consultés par le calife al-Manṣūr pour le choix de l'emplacement de la nouvelle capitale, Bagdad. Il faut signaler également al-Faḍl Ibn Sahl, qui était au service de Harūn ar-Rashīd.

Parmi les astronomes ayant publié des livres d'astrologie au VIIIe siècle, on peut citer al-Fazārī et Ya^c^qūb Ibn Ṭāriq. Ajoutons que, dès cette époque, des auteurs se sont spécialisés dans ce domaine, tels Māshā'allāh, qui a publié plus de vingt livres astrologiques, ou bien ^c^Umar Ibn al-Farrukhān et Ibn an-Nawbakht (chacun, auteur d'une dizaine d'ouvrages).

Certains de ces écrits étaient des commentaires sur des ouvrages grecs anciens, comme le *Kitāb al-qaḍā' ^c^alā l-ḥawādith* [Le Livre du jugement des événements] de Ptolémée, ou sur des ouvrages indiens comme le *Sharḥ taḥwīl sinī l-^c^ālam* [Le Commentaire sur le changement des années du monde]. Mais la plupart empruntaient leurs techniques aux traditions préislamiques, en les adaptant aux progrès réalisés en astronomie, particulièrement dans les domaines de l'observation des corps célestes et dans le calcul plus précis de leurs positions et de leurs mouvements respectifs. Cela explique d'ailleurs le grand intérêt des astrologues pour les premières tables astronomiques arabes qui vont remplacer les tables anciennes. Voici ce qu'en dit Māshā'allāh, l'un des grands spécialistes de l'époque : « Sache que ce dont ont besoin les spécialistes des jugements des astres, en premier, c'est la connaissance des tables astronomiques, de leur utilisation, de la détermination du mouvement des planètes, chaque jour et chaque nuit, afin que soient connues leurs positions dans les douze divisions du zodiaque, ainsi que les degrés des divisions éclairées et les degrés obscurs. »

L'astronomie d'observation et ses instruments

L'astronomie est, à l'origine, une science d'observation. Les capacités d'observation resteront toutefois limitées, jusqu'au XVII*e siècle, à cause de l'absence d'instruments d'approche.*

L'astronomie arabe, comme ses devancières, comme celle de l'Europe ensuite, comme celles encore de Copernic[5] *et de Tycho Brahé*[6]*, se situe dans ce cadre. Compte tenu de ce phénomène, qui explique une stagnation relative de l'observation pendant de longs siècles, quels ont été les apports spécifiques des savants arabes dans ce domaine ?*

Il faut d'abord insister sur le fait suivant : l'astronomie arabo-musulmane a principalement été, dans le cadre du géocentrisme ptoléméen, une science d'observation et de description de l'Univers, de sa forme et des phénomènes qui s'y déroulent de façon régulière. Les événements célestes qui sont intervenus d'une manière occasionnelle, non périodique, comme le passage de comètes et de supernovae, ne semblent pas avoir intéressé les astronomes, même s'ils ont parfois été évoqués (d'ailleurs, plutôt comme curiosités). D'ailleurs, le terme utilisé pendant tout le Moyen Âge par

5. Nicolas Copernic (1473-1543) est un astronome polonais. Il a étudié d'abord à Cracovie puis en Italie, à l'université de Bologne. En 1514, il publie son ouvrage *De hypothesibus motuum coelestium*, dans lequel il affirme que la Terre n'est pas le centre de l'Univers. Ce n'est qu'en 1543 que paraît son plus célèbre traité, *De revolutionibus orbium caelestium libri sex*, dans lequel il expose l'hypothèse héliocentrique selon laquelle la Terre et les planètes tournent autour du Soleil.

6. Tycho Brahé (1546-1601) est originaire du Danemark. Il commença par étudier le droit à Leipzig, puis s'intéressa à l'astronomie. Après de nouvelles études dans les universités de Rostock et de Bâle, il se lança dans des activités d'observation et de mesure, qu'il mena au Danemark et à Prague.

les astronomes arabes pour désigner leur science est très significatif. Ils l'appellent « la science de la forme », sous-entendu « … de l'Univers ».

Cette remarque étant faite, il faut dire que la nature des premières observations réalisées au début du IXe siècle semble avoir influé durablement sur les orientations futures de cette pratique astronomique. En effet, si l'on se fonde sur les informations qui nous sont parvenues, l'observation en pays d'Islam ne s'est pas préoccupée de la découverte d'objets ou de phénomènes astronomiques nouveaux. Elle a eu plutôt une fonction de vérification des phénomènes connus, de correction des mesures qui leur étaient associées ou d'amélioration de paramètres déjà calculés par les astronomes grecs, en particulier par Ptolémée, puis par les astronomes arabes qui lui ont succédé.

D'autre part, ces observations n'ont pas été réalisées pour tester des idées théoriques neuves et, inversement, les recherches théoriques que vont entreprendre certains astronomes à partir du IXe siècle (et que nous évoquerons plus longuement par la suite) ne nécessiteront pas des expériences et des observations astronomiques nouvelles pour les mettre à l'épreuve de la réalité des phénomènes observables.

C'est ainsi que, après la première impulsion donnée par les chercheurs de la Maison de la sagesse de Bagdad, différentes observations seront réalisées, individuellement ou par équipes, dans plusieurs métropoles scientifiques et à diverses époques. On sait, par exemple, qu'au IXe siècle Ḥabash a observé les éclipses de la Lune et du Soleil à Samarra et à Damas et qu'il a vérifié les positions des planètes connues à cette époque. Au Xe siècle, l'astronome du Caire Ibn Yūnus (m. 1009) a fait, sur le mont Muqattam, les observations nécessaires à l'établissement des tables astronomiques de son livre *az-Zīj al-Ḥākimī* [Les Tables hakémites].

À la même époque, cAbd ar-Raḥmān aṣ-Ṣūfī, qui travaillait à Shiraz, a réalisé de nombreuses observations, à la fois pour redessiner avec plus de précision la carte du ciel et pour déterminer la durée des saisons. Toujours au Xe siècle, des observations ont été établies, à travers une véritable correspondance scientifique, par al-Bīrūnī, qui était alors dans la ville de Kath, et par Abū l-Wafā', qui travaillait à Bagdad. De plus, nous savons que ces observations, qui concernaient une éclipse de la Lune, ont été effectivement menées simultanément le 24 mai 997, et qu'elles ont permis de calculer avec plus de précision la différence de longitude entre Kath et Bagdad.

Nous n'avons pas d'informations précises sur les centres d'observation de l'Occident musulman entre le xe et le xiie siècle, c'est-à-dire pendant la période la plus féconde de l'astronomie arabe dans cette région, mais il semble que la tour Giralda de Séville ait servi d'observatoire à des astronomes andalous.

Après le xiie siècle, l'astronomie a connu une nouvelle vigueur dans certaines régions d'Asie. Des équipes se sont constituées, et des programmes d'observation et de mesures ont été élaborés sur de longues périodes. Ce qui a nécessité la construction de véritables observatoires, avec des bâtiments, des instruments et des chercheurs venus de différentes régions de l'empire. Un premier observatoire a été construit en 1259 dans la ville de Maragha. Financé par l'empereur mongol Hulagu, il a fonctionné pendant une vingtaine d'années. Son premier directeur a été le grand astronome et mathématicien Naṣīr ad-Dīn aṭ-Ṭūsī (m. 1274). Ses collaborateurs étaient des astronomes éminents et leur origine géographique confirme la vitalité de foyers scientifiques très éloignés les uns des autres. On sait, par exemple, que Mu'ayyad ad-Dīn al-ᶜUrḍī venait de Damas, Muḥyī ad-Dīn al-Maghribī d'Espagne, Quṭb ad-Dīn ash-Shīrāzī de Perse. Il y avait même parmi eux un astronome chinois.

Pour réaliser leurs observations, les astronomes de Maragha ont conçu et fabriqué des instruments plus ou moins sophistiqués, dont des descriptions précises nous sont parvenues. Ils ont également composé des tables astronomiques et rédigé des ouvrages théoriques faisant la synthèse des travaux antérieurs tout en contenant des contributions originales.

Le deuxième observatoire connu a été construit à Samarcande, au xve siècle. Sa réalisation et son fonctionnement ont été financés par Ulugh Beg, le petit-fils de Tamerlan. Il a

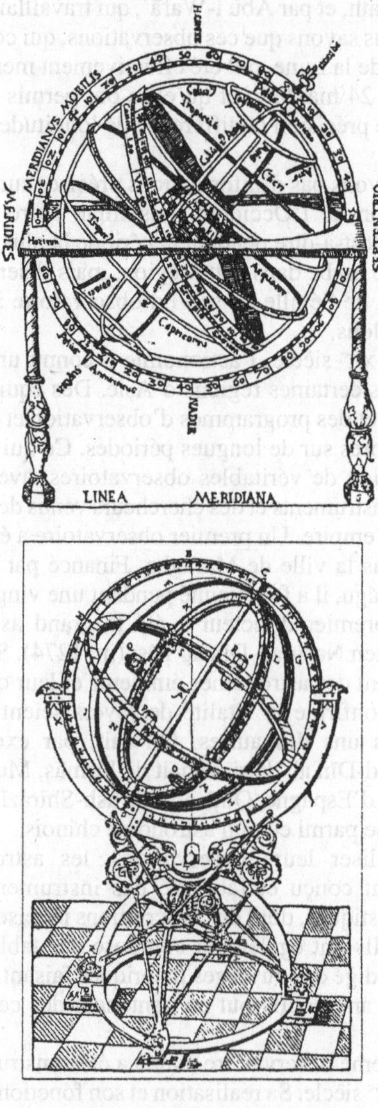

La sphère armillaire

fonctionné de 1420 à 1449, accueillant d'éminents astronomes, parmi lesquels Qāḍī Zāda ar-Rūmī et, surtout, al-Kāshī. Aujourd'hui encore on peut en admirer les vestiges, en particulier un grand arc en pierre enfoncé dans la terre, qui permettait de lire la hauteur des astres.

Le troisième observatoire est celui d'Istanbul. Il a été fondé au XVIe siècle par le sultan ottoman Murād III (1574-1595). Le mathématicien et astronome Taqiy ad-Dīn Ibn Ma^c^rūf y a travaillé jusqu'en 1580 et l'a même dirigé. Une quinzaine d'autres astronomes y travaillaient régulièrement, secondés par un personnel administratif et technique. D'après certaines sources, un astronome juif de Salonique prénommé David a collaboré aux travaux de cet observatoire, notamment à l'occasion de l'observation d'une éclipse.

Plus tard, dans les royaumes islamisés de l'Inde, d'autres observatoires, plus architecturaux que scientifiques, ont vu le jour, entre 1728 et 1734, dans les villes de Delhi, Bénarès, Jaipur, Ujayyin et Mathurā, sous l'impulsion du mahrajah Jai Singh II (1686-1743)[7].

Nous ne connaissons pas, après le XIIIe siècle, d'observatoires en Espagne ou au Maghreb. Il faut cependant noter que, à ce stade du développement de l'astronomie, l'observation ne nécessitait pas, de manière absolue, d'équipements fixes. Un ciel clair, des lieux géographiquement élevés (montagnes, bâtiments), s'y prêtaient très bien. Les astronomes disposaient d'instruments portables, parfaitement fonctionnels pour les activités programmées. Il en sera tout autrement à partir du XVIIe siècle, après l'apparition des lunettes astronomiques et des télescopes en Europe. Cela constituera alors une autre étape de l'essor de l'astronomie, mais celle-ci se déroulera sans la participation des astronomes musulmans, qui étaient encore actifs mais toujours dans le cadre de l'astronomie ancienne.

---

7. Les Singh étaient des mahrajahs sous l'autorité du roi des Moghols. La dynastie musulmane des Moghols a été fondée par Bābur, en Inde, et elle a régné de 1526 à 1858. Muḥammad Shah (1719-1747), le suzerain du mahrajah Jai Singh II, à l'époque de la construction des observatoires, était le douzième roi de cette dynastie.

Quels ont été les principaux instruments des astronomes arabes ?

Ils ont été très nombreux. Du VIIIe au XVe siècle, plusieurs dizaines d'instruments astronomiques ont été conçus et fabriqués dans les différentes régions de l'empire. Ils étaient faits en bois, en métal ou en pierre. Leurs dimensions variaient considérablement puisque les plus petits ne dépassaient pas quelques centimètres de diamètre, et les plus grands étaient de véritables constructions architecturales, atteignant les proportions d'une maison ou même d'un immeuble.

Ces instruments avaient des utilisations très variées que l'on peut classer en deux catégories : ceux qui étaient fondés sur l'observation et les autres. Ceux qui n'utilisaient pas l'observation servaient à déterminer le temps ou bien à résoudre, sans calcul, certains problèmes mathématiques basés sur l'astronomie sphérique. C'est le cas, par exemple, du cadran astrolabique qui sert à représenter les positions du Soleil et des étoiles, ou du cadran-sinus qui permet d'obtenir des solutions numériques pour des problèmes trigonométriques, ou encore du cadran solaire qui détermine le temps à l'aide des ombres.

Pour la conception et la réalisation d'instruments servant à l'observation, les astronomes arabes ont profité essentiellement de l'héritage grec, en particulier des descriptions du globe céleste, de la sphère armillaire, du cadran méridien et de la règle parallactique, descriptions que Ptolémée avait insérées dans son *Almageste*.

Après la phase initiale, au cours de laquelle les premiers artisans vont fabriquer, sur les indications précises des astronomes, les instruments décrits par les anciens, comme la sphère armillaire, l'astrolabe sphérique ou l'astrolabe planisphérique, on assiste, à partir du IXe siècle, à une intense activité de création dans ce domaine : des instruments anciens sont perfectionnés et de nouveaux instruments sont créés. Parallèlement, de nombreux ouvrages vont être consacrés à la description de chacun de ces instruments et à leur utilisation. On peut citer le *Kitāb fī l-ᶜamal bi l-asṭurlāb al-kurawī*

[Livre sur l'utilisation de l'astrolabe sphérique] d'an-Nayrīzī (xe s.), le *Kitāb al-āla ash-shāmila* [Livre sur l'instrument complet] d'al-Khujandī (xie s.), ou encore le *Kitāb al-ʿamal bi ṣ-ṣafīḥa al-āfāqiyya* [Livre sur l'utilisation de l'astrolabe plat des horizons] d'as-Sijzī, un autre mathématicien du xe siècle.

Plus tard, avec la multiplication des différentes variétés d'instruments, certains astronomes vont sentir la nécessité de présenter, dans un même ouvrage, l'étude de plusieurs d'entre eux. C'est ce qu'a fait al-Bīrūnī, au xie siècle, dans son livre *Kitāb fī istīʿāb al-wujūh al-mumkina fī sanʿat al-asṭurlab* [Livre sur l'assimilation de < toutes > les manières possibles de réaliser l'astrolabe]. Après lui, al-Khāzinī (xiie s.) a décrit six instruments dont un, peu connu, a été appelé *Dhāt al-muthallath* [L'instrument au triangle]. Au xiiie siècle, l'astronome de Maragha al-ʿUrḍī a recensé tous les instruments qui étaient utilisés dans cet observatoire. Au cours du même siècle, mais au Caire cette fois, al-Ḥasan al-Murrākushī a publié un monumental ouvrage en deux volumes, intitulé *Kitāb al-mabādi' wa l-ghāyāt fī ʿilm al-mīqāt* [Livre des principes et des buts sur la science du temps], dans lequel il décrit de nombreux instruments. Au xve siècle, al-Kāshī a présenté de nouveaux instruments, comme celui qui permet d'avoir directement des rapports trigonométriques. Enfin, au xvie siècle, Ibn Maʿrūf a publié une description précise des instruments qui étaient utilisés à son époque à l'observatoire d'Istanbul.

Le plus connu de ces instruments est l'astrolabe, qui est l'appareil scientifique le plus représentatif de cette civilisation. Par ailleurs, les astronomes ont conçu et fabriqué de nouveaux instruments, moins encombrants, qui ont eu également du succès parmi les utilisateurs. Par exemple les quarts de sinus, qui servaient à résoudre des problèmes numériques ou trigonométriques, en particulier celui de la détermination de la direction de La Mecque. Les premiers instruments de ce type sont apparus d'abord à Bagdad au ixe siècle. Plus tard, ils ont été améliorés et ont donné des quarts de sinus universels, résolvant les mêmes problèmes mais pour toutes les latitudes. Il faut aussi signaler les

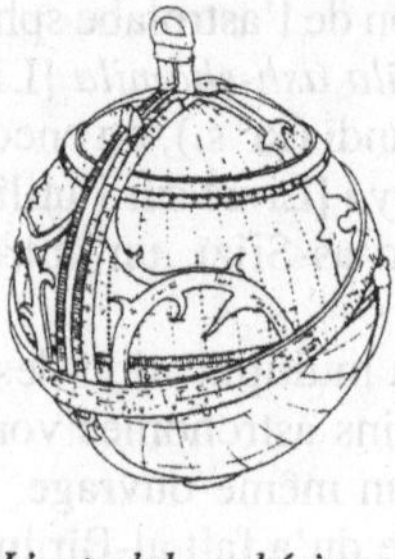

L'astrolabe sphérique

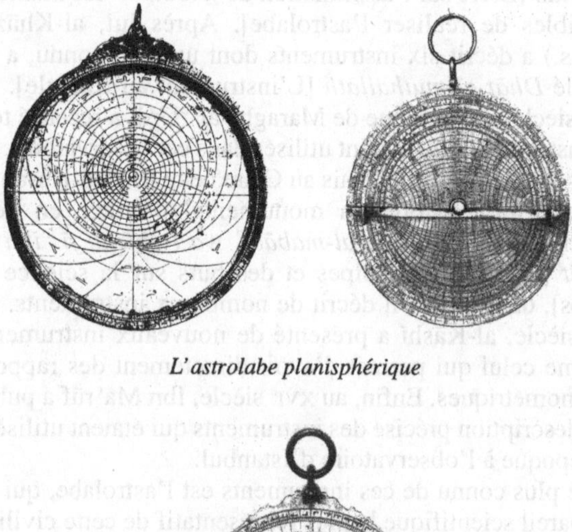

L'astrolabe planisphérique

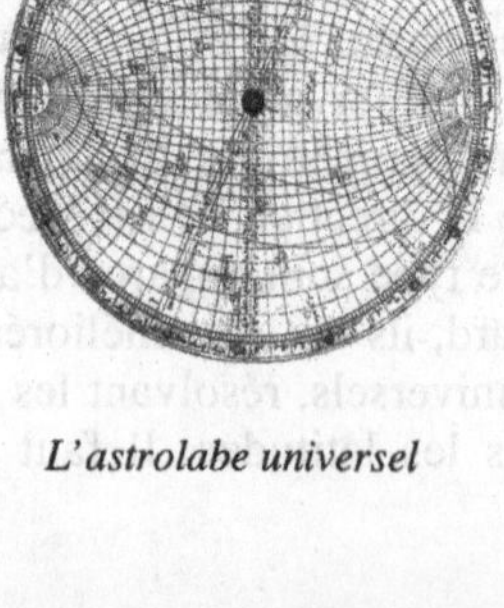

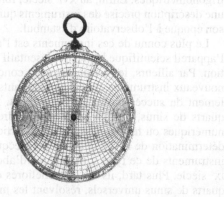

L'astrolabe universel

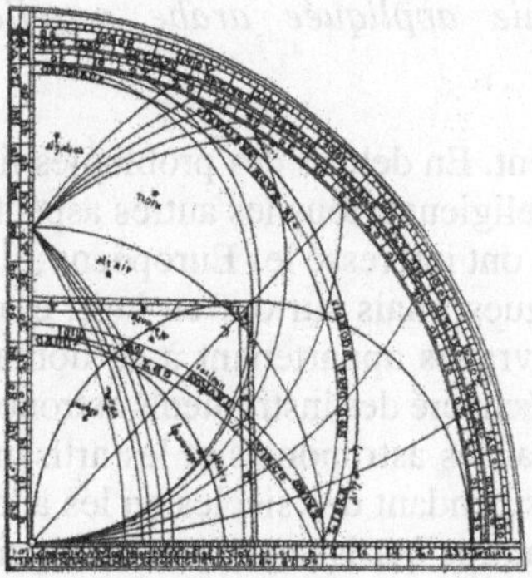

Le quart de cercle

cadrans horaires pour la détermination du temps solaire, inventés également à Bagdad au IXe siècle puis diffusés un peu partout dans toutes les régions de l'Empire musulman, et enfin le cadran *muqantar* : fondé sur le principe de l'astrolabe, il n'utilise pourtant que la moitié des tracés des disques de l'astrolabe traditionnel. L'origine de cet instrument n'est pas connue, mais elle semble relativement ancienne puisqu'on a retrouvé un manuscrit du XIIe siècle contenant sa description détaillée.

Une autre catégorie est appelée cadran solaire. D'origine très ancienne, cet instrument a été utilisé, dans l'Empire musulman, dès la fin du VIIe siècle pour connaître les heures des prières. À partir du IXe siècle, les astronomes arabes en ont fait un objet d'étude et l'ont amélioré. C'est ainsi que Thābit Ibn Qurra a écrit un traité sur le sujet, intitulé *Kitāb fī ālat as-sā^c^āt al-latī tusammā rukhāmat* [Livre sur les instruments des heures qu'on appelle cadrans]. Al-Khwārizmī a établi des tables donnant l'altitude et l'azimut solaires ainsi que la longueur de l'ombre du gnomon. Il permet ainsi de construire le cadran solaire pour une dizaine de latitudes. Au Xe siècle, d'autres tables ont été élaborées pour la construction de cadrans solaires verticaux ou d'inclinaison quelconque par rapport au méridien de chaque latitude.

L'astronomie appliquée arabe a-t-elle pénétré en Europe ?

Certainement. En dehors des problèmes liés directement à la pratique religieuse, tous les autres aspects de l'astronomie appliquée ont intéressé les Européens ; ils ont traduit en plusieurs langues, mais surtout en latin et en hébreu, des dizaines d'ouvrages appartenant à ce domaine. Parallèlement, ils ont récupéré des instruments astronomiques conçus et fabriqués par les astronomes et les artisans arabes, et ils les ont utilisés pendant des siècles en les adaptant ou en en fabriquant d'autres basés sur les mêmes principes. À titre d'exemple, on peut citer, dans le domaine de l'astronomie populaire, la traduction en hébreu du *Kitāb al-anwā'* [Livre des saisons] de Arīb Ibn Sa^cd. Une deuxième traduction, en latin cette fois, a été réalisée au XIIe siècle, en Espagne, par Gérard de Crémone.

Dans le domaine des instruments astronomiques, il est difficile de connaître l'histoire de la circulation des différents types d'astrolabes et de cadrans, du sud vers le nord, mais cette circulation a dû être importante si l'on en juge par le nombre de livres consacrés à leur réalisation ou à leur utilisation et qui ont été traduits à partir du XIIe siècle. Ainsi, le *Livre de la sphère* de Qusṭā Ibn Lūqā (m. 910), traduit en

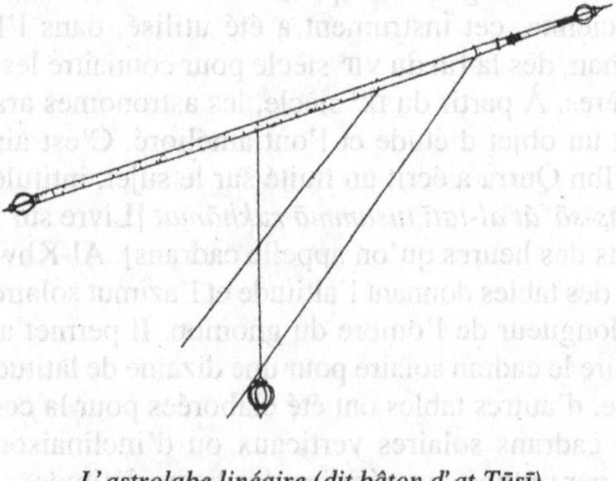

L'astrolabe linéaire (dit bâton d'aṭ-Ṭūsī)

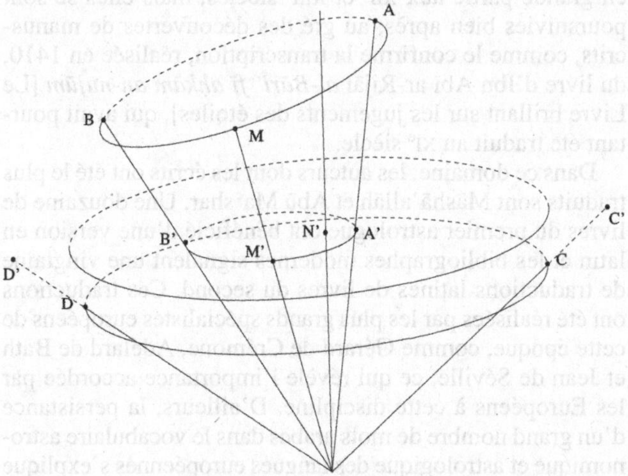

Principe de la projection stéréographique

hébreu par Jehuda Ibn Moïse, ou bien les traités sur l'astrolabe de Maslama al-Majrīṭī et d'Ibn aṣ-Ṣaffār, qui ont été traduits, respectivement, par Jean de Séville et par Plato de Tivoli. Certains de ces ouvrages ont bénéficié de plusieurs traductions. C'est le cas du traité d'az-Zarqālī sur la *Ṣafīḥa az-Zarqāliyya* [L'astrolabe plat d'az-Zarqālī], dont on connaît une version hébraïque réalisée par Don Abraham et une version espagnole par Ferrando.

Quant à l'astrologie arabe, elle a eu un grand succès dans l'Europe médiévale, comme en témoignent les dizaines d'ouvrages qui ont été traduits en latin, en hébreu, en espagnol, en italien et parfois même dans des dialectes locaux. Ce succès s'explique par le caractère très élaboré qu'avait acquis cette discipline, entre le VIIIe et le XIIe siècle, et par son lien étroit avec l'astronomie, ce qui la faisait bénéficier d'un label scientifique.

Comme pour les mathématiques et la philosophie, les traductions d'ouvrages astrologiques arabes sont intervenues en grande partie aux XIIe et XIIIe siècles, mais elles se sont poursuivies bien après, au gré des découvertes de manuscrits, comme le confirme la transcription, réalisée en 1410, du livre d'Ibn Abī ar-Rijāl *al-Bāric fī aḥkām an-nujūm* [Le Livre brillant sur les jugements des étoiles], qui avait pourtant été traduit au XIe siècle.

Dans ce domaine, les auteurs dont les écrits ont été le plus traduits sont Māshā'allāh et Abū Macshar. Une douzaine de livres du premier astrologue ont bénéficié d'une version en latin et les bibliographes modernes signalent une vingtaine de traductions latines de livres du second. Ces traductions ont été réalisées par les plus grands spécialistes européens de cette époque, comme Gérard de Crémone, Adélard de Bath et Jean de Séville, ce qui révèle l'importance accordée par les Européens à cette discipline. D'ailleurs, la persistance d'un grand nombre de mots arabes dans le vocabulaire astronomique et astrologique des langues européennes s'explique par le succès constant de l'astrologie arabe, dont l'étude s'est poursuivie pendant des siècles en Europe. On peut illustrer ce fait par l'exemple du *Kitāb al-mawālīd* [Livre des naissances], de cUmar Ibn al-Farrukhān, dont la traduction latine, faite au XIIe siècle par Jean de Séville, a été publiée cinq fois durant le XVIe siècle.

L'astronomie théorique

L'observation, même si elle s'est diversifiée et perfectionnée, n'a pas pu s'étendre considérablement, compte tenu des limites instrumentales. En a-t-il été autrement dans les domaines théoriques ou plutôt mathématiques ?

Il y a en effet beaucoup à dire sur la contribution des astronomes, des mathématiciens et même des philosophes arabes dans le domaine de l'astronomie théorique ; et il y a sûrement encore des choses à découvrir à la fois sur ce sujet et sur les interactions qui ont pu avoir lieu entre son contenu et celui d'autres disciplines. Nous nous contenterons d'aborder ici, brièvement, les thèmes qui ont été les plus étudiés par les chercheurs, en particulier au cours de ces trente dernières années. Il s'agit de la confection des tables astronomiques, de la discussion autour du problème de la rotation de la Terre et de l'élaboration des modèles planétaires.

Il faut tout de suite remarquer que ces thèmes sont étroitement liés à l'astronomie appliquée et qu'ils se sont développés en même temps qu'elle. C'est la raison pour laquelle il est nécessaire d'évoquer, à chaque fois, le contexte pratique dans lequel sont nées ou se sont développées certaines idées nouvelles.

Encore une autre remarque : il est impossible de parler d'astronomie théorique arabe sans parler des outils mathématiques qui ont servi à l'exprimer. Cet aspect de l'astronomie n'a pas encore bénéficié de recherches systématiques, mais nous l'évoquerons en relation avec les différents thèmes.

En ce qui concerne les savants qui ont apporté une contribution dans ce domaine ou qui en ont perfectionné les outils mathématiques, on constate, en premier lieu, qu'ils n'étaient pas toujours des spécialistes de l'astronomie. En effet, certains, comme Ibn Ṭufayl (m. 1185) et Ibn Bājja, étaient essentiellement des philosophes (ou du moins connus comme tels, à leur époque). D'autres, comme Ibn al-Haytham et as-Sijzī, étaient surtout mathématiciens. Cela confirme la position centrale de l'astronomie à cette époque tout en révélant les liens qui ont pu exister entre des disciplines nous paraissant aujourd'hui plus ou moins éloignées les unes des autres.

En second lieu, on s'aperçoit que toutes les régions de l'Empire musulman ont apporté une certaine contribution dans l'élaboration des différents chapitres. C'est le cas, en particulier, pour la conception des modèles planétaires et pour le perfectionnement des outils trigonométriques.

Cette dernière constatation montre que, dans chacune de ces régions, les villes moyennes et les grandes métropoles ont pu atteindre un niveau scientifique suffisamment élevé pour leur permettre de contribuer au progrès de tel ou tel domaine de la science. Mais il est aussi important de dire que ces villes, qui étaient dispersées à travers trois continents, n'ont pas connu le même rythme de développement et n'ont pas atteint, au même moment, un haut niveau scientifique. Ce phénomène est très net dans le domaine de l'astronomie théorique : les contributions des savants du centre de l'empire se situent entre le IXe et le XIIe siècle puis au XVe siècle, celles des savants de l'Espagne musulmane apparaissent aux XIe et XIIe siècles, et celles des savants d'Asie centrale aux XIIIe et XIVe siècles. Ce sont là, du moins, les conclusions que l'on peut tirer de l'analyse des documents scientifiques qui nous sont parvenus. Ces conclusions sont d'ailleurs tout à fait conformes à celles que l'on peut faire au sujet du développement économique et culturel de ces mêmes régions.

Les premiers outils mathématiques de l'astronomie arabe proviennent de plusieurs traditions : l'arithmétique décimale et les premières tables trigonométriques, fondées sur les notions de sinus et de sinus verse, sont d'origine indienne. L'arithmétique sexagésimale[8] semble être d'origine babylonienne, mais les astronomes arabes vont la trouver dans l'*Almageste* de Ptolémée. La géométrie sphérique, elle, a été puisée dans les ouvrages grecs, en particulier dans les *Sphériques* de Ménélaüs et dans le *La Sphère mobile*, d'Autolykos. Quant à la géométrie des coniques[9], qui servira en particulier au tracé de certaines courbes sur les cadrans solaires, les Arabes l'étudieront d'abord dans les *Coniques* d'Apollonius.

Mais il faut tout de suite préciser que ces outils ne vont pas rester tels quels. Ils vont être améliorés et enrichis par d'autres, comme les méthodes algébriques, les procédés d'approximation, les nouvelles fonctions trigonométriques et les relations qui les lient entre elles.

---

8. Il s'agit du calcul avec le système de numération positionnel à base 60. Avec ce système, tout nombre s'écrit comme combinaison des puissances de 60, alors qu'avec le système décimal positionnel le même nombre s'écrit comme combinaison de puissances de 10.

9. Les sections coniques sont les courbes que les Grecs avaient obtenues, pour la première fois, en coupant un cône droit par un plan. Suivant l'inclinaison du plan, l'intersection est un cercle, une ellipse, une parabole ou une hyperbole.

Figure sécante

Si CE, CF, DF, DB, sont des arcs de grands cercles (tracés sur une sphère), le théorème de la figure sécante affirme que :

$$\frac{\sin(CB)}{\sin(BF)} = \frac{\sin(CA)}{\sin(AE)}\left(\frac{\sin(ED)}{\sin(DF)}\right)$$

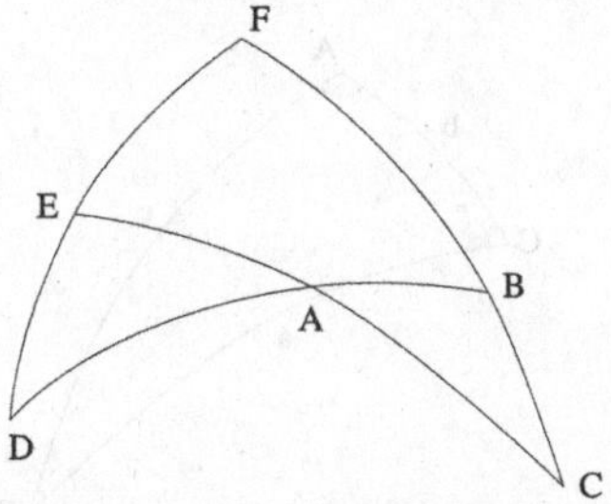

On peut affirmer que, jusqu'au début du XIe siècle, la plus grande partie de l'astronomie mathématique arabe reposait sur l'utilisation du théorème de Ménélaüs. C'est une formule contenant six quantités dont cinq sont connues. À la suite des Grecs, ces quantités avaient été d'abord exprimées à l'aide des cordes du double des angles considérés dans le problème. Puis, sous l'influence indienne, on a substitué aux cordes les sinus des angles. Mais, à partir d'un certain moment, les astronomes ont dû estimer que cette formule leur faisait perdre beaucoup de temps, surtout lorsqu'ils avaient à construire des tables qui contenaient parfois des dizaines de milliers de résultats. Ainsi, pour calculer le sinus pour un millier de valeurs de l'angle, à l'aide de ce théorème de Ménélaüs, il fallait rassembler cinq mille valeurs, correspondant aux cinq éléments connus de la formule, puis il fallait effectuer deux mille divisions et deux mille multiplications pour déterminer l'inconnue cherchée.

Le développement quantitatif du calcul en astronomie a donc poussé les savants arabes à chercher des formules plus simples qui économiseraient à la fois le temps et l'énergie

Théorème du sinus

Si (ABC) est un triangle quelconque tracé sur une sphère, d'angles A, B, C et de côtés a, b, c, le théorème du sinus affirme que :

$$\frac{\sin(a)}{\sin(A)} = \frac{\sin(b)}{\sin(B)} = \frac{\sin(c)}{\sin(C)}$$

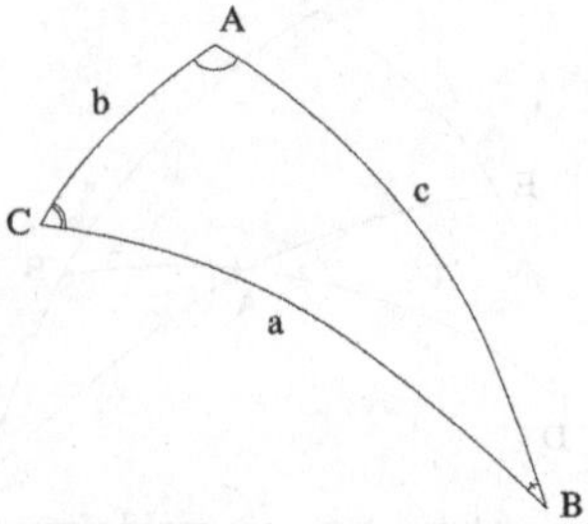

des calculateurs. Leurs efforts vont aboutir à la découverte, dans la seconde moitié du XIe siècle, par plusieurs savants travaillant indépendamment, d'un important théorème qui va les dispenser d'utiliser la formule de Ménélaüs. C'est la raison pour laquelle ce nouveau théorème a porté le nom de *ash-Shakl al-mughnī* [le théorème qui dispense].

On peut d'ailleurs penser que c'est encore le souci d'économiser le temps de calcul qui a dû amener Ḥabash à introduire, pour la première fois, la notion de tangente et à associer les lignes trigonométriques à un même cercle de rayon 60, ce qui permettait d'effectuer les multiplications par le rayon uniquement en déplaçant la virgule dans l'écriture sexagésimale [10]. Plus tard, Abū l-Wafā' apportera une dernière simplification, qui est restée jusqu'à nos jours : le cercle trigonométrique de rayon 1.

D'autres notions ont été adoptées, comme la cotangente, la sécante et la cosécante. Elles ont été utilisées pour établir des relations nouvelles, en particulier celles qui font intervenir les éléments d'un triangle plan ou sphérique. En effet, ces relations permettaient de résoudre les nombreuses équations que les astronomes arabes avaient établies dans le but de calculer certaines grandeurs liées aux mouvements des corps célestes, comme l'ascension droite, la déclinaison, l'inclinaison de l'écliptique, etc. Il n'est pas possible d'exposer ici toutes ces formules, à cause de leur nombre et surtout de leur technicité, qui exigerait de donner d'abord de nombreuses définitions. Nous nous contenterons donc de faire quelques remarques sur l'historique du développement de ces outils et de l'avènement d'une discipline nouvelle qui ne sera appelée trigonométrie que bien plus tard, en Europe.

Après une courte période durant laquelle les astronomes arabes utilisèrent les tables des cordes qu'ils avaient trouvées dans l'*Almageste* de Ptolémée, ils se sont probablement rendu compte que les petites tables de sinus des *Siddhanta* indiens étaient beaucoup plus pratiques, en particulier lorsque les calculs étaient nombreux. À partir de là, on voit se développer, d'abord à l'intérieur des ouvrages d'astronomie puis d'une manière indépendante, un chapitre consacré à l'exposé des nouvelles notions trigonométriques, à la démonstration de propositions de géométrie sphérique et à leur application dans de nombreux problèmes.

Les premiers éléments de cet exposé apparaissent déjà au IXe siècle, en particulier chez Ḥabash. Au début du Xe siècle, les six fonctions trigonométriques classiques (c'est-à-dire le sinus, le cosinus, la tangente, la cotangente, la sécante et la cosécante) sont tabulées, et certaines formules qui les relient entre elles sont établies et utilisées. Mais c'est dans la première moitié du XIe siècle qu'un changement apparaît avec la publication d'ouvrages consacrés essentiellement aux outils trigonométriques. À titre d'exemple, on peut citer le *Kitāb maqālīd ᶜilm al-hay'a* [Le Livre des clés de l'astronomie] d'al-Bīrūnī, dans lequel ce dernier établit, de plusieurs manières, le théorème du sinus dans l'espace et l'utilise pour résoudre les équations liées au triangle sphérique, après

---

10. C'est le même principe que le déplacement de la virgule d'un cran vers la droite lorsqu'on multiplie par 10 un nombre écrit dans le système décimal.

avoir fait une classification de ces équations. Ce n'est que dans la dernière partie de son livre qu'il aborde les problèmes astronomiques proprement dits, en les résolvant à l'aide des outils des deux premières parties de son traité. Dans la seconde moitié du XI[e] siècle, un autre ouvrage du même type a été publié, en Espagne cette fois, par Ibn Mu[c]ādh. Il s'agit du *Kitāb majhūlāt qisiyy al-kura* [Livre des arcs inconnus de la sphère]. Nous n'avons pas d'informations sur les publications du XII[e] siècle, mais nous savons qu'au XIII[e] siècle Naṣīr ad-Dīn aṭ-Ṭūsī a publié un ouvrage intitulé *Kitāb fī ash-Shakl al-qaṭṭā[c]* [Livre sur la figure sécante], dans lequel la trigonométrie apparaît comme une discipline à part entière.

Vous avez évoqué à différentes reprises les tables astronomiques. Que comportaient ces tables ?

Elles se divisent en deux grands groupes : le premier concerne les problèmes pratiques liés à la cité islamique du Moyen Âge, comme l'établissement du calendrier des musulmans (mais également celui des chrétiens, des juifs et des autres communautés confessionnelles), la détermination de la direction de la *qibla* et la visibilité du croissant de lune, trois problèmes que nous avons déjà évoqués.

Le second groupe contient des tables de nature plus théorique. Il s'agit de tables mathématiques, comme celles qui permettent le calcul des valeurs de certaines lignes trigonométriques ou de certaines fonctions sphériques, et des tables plus spécialisées, comme celles qui permettent de déterminer l'équation du temps, les mouvements moyens des planètes et certaines grandeurs liées aux éclipses.

Un grand nombre de ces tables sont regroupés dans les *Zīj*. Les premiers rassemblent les valeurs des cordes, progressivement remplacées par celles des sinus. Au IXe siècle, ces tables contenaient les valeurs des sinus des angles qui variaient de degré en degré ; mais au fur et à mesure du développement de l'astronomie, on a observé un double progrès : le premier a concerné la multiplication des tables trigonométriques qui servent en astronomie, puisque à côté des sinus on voit apparaître les tables des nouvelles lignes trigonométriques que nous avons précédemment évoquées ; le second progrès a concerné la précision dans les calculs : les tables vont fournir des valeurs du sinus puis des tangentes pour des angles variant de demi-degré en demi-degré, puis de minute en minute. C'est le cas, par exemple, des tables réalisées au xe siècle par Ibn Yūnus, et qui sont contenues dans son *az-Zīj al-Ḥākimī* [Les Tables hakémites], dédié au calife fatimide al-Ḥākim. Le calcul de chaque valeur de ces tables est d'une grande précision puisque les approximations d'Ibn Yūnus sont poussées jusqu'à la neuvième décimale. Il faut ajouter, à ce sujet, que les progrès obtenus dans la précision du calcul sont fortement liés aux progrès de certains domaines des mathématiques, comme l'algèbre et la science du calcul, ainsi qu'à l'invention ou au perfectionnement d'algorithmes d'approximation et de procédés d'interpolation[11].

Outre ces tables, on trouve dans les *Zīj* d'autres tables trigonométriques plus sophistiquées, comme celles qui donnent les valeurs de certaines fonctions auxiliaires permettant de calculer de nombreux paramètres astronomiques. Grâce aux valeurs de ces fonctions auxiliaires, les astronomes pouvaient, par exemple, calculer l'heure du lever du Soleil, l'altitude d'un corps céleste, l'angle horaire à partir de l'altitude solaire, etc.

Certains ouvrages astronomiques contiennent des tables qui permettent, à l'aide de formules trigonométriques compliquées, de déterminer la direction de La Mecque. D'autres permettent d'exprimer l'équation de chaque planète.

Comme exemple de ces tables, on peut citer celles d'Ibn Yūnus relatives à l'équation de la Lune, qui fournissent trente mille valeurs du paramètre, ou celles d'Ulugh Beg qui en fournissent plus de cent soixante-dix mille. D'autres don-

11. L'interpolation est un procédé permettant d'obtenir la valeur d'une fonction pour une valeur donnée de la variable, à partir de valeurs connues de cette fonction pour d'autres valeurs de la variable. Ainsi, si l'on connaît la fonction f en *a* et en *b*, on peut déterminer f en *c* pour *c* compris entre *a* et *b*.

nées sont fournies par ces tables : indications concernant les éclipses de Lune et de Soleil, parallaxe d'une planète, de la Lune, du Soleil, etc. Il faut enfin signaler d'autres tables absentes des *Zīj* et qui sont des instruments indispensables pour différents calculs ou pour la réalisation d'instruments. C'est le cas, par exemple, des tables de multiplication sexagésimales et des tables pour le tracé des lignes sur un astrolabe. Ces dernières donnent la distance du centre des cercles *mucantarat* au centre de l'astrolabe, ainsi que les rayons de ces cercles pour chaque degré d'altitude et pour chaque degré de latitude terrestre.

Vous avez évoqué précédemment les hypothèses de certains savants arabes relatives à la rotation de la Terre sur elle-même. Qu'en est-il exactement ?

Pendant longtemps, les historiens des sciences ont pensé que le principe de la fixité de la Terre dans l'Univers avait été admis par tous les savants du Moyen Âge. Or, des recherches sur l'histoire de l'astronomie arabe ont montré qu'au contraire cette importante question avait été longuement discutée, en particulier par des savants du XIe siècle. Ces discussions, qui ont porté sur les aspects théoriques du problème, ont même eu des prolongements pratiques, puisque cela a abouti à la construction d'un astrolabe basé sur l'idée que la Terre n'était pas immobile au centre de l'Univers, mais qu'elle tournait autour d'elle-même. Parmi les savants qui se sont intéressés à cette question ou qui l'ont évoquée dans leurs écrits, on peut citer les philosophes Ibn Sīnā et Fakhr ad-Dīn ar-Rāzī (m. 1210), les astronomes as-Sijzī, al-Bīrūnī et al-Ḥasan al-Murrākushī, sans parler de ceux qui ont participé au débat mais dont les noms ne nous sont pas parvenus.

Mais le témoignage le plus important et le plus complet est, sans aucun doute, celui d'al-Bīrūnī, qui nous parle du mouvement de la Terre à la fois comme historien et comme astronome, puisqu'il n'hésite pas à donner son opinion sur la question. Ainsi, dans son livre *Taḥqīq mā li l-Hind* [Enquête sur ce que possède l'Inde], il nous informe que l'hypothèse

Exemple de table astronomique

de la rotation de la Terre se trouve déjà chez l'astronome indien Aryabhāṭa (VIe s.), et il laisse entendre que c'est une hypothèse acceptable et qu'elle ne contredit pas les fondements de l'astronomie. Par ailleurs, dans son ouvrage intitulé *Kitāb fī istīcāb al-wujūh al-mumkina fī ṣancat al-asṭurlāb* [Livre sur l'acquisition des < tous > les procédés possibles pour la réalisation de l'astrolabe], il avoue que les deux hypothèses, celle de la rotation de la Terre et celle de son immobilité, créent des difficultés qui ne sont pas, selon lui, faciles à résoudre. Ce qui signifie qu'à l'époque où il écrivait son livre, les deux hypothèses lui paraissaient équivalentes. D'ailleurs, voici exactement ce qu'il dit à ce sujet : « La croyance de certains que le mouvement universel visible est dû à la Terre et non au ciel est, à vrai dire, un problème difficile à analyser et dont la véracité est difficile à affirmer, et ce n'est pas à ceux qui se basent sur les lignes de mesurage de la contredire en aucune manière ; et je fais allusion ici aux géomètres et aux astronomes, car que le mouvement universel soit dû à la Terre ou au ciel, dans ces deux situations cela n'intervient pas dans leurs sciences. S'il est possible de contredire cette croyance et d'analyser cette < idée > incertaine, cela ne peut l'être que par ceux parmi les philosophes qui sont des physiciens. »

Mais al-Bīrūnī changera d'avis plus tard, rejetant l'idée de la rotation de la Terre après l'avoir admise comme hypothèse. Il donnera même des arguments en faveur de ce rejet dans son livre *al-Qanūn al-Mascūdī* [Le Canon Mascudien]. Il est d'ailleurs intéressant de résumer cette argumentation, qui contient des informations importantes et révèle les limites de la physique de l'époque. Al-Bīrūnī commence par rappeler l'argument de Ptolémée qui disait que, si la Terre tournait autour d'elle-même d'ouest en est, les oiseaux qui voleraient dans le même sens nous paraîtraient immobiles. Or, dit-il, ce n'est pas le cas. Puis, avant de donner sa propre opinion sur la question, il expose l'argument d'un astronome arabe, dont il ne révèle malheureusement pas le nom, et qui était, lui, en faveur de la rotation de la Terre sur elle-même. Pour ce scientifique, le mouvement de l'oiseau ne contredit pas cette hypothèse si l'on considère que ce mouvement est décomposable en deux mouvements distincts, l'un circulaire dans le sens de celui de la Terre et l'autre rectiligne. Finalement, et apparemment après avoir longuement hésité, al-Bīrūnī rejettera l'hypothèse de la rotation de la Terre en s'appuyant sur les calculs qu'il avait faits sur la vitesse de cette rotation : selon lui, et compte tenu de cette vitesse, un oiseau volant d'ouest en est aurait à la fois sa vitesse et celle de la Terre, qui est beaucoup plus grande ; or, ce n'est pas ce qui apparaît à l'observateur. Il en conclut que la Terre est immobile.

C'est encore al-Bīrūnī qui nous informe sur les prolongements pratiques de l'hypothèse de la rotation de la Terre. En effet, dans sa *Risāla fī at-taṭrīq ilā isti^c^māl funūn al-asṭurlāb* [Épître sur l'utilisation des techniques de l'astrolabe], il nous apprend que l'astronome et mathématicien as-Sijzī a écrit un livre sur la conception et la réalisation de l'astrolabe *zawraqī*, appelé ainsi parce que l'horizon y était représenté sous la forme d'une barque. Al-Bīrūnī affirme même qu'il a vu un exemplaire de cet instrument fabriqué par un spécialiste appelé Ibn Ḥarīr. Nous trouvons d'ailleurs une description détaillée et illustrée de cet instrument dans son livre *Kitāb al-istī^c^āb*.

Les modèles planétaires

Les astronomes arabes n'ont donc pas remis en question le fondement du géocentrisme, à savoir la fixité de la Terre au centre de l'Univers, cela à l'exception de cette discussion sur la rotation de la Terre. Pour autant, nous savons que les observations effectuées, notamment celles des trajectoires des planètes, étaient en contradiction avec le modèle initial, lequel date sans doute du Ve siècle av. J.-C. Les astronomes ont donc essayé d'améliorer ce modèle, tout en conservant le géocentrisme. Tel a été le cas des Grecs d'abord, des savants d'Alexandrie ensuite. Le modèle de Ptolémée, proposé au IIe siècle de notre ère, va constituer d'une certaine manière le stade ultime du géocentrisme, à quelques ajustements près. Il durera jusqu'en 1543, date de la publication du livre de Copernic qui inaugure la phase de l'héliocentrisme.

Pouvez-vous rappeler ce qu'était le modèle de Ptolémée, exposer les critiques que les astronomes arabes lui ont adressées et les améliorations qu'ils ont pu lui apporter ?

Les premiers astronomes grecs pensaient que les planètes obéissaient à deux mouvements circulaires uniformes : un mouvement céleste d'orient en occident et un mouvement propre en sens inverse. Mais l'observation a révélé deux phénomènes qui ne pouvaient pas être expliqués par les deux mouvements précédents : on a en effet constaté que, d'une part, les mouvements des planètes n'étaient pas uniformes et, d'autre part, que le déplacement de certaines de ces planètes ne se faisaient pas toujours dans le même sens puisqu'elles subissaient un ralentissement, puis un arrêt apparent, puis un changement d'orientation.

Pour résoudre cette difficulté, Ptolémée mit au point un système de deux cercles mobiles, appelés « excentrique » et « épicycle », qui lui permirent de représenter les deux phénomènes. Comme l'excentrique n'est pas centré sur la Terre, le mouvement d'une planète paraît plus rapide ou plus lent suivant qu'elle est plus proche ou plus éloignée de la Terre. Par ailleurs, lorsque la planète se déplace sur son épicycle (qui est supposé avoir une vitesse plus grande que celle de l'excentrique), la vitesse apparente de cette planète et le sens de son déplacement changent de la manière suivante : en A, les vitesses des deux cercles s'additionnent et, en B, elles se retranchent. De plus, un observateur placé sur la Terre verra la planète s'immobiliser aux points C et D puis rebrousser chemin.

Ce modèle va être transmis aux astronomes arabes dès la fin du VIIIe siècle, grâce à la traduction des deux plus importants ouvrages astronomiques de Ptolémée, l'*Almageste* et le *Livre des hypothèses*. Il sera ainsi étudié et utilisé dans les ouvrages théoriques jusqu'au début du XIe siècle. Mais, à partir de cette date, on voit apparaître des critiques de plus en plus virulentes contre le système de Ptolémée. Ces critiques seront suivies, plus tard, par des tentatives d'élaboration de nouveaux modèles.

Ibn al-Haytham (m. 1039) est, à notre connaissance, le

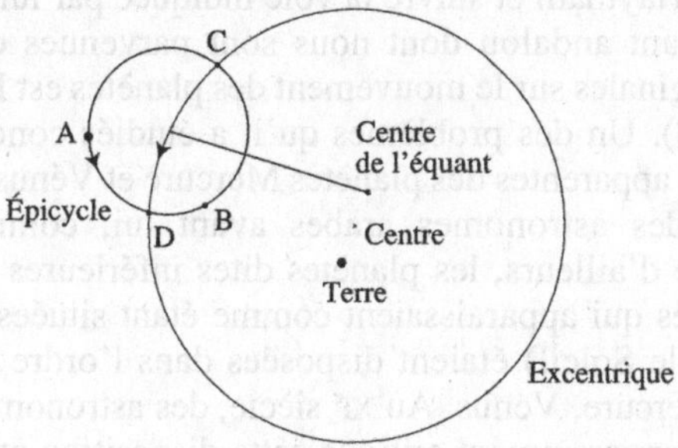

Épicycles et excentriques

premier scientifique arabe à avoir osé publier une critique du modèle de Ptolémée. Déjà, dans sa *Risāla fī ḥall shukūk ḥarakāt al-iltifāf* [Épître sur la résolution des doutes à propos du mouvement d'oscillation < de l'écliptique >], il dit son intention d'écrire un livre à propos des erreurs et des contradictions qu'il avait relevées dans les deux ouvrages de Ptolémée que nous venons d'évoquer. C'est ce qu'il fera un peu plus tard dans *ash-Shukūk ᶜalā Baṭlamyūs* [Les Doutes à propos < des écrits > de Ptolémée], dans lequel il affirme que l'astronomie doit être la théorie de ce qui existe réellement dans les cieux et que, en conséquence, le modèle de Ptolémée doit être rejeté parce qu'il n'a pas d'existence physique. De plus, dans ce livre, Ibn al-Haytham propose de rechercher d'autres solutions au problème, car il se dit convaincu qu'il doit exister un dispositif pouvant exprimer les mouvements réels des corps célestes.

Il ne semble pas qu'Ibn al-Haytham ait eu la possibilité ou le temps de fournir une nouvelle interprétation, mais on sait que son idée a été reprise par d'autres savants arabes de l'Orient et de l'Occident musulmans, qui ont poursuivi la critique des modèles de Ptolémée ou qui ont tenté, parfois avec succès, de leur substituer de nouveaux systèmes.

En Espagne, ce sont des philosophes ayant une solide formation astronomique qui vont lire attentivement le livre d'Ibn al-Haytham et suivre la voie indiquée par lui. Le premier savant andalou dont nous sont parvenues quelques idées originales sur le mouvement des planètes est Ibn Bājja (m. 1138). Un des problèmes qu'il a étudiés concerne les positions apparentes des planètes Mercure et Vénus. Pour la plupart des astronomes arabes avant lui, comme pour Ptolémée d'ailleurs, les planètes dites inférieures (c'est-à-dire celles qui apparaissaient comme étant situées entre la Terre et le Soleil) étaient disposées dans l'ordre suivant : Lune, Mercure, Vénus. Au XIe siècle, des astronomes andalous ont apparemment critiqué cette disposition et proposé de placer Vénus et Mercure au-dessus du Soleil. C'est du moins ce que nous apprend Maïmonide dans son livre *Dalālat al-ḥa'irīn* [Le Guide des perplexes], en ajoutant qu'Ibn Bājja avança certains arguments contre l'hypothèse qui place Vénus et Mercure au-dessus du Soleil. Le débat s'est poursuivi après lui, et nous savons qu'au XIIe siècle deux astronomes andalous importants, Jābir Ibn Aflaḥ et al-Biṭrūjī, ont proposé chacun une disposition différente : le premier a placé les deux planètes au-dessus du Soleil et le second a mis le Soleil entre Vénus et Mercure. Il est intéressant de noter que l'on retrouvera ces deux hypothèses dans des ouvrages européens du Moyen Âge, notamment celui de Lévi Ben Gerson (m. 1344).

Le second problème concerne le mouvement de chacune de ces planètes. C'est encore Maïmonide qui nous apprend qu'Ibn Bājja avait critiqué l'idée de l'épicycle, utilisée par Ptolémée dans son modèle, parce qu'elle violait certains principes fondamentaux de la physique aristotélicienne. Ibn Bājja aurait même élaboré un nouveau modèle, sans épicycle et n'utilisant que des sphères excentriques. Il semble toutefois qu'il n'ait jamais eu le temps d'écrire un livre sur le sujet. Mais ses idées ont circulé dans les milieux scientifiques de l'Espagne musulmane, et la recherche de nouveaux modèles a été poursuivie au XIIe siècle par des philosophes et des astronomes.

C'est ainsi qu'Ibn Ṭufayl, auteur du conte philosophique *Ḥayy Ibn Yaqḍān* [Le Vivant Fils du vigilant], a rejeté à la fois les épicycles et les excentriques, proposant un autre modèle qui ne nous est malheureusement pas parvenu. À son tour, Ibn Rushd fera la critique du modèle de Ptolémée dans le livre II de son *Commentaire de la physique d'Aristote*, et proposera de remplacer les deux mouvements de l'épicycle et de l'excentrique par un seul mouvement qui serait hélicoïdal. D'ailleurs il dit lui-même que, dans sa jeunesse, il avait projeté d'élaborer une véritable réforme de l'astronomie en revenant aux principes d'Aristote, mais que, compte tenu de son âge avancé, il préfère renoncer à ce projet. Il faut enfin signaler, toujours au XIIe siècle et en Espagne, la contribution de l'astronome al-Biṭrūjī, qui a repris l'idée du mouvement hélicoïdal pour représenter les mouvements des différentes planètes.

Au XIIIe et au XIVe siècle, ce sont des astronomes du centre et de l'est de l'Empire musulman qui vont apporter de nouvelles contributions dans ce domaine. Dans son livre intitulé *at-Tadhkira* [L'Aide-mémoire], le grand astronome Naṣīr aṭ-Ṭūsī, qui dirigeait l'observatoire de Maragha, a proposé de nouveaux modèles pour expliquer les mouvements des corps célestes. Le mouvement de chacune des planètes est représenté à l'aide d'une combinaison de mouvements uniformes, grâce à l'utilisation de deux cercles (A) et (B), appelés plus tard « le couple d'aṭ-Ṭūsī », avec (B) tangent intérieurement à (A) et de rayon égal à la moitié du rayon de (A). Il suppose également que le mouvement de rotation de (B) se fait à une vitesse double de celle de (A) et dans le sens contraire.

À la même époque qu'aṭ-Ṭūsī, trois autres astronomes qui travaillaient sous sa direction à l'observatoire de Maragha vont proposer, chacun de son côté, des solutions au même problème. Il s'agit d'al-ᶜUrḍī, d'ash-Shīrāzī et d'al-Maghribī. La contribution de ce dernier ne nous est pas parvenue. Quant à celles de ses deux collègues, elles sont fondées sur l'idée des deux cercles tangents utilisés également par aṭ-Ṭūsī. Après eux, un autre astronome arabe, Ibn ash-Shāṭir (m. 1375), qui était *muwaqqit* [chargé du temps] à la mosquée omeyyade de Damas, c'est-à-dire chargé de déterminer les moments de la prière, a poursuivi la réforme du système de Ptolémée et construit des modèles équivalents à ceux de ses prédécesseurs de Maragha.

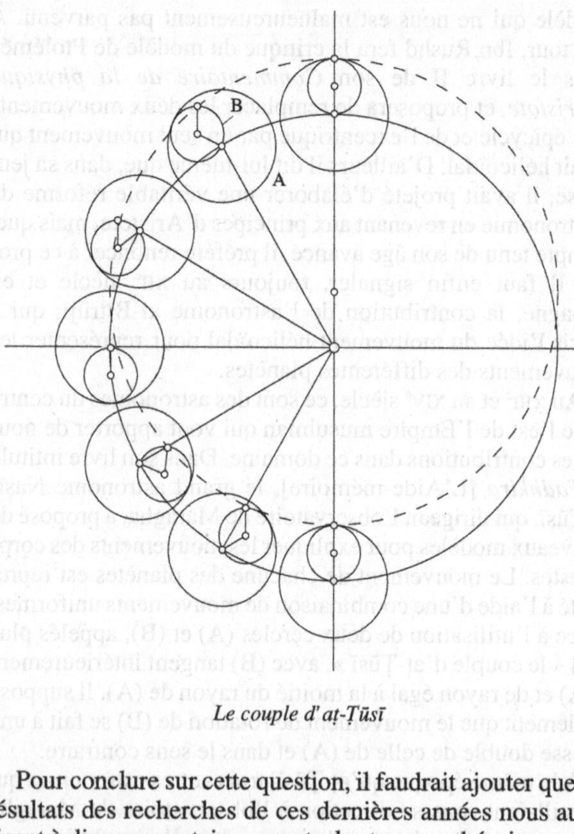

Le couple d'aṭ-Ṭūsī

Pour conclure sur cette question, il faudrait ajouter que les résultats des recherches de ces dernières années nous autorisent à dire que certains aspects des travaux théoriques réalisés par les astronomes arabes des XIIIe et XIVe siècles ont vraisemblablement été transmis à l'Europe et que les astronomes du XVIe siècle les ont probablement utilisés dans leurs propres travaux. En effet, on constate que le modèle théorique du mouvement de la Lune de Copernic est identique à celui d'Ibn ash-Shāṭir, et on peut dire à peu près la même chose à propos du mouvement de Mercure. D'ailleurs, les historiens des sciences ont constaté que, comme Ibn ash-Shāṭir avant eux, Copernic et Giovanni Battista Amici, un astronome italien moins célèbre, avaient également utilisé dans leurs modèles planétaires les deux cercles tangents introduits pour la première fois par les astronomes de l'observatoire de Maragha. Enfin, signalons que, à l'instar des astronomes arabes, Copernic n'a utilisé dans ses modèles que le mouvement uniforme[12].

Quelques grands astronomes

Sans prétendre à l'exhaustivité, pouvons-nous évoquer quelques grands astronomes de l'Islam, parmi les plus marquants ?

Au IXe siècle, on peut citer al-Khwārizmī (m. 850), plus connu pour être le père de l'algèbre arabe et le premier vulgarisateur du système décimal positionnel (avec le zéro), emprunté aux Indiens. Mais, de son vivant, il était plus important comme astronome. Il a écrit des tables astronomiques qui sont devenues célèbres et ont circulé dans tout l'empire. Il a également participé, avec d'autres collègues, tels Sanad Ibn ᶜAlī et Ibn Abī Manṣūr, aux travaux commandés par le calife al-Ma'mūn et qui devaient aboutir à la détermination de la longueur d'un degré de longitude et du diamètre de la Terre. Toujours au IXe siècle, il faut signaler al-Battānī, dont l'œuvre majeure, *az-Zīj* [Les Tables], a été traduite en latin, ainsi que Ḥabash pour ses contributions dans l'élaboration de tables astronomiques, dans l'étude de certains instruments et, comme cela a été déjà mentionné, dans l'élaboration de nouveaux outils trigonométriques.

Aux Xe et XIe siècles, parmi les astronomes novateurs, on peut citer Ibn Yūnus et Ibn al-Haytham au Caire, al-Majrīṭī et Ibn as-Samḥ (m. 1037) à Cordoue, Abū l-Wafā' à Bagdad, Ibn ᶜIrāq et al-Bīrūnī en Asie centrale. Les contributions de ces astronomes concernent en grande partie l'élaboration de tables et la résolution des problèmes de trigonométrie sphériques issus de l'activité astronomique.

12. La novation à ce propos est venue de Johannes Kepler (1571-1630).

Aux XIIe et XIIIe siècles, les astronomes vont continuer à élaborer des tables, mais les préoccupations théoriques vont s'orienter progressivement vers l'étude des modèles planétaires. C'est le cas des chercheurs de l'observatoire de Maragha que nous avons évoqués précédemment, c'est-à-dire, pour l'Orient, al-ᶜUrḍī, ash-Shirāzī, al-Maghrībī et surtout aṭ-Ṭūsī ; pour l'Espagne et le Maghreb, on peut citer Ibn Aflaḥ, originaire de Cordoue, qui a réalisé une importante « révision » de l'*Almageste* de Ptolémée, Ibn Isḥāq de Tunis, dont les tables astronomiques resteront pendant longtemps la référence et l'instrument de travail des astronomes du Maghreb, et al-Ḥasan al-Murrākushī, qui, comme son nom l'indique, est originaire de la ville de Marrakech, mais qui a publié au Caire son plus important ouvrage, le *Livre des principes et des buts*.

Aux XIVe et XVe siècles, deux grands noms dominent l'activité astronomique. Le plus ancien est Ibn ash-Shāṭir, qui a vécu et travaillé à Damas et dont les contributions essentielles concernent l'élaboration de nouveaux modèles planétaires et la réalisation d'instruments astronomiques. Le second est al-Kāshī (m. 1429), qui a travaillé à Samarcande, où il publié des œuvres majeures en mathématiques et en astronomie.

Au terme de cette rapide énumération, il faut insister sur le fait que les savants que nous avons retenus ne sont pas les seuls à représenter leurs disciplines. Ils ne sont en fait qu'une partie de l'élite d'une communauté nombreuse et laborieuse, dont les membres ont travaillé dans différents foyers scientifiques de l'empire. D'ailleurs, pour s'en convaincre, il suffit de parcourir les ouvrages biobibliographiques arabes qui répertorient consciencieusement les écrits astronomiques les plus importants comme les plus modestes. On y trouve des centaines de titres produits aux quatre coins de l'immense empire.

Les autorités politico-religieuses de l'empire se sont-elles mêlées, au nom de l'Islam, des affaires de l'astronomie ? Ont-elles tenté de dicter la vérité dans ce domaine ?

À ma connaissance, les autorités centrales ou régionales de l'empire, qu'elles fussent politiques ou religieuses, n'ont jamais décapité ou crucifié un savant parce que son activité ou ses thèses scientifiques ne leur plaisaient pas. Les seuls à avoir été victimes de tels traitements sont, paradoxalement, des mystiques, c'est-à-dire d'abord des hommes de religion. Mais le paradoxe n'est qu'apparent, parce que ces personnes représentaient parfois, aux yeux du pouvoir du moment, un réel danger. En effet, leurs discours s'adressaient, avec des mots simples, à l'ensemble de la population, dont la mobilisation pouvait représenter une menace pour la stabilité du pouvoir. En revanche, les astronomes et les philosophes n'étaient compris que par une élite, et leurs débats et controverses se limitaient à des cercles de spécialistes ou à des milieux cultivés qui n'ont probablement jamais songé à remettre en cause les autorités en place. D'ailleurs, compte tenu de l'extension de l'instruction et de l'élévation de son niveau, les hauts responsables, particulièrement entre le IXe et le XVIe siècle, faisaient souvent partie de cette élite cultivée.

*

RÉFÉRENCES BIBLIOGRAPHIQUES

Blachère R., *Livre des catégories des nations*, Paris, Larose, 1935.

Debarnot M.-Th., *Les Clefs de l'astronomie. La trigonométrie sphérique chez les Arabes de l'Est à la fin du Xe siècle*, Damas, Institut français de Damas, 1985.

Gauthier L., « Une réforme du système astronomique de Ptolémée tentée par les philosophes arabes du XIIe siècle », *Journal asiatique*, série 10, t. XIV, 1909, p. 483-510.

Pinès S., « La théorie de la rotation de la Terre à l'époque d'al-Bīrūnī », in *Actes du VIIIe Congrès international d'histoire des sciences*, 1956, Bd. I, p. 299-303.

Renaud H. P. J., « Astronomie et astrologie marocaine », *Hesperis*, XXIX, 1942, p. 41-63.

Renaud H. P.-J., *Le Calendrier d'Ibn al-Bannā de Marrakech*, Paris, 1948.

Sédillot I.-A., *Mémoire sur les instruments astronomiques des Arabes*, Paris, Imprimerie Royale, 1844.

Sédillot J. J. et Sédillot I.-A., *Traité des instruments astronomiques des Arabes. Composé au treizième siècle par Aboul Hassan Ali, de Maroc*. Fac-similé, éd. critique par F. Sezgin, Francfort, Institut für Geschichte der Arabisch-islamischen Wissenschaften, 1984.

Tannery P., *Recherches sur l'histoire de l'astronomie ancienne*, Paris, Gauthier-Villars & fils, 1893. Fac-similé, New York, Georg Olms Verlag, 1976.

Vernet J., *Ce que la culture doit aux Arabes d'Espagne*, Paris, Sindbad, 1985. Traduction de *La cultura hispanoarabe en Oriente y Occidente*, Madrid, 1978.

5. Les mathématiques

L'activité mathématique est d'une ancienneté comparable à celle de l'astronomie. Pour échanger des objets, il faut être capable de les compter, et toute construction un tant soit peu complexe exigeait un minimum de savoir en géométrie. Plus tard, la répartition des héritages, la conception des dispositifs d'irrigation, la détermination des impôts, ont encore accentué ces impératifs.

Pour mettre en évidence l'originalité de l'apport arabe en mathématique, il serait intéressant d'évoquer, brièvement, les connaissances antérieures au VII*e siècle et les principaux chapitres de l'essor des mathématiques au cours de cette période.*

Première étape, si j'ose dire : que savaient les Sumériens, les Égyptiens, les Babyloniens, les Chinois et les Indiens de l'Antiquité ?

Sans entrer dans le détail des activités mathématiques de chacune de ces traditions scientifiques, on peut dire, au vu de ce qui nous est parvenu, que ce savoir, dans son ensemble, est en grande partie constitué de procédés, destinés à résoudre une foule de problèmes concrets. On rencontre d'abord des systèmes de numération. Certains sont écrits, d'autres sont matériels (utilisant les doigts, les baguettes, le boulier, etc.). Parmi les systèmes écrits, certains sont positionnels (comme notre système à base 10) et d'autres non. On trouve aussi des techniques pour réaliser les cinq opérations classiques (addition, soustraction, multiplication, division, extraction de racines). Ces techniques variaient en fonction du système de numération utilisé. La complexité des problèmes à résoudre va amener les calculateurs à élaborer des procédés de calcul faisant intervenir les cinq opérations ou certaines d'entre elles. Ce sera l'avènement

Un exemple d'algorithme

Les solutions de l'équation $x^2 + bx + c = 0$, lorsqu'elles existent (c'est-à-dire lorsque $b^2 - 4c$ est positif), sont données par l'algorithme suivant :

$$x_1 = -\frac{b}{2} + \sqrt{\left(\frac{b}{2}\right)^2 - c} \quad \text{et} \quad x_2 = -\frac{b}{2} - \sqrt{\left(\frac{b}{2}\right)^2 - c}$$

des algorithmes, qui sont des procédés standard composés d'une succession d'opérations arithmétiques élémentaires et qui aboutissent à la détermination de la valeur cherchée. C'est le cas, par exemple, de l'algorithme de résolution d'une équation.

Ensuite, on trouve l'étude des propriétés des figures géométriques élémentaires (comme le fameux théorème de Pythagore), avec l'élaboration de procédés pour leur construction et des formules pour la détermination d'éléments inconnus d'une figure à partir de la connaissance de ceux qui sont connus (aires, volumes, longueurs des côtés, des diagonales, des périmètres, rapport du périmètre du cercle à son diamètre, etc.).

Le théorème de Pythagore

Le théorème de Pythagore énonce : « Dans un triangle rectangle, la somme des carrés des deux côtés de l'angle droit est égale au carré du troisième côté. »
Donc, si ABC est un triangle rectangle, ses côtés vérifient la relation :

$$AB^2 = AC^2 + BC^2$$

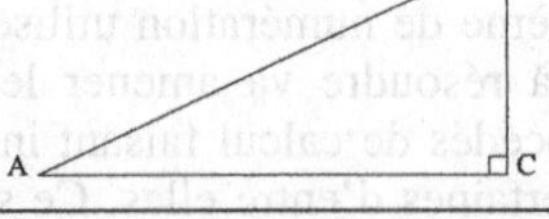

Numération égyptienne

C'est un système de numération non positionnel parce que la lecture du nombre ne dépend pas de la place des signes représentant les unités, les dizaines, etc.

564

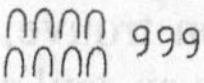
380

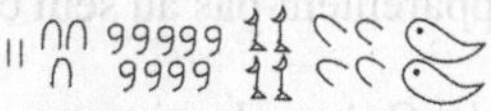
244 932

1 120 042

Numération babylonienne

< = 10 ▼ = 1 ou 60 ou 60^2… ou 60^n suivant la position du signe. Cette numération est semi-positionnelle.

34

11

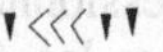
92

71

3 600

3 672 ($3\,672 = 60^2 + 60 + 10 + 2$)

1 364 ($1\,364 = 2 \times 10 \times 60 + 2 \times 60 + 4 \times 10 + 4$)

Numération indienne

Numération alphabétique grecque

α = 1	ι = 10	ρ = 100
β = 2	κ = 20	σ = 200
γ = 3	λ = 30	τ = 300
δ = 4	μ = 40	υ = 400
ε = 5	ν = 50	φ = 500
ς = 6	ξ = 60	χ = 600
ζ = 7	ο = 70	ψ = 700
η = 8	π = 80	ω = 800
θ = 9	ϛ = 90	ϡ = 900

Il se dégage de tout cela une maîtrise complète des opérations et des procédures, mais avec très peu de formalisation, de justification des démarches et aucune théorisation. La vérification des procédures était suffisante pour se convaincre de l'efficacité des méthodes et des outils utilisés afin de résoudre les problèmes. Pour toutes ces raisons, on a pris l'habitude de qualifier ce type de mathématiques d'« algorithmiques », même si l'on trouve, ici ou là, des démarches qui ne s'apparentent pas au seul calcul.

Deuxième étape : la Grèce classique, puis Alexandrie. Qu'ont-elles apporté dans ce domaine ? Que contiennent par exemple les Éléments *d'Euclide, connus pour être, notamment, une synthèse du savoir mathématique de l'époque ?*

Il est désormais admis que le savoir mathématique grec a, au cours de son élaboration, intégré des éléments d'héritages antérieurs. Mais il s'en est distingué par trois choses. D'abord, un développement quantitatif impressionnant, en termes de résultats et d'outils élaborés pour les établir. Ensuite, une démarche que l'on a pris l'habitude de qualifier d'« hypothético-déductive », par opposition aux démarches précédentes, essentiellement algorithmiques dans le sens que je viens de rappeler. En effet, dans la démarche grecque, il existe, pour le dire brièvement, le souci de justifier la validité d'un procédé et d'établir, par une démonstration, le résultat recherché. Et, enfin, un discours sur les objets et les outils mathématiques.

Bien sûr, les Grecs, comme leurs prédécesseurs, ont comparé, calculé, mesuré ; et, pour ce faire, ils ont élaboré des procédés et des règles afin de résoudre les problèmes posés par la vie de tous les jours. Mais ils ont probablement été les premiers à avoir développé une activité purement théorique autour des objets et des outils mathématiques. C'est avec eux que sont fondées et individualisées des disciplines entières, comme la théorie des nombres, la géométrie, l'astronomie et la musique (qu'ils considéraient comme une branche des mathématiques). De plus, pour l'élaboration des contenus de ces disciplines, les scientifiques grecs ont

Les principaux écrits de géométrie grecque traduits en arabe

Euclide (IIIe s. av. J.-C.)
– *Kitāb al-uṣūl* [Livre des éléments] : traduit par al-Ḥajjāj puis par Isḥāq ;
– *Kitāb al-mu^{c}ṭyāt* [Livre des données] : traduit par Isḥāq ;
– *Kitāb fī l-qisma* [Livre sur la division < des figures >] : traduit par Thābit.

Archimède (IIIe s. av. J.-C.) :
– *Kitāb al-kura wa l-usṭuwāna* [Livre de la sphère et du cylindre] : traduit par Thābit ;
– *Kitāb tarbī^c ad-dā'ira* [Livre sur la mesure du cercle] : traduit par Thābit ;
– *Kitāb fi qismat ash-shakl al-musammā bi Siṭumāshiyūn* [Livre sur la division de la figure appelée stomachion] : traduction anonyme.

Apollonius (IIIe s. av. J.-C.)
– *Kitāb al-makhrūṭāt* [Les Coniques] : traduit par Ibn Abī Hilāl (livres I-IV) et par Thābit (livres V-VII) ;
– *Kitāb fī qaṭ^c al-khuṭūṭ ^{c}alā nisab* [Livre sur la section des lignes selon des rapports] ;
– *Kitāb fī qaṭ^c as-sutūḥ ^{c}alā nisba* [Livre sur la section des surfaces selon un rapport].

adopté une démarche consistant à distinguer entre les vérités premières (axiomes), les postulats (demandes), les définitions, les théorèmes et les problèmes. Ils ont également défini des étapes rigoureuses pour établir un théorème ou un problème : énoncé général, énoncé sur un exemple, démonstration, conclusion avec rappel du résultat.

Les *Éléments* d'Euclide constituent une parfaite illustration de ce type de mathématiques. Il s'agit, comme vous l'avez dit, d'une synthèse qui se présente sous forme de treize chapitres appelés « livres ». Dix de ces livres concernent la géométrie et trois, l'étude des propriétés des nombres entiers. Mais si la géométrie élémentaire a été étudiée par les Arabes exclusivement dans les écrits d'Euclide, il n'en a pas été de même pour la théorie des nombres, qui était représentée chez les Grecs par deux autres traditions : celle des pythagoriciens, dans l'*Introduction arithmétique* de Nicomaque de Gérase (IIe s.), et celle de Diophante (IIIe ou IVe s.) dans son fameux traité *Les Arithmétiques*.

Émergence et essor des mathématiques arabes

Vous avez dit, dans le chapitre précédent, que le volume des publications en astronomie était très important, bien plus encore que celui des mathématiques. Pourtant, quand on pense à l'apport arabe, et pour peu qu'on le hiérarchise, le chapitre des mathématiques est toujours classé en tête. Pourquoi cette extraordinaire floraison des mathématiques ?

Certains facteurs du développement de l'astronomie sont également responsables de la naissance et de l'essor des mathématiques pour la simple raison qu'il s'agit de déterminants culturels, économiques et sociaux qui ont conditionné la nouvelle civilisation. À cela, il faut ajouter le rôle joué par l'astronomie elle-même, puisqu'elle n'a cessé, du VIIIe au XVe siècle, de solliciter différentes disciplines mathématiques, comme l'algèbre, le calcul, la géométrie et, surtout, la trigonométrie. D'ailleurs, cette dernière discipline est née dans l'astronomie, et elle n'a commencé à s'en détacher que vers le milieu du XIe siècle. Un troisième élément explique le bond quantitatif des mathématiques et leur longévité : c'est ce que l'on pourrait appeler aujourd'hui la « demande sociale ». En effet, même dans la période de déclin de la civilisation arabo-musulmane, on constate la permanence des activités d'arpentage, des répartitions d'héritages et des transactions commerciales, c'est-à-dire trois domaines qui « consommaient » une certaine mathématique pratique. Une autre demande, provenant de la pratique religieuse, avait trait à la détermination du temps pour les prières quotidiennes et à la confection de calendriers. Ce qui nécessitait un minimum de formation en mathématiques. Un dernier élément est à rechercher, peut-être, dans le regard que portait telle ou telle communauté sur les activités scientifiques de son époque. Nous savons depuis longtemps qu'il n'y avait pas, parmi les membres de l'élite de l'Empire musulman, unanimité pour encourager le développement des sciences exactes et de la philosophie. Certains, pour des raisons théologiques clairement exprimées, ont émis des réserves ou des jugements négatifs sur l'essor de certaines sciences. On sait que, entre le IXe et le XIIe siècle, le rapport de force n'était pas en leur faveur, mais allait plutôt dans le sens d'une extension tous azimuts des activités scientifiques et de la philosophie. Puis, à partir du XIIIe siècle, ont surgi des facteurs de déclin qui ont fait pencher la balance vers tous ceux qui voulaient en découdre avec la philosophie et avec les « sciences des Anciens », comme on disait alors. Or on a constaté que, même à cette époque, les mathématiques ont été préservées des attaques de ceux qu'on pourrait appeler les conservateurs du moment.

Peut-on avoir une idée du contenu des différentes traditions mathématiques arabes qui se sont épanouies dans les foyers scientifiques de l'empire ?

Il faut tout d'abord préciser que les mathématiques enseignées ou produites dans le centre de l'empire, entre le VIIIe et le XVIe siècle et même au-delà, sont indissociables de celles enseignées ou produites dans les autres régions aux différentes époques de leur histoire. Les innovations, dont on peut observer la présence dans les écrits publiés dans ces régions, s'inscrivent naturellement dans la tradition mathématique du centre de l'empire. Cette tradition a été transmise à l'Occident musulman, d'abord à Kairouan, par les routes commerciales terrestres et maritimes qui reliaient l'Égypte au Maghreb oriental, puis à la péninsule Ibérique. Les questions concernant le contenu des sciences arabes en général, et celui des mathématiques en particulier, doivent donc être posées d'abord globalement, sans référence à la géographie, afin de pouvoir mieux appréhender ce qui a été spécifique à chaque région de l'empire, dans l'innovation, dans la continuité et dans les ruptures souvent inexpliquées que l'on observe dans les traités et les manuels qui nous sont parvenus.

Une autre remarque concerne le décalage entre ce qu'ont écrit les encyclopédistes ou les biobibliographes arabes sur les mathématiques et ce que révèlent, surtout ces trois dernières décennies, les contenus des ouvrages mathématiques eux-mêmes. Je dis cela parce que c'est par cette littérature *généraliste* que les orientalistes ont eu accès à l'histoire des sciences arabes. Ce qui les a amenés, la plupart du temps, à décrire ces activités d'une manière approximative ou même erronée.

Prenons l'exemple des classifications des sciences, qui sont souvent le premier accès des historiens à l'étude du contenu des disciplines qui ont été pratiquées en pays d'Islam. Lorsqu'on analyse les mathématiques arabes du point de vue de leur contenu, à travers les classifications d'al-Fārābī, d'Ibn Sīnā et d'Ibn Khaldūn, pour ne citer que les plus connues et les plus accessibles, on est frappé par un élément de continuité qui s'en dégage, et qui est la fidélité à la conception aristotélicienne de la connaissance et à l'agencement qui en découle : d'abord la physique, puis les mathématiques et enfin la métaphysique. À leur tour, les sciences mathématiques sont classées selon un ordre qui correspond à une hiérarchie entre ses différentes composantes : d'abord la science du nombre, puis la géométrie ou science des grandeurs, puis l'astronomie et enfin la musique.

À l'intérieur de ce cadre, fidèle à la tradition grecque et que vont perpétuer les premiers philosophes arabes, les diverses subdivisions internes qui se sont succédé depuis le IXe siècle jusqu'au XVIIe siècle, c'est-à-dire jusqu'à l'époque des derniers grands encyclopédistes comme Ṭāsh Kubrā Zāda (m. 1560) et Ḥājjī Khalīfa (m. 1656), révèlent un enrichissement substantiel par rapport aux premières classifications. En effet, des matière nouvelles, inconnues des Grecs, se voient octroyer une place dans l'agencement général des sciences. Il en est ainsi de l'arithmétique indienne (qui a circulé d'est en ouest), soit directement, soit à travers les traités d'astronomie appelés *Siddhanta*. Les Arabes dénomment cette arithmétique pratique *al-Ḥisāb al-hindī* [Le Calcul indien] et ils la distinguent de la théorie des nombres, d'origine grecque, qui leur est parvenue à travers trois chapitres des *Éléments* d'Euclide et à travers *l'Introduction arithmétique* de Nicomaque. Il en est de même de l'algèbre : encore absente du *Livre sur le recensement des sciences* d'al-Fārābī, elle apparaît timidement chez Ibn Sīnā, dans son *Livre de la guérison*, comme une matière secondaire n'ayant droit qu'à une simple remarque de la part du philosophe. Pourtant, nous le savons aujourd'hui, l'algèbre avait acquis à son époque, dans les milieux scientifiques, le statut de discipline à part entière. On pourrait en dire autant pour deux autres activités mathématiques, la trigonométrie et l'analyse combinatoire[1], qui, émergeant lentement, vont s'imposer un ou deux siècles plus tard comme des chapitres nouveaux.

Ce sont là quatre exemples qui illustrent bien la manière dont des pratiques scientifiques soutenues et fécondes ne se reflètent pas complètement dans une rationalisation *a priori*, et donc un peu dogmatique, des divers aspects de la connaissance. Ils illustrent aussi le décalage de fait qui s'est opéré lors de l'établissement des premières classifications, parce qu'elles l'ont été à un moment où les mathématiciens innovaient encore en forgeant de nouveaux outils, en élargissant des champs d'activité, en posant de nouveaux problèmes et en les résolvant (complètement ou partiellement), en inaugurant des disciplines inédites. Bref, comme nous allons le voir plus loin, leurs activités multiples transgressaient dans les faits les limites assignées à cette science par ceux qui s'étaient chargés de discourir sur elles et d'en faire la classification.

1. À l'origine, l'analyse combinatoire était l'ensemble des dénombrements que l'on pouvait réaliser avec un ensemble d'objets. Ce fut le cas, par exemple, des combinaisons, des permutations et des arrangements des lettres d'un alphabet ou d'un ensemble de nombres. Puis cette pratique s'est étendue à la construction et à l'étude des propriétés de ce qu'on appelle les configurations (linéaires, planes ou solides). Pour la définition mathématique d'une configuration, voir la note 11, page 231.

Les disciplines traditionnelles

Avant d'évoquer les chapitres nouveaux des mathématiques, attardons-nous un moment sur ceux qui étaient déjà classiques en Grèce.

L'innovation dans les disciplines traditionnelles, c'est-à-dire la géométrie, l'astronomie et l'arithmétique, a été riche et diversifiée ; il n'est donc pas possible d'en exposer le contenu en quelques lignes. Nous nous contenterons, ici, d'en dégager les aspects essentiels et les orientations nouvelles qu'elles ont suscitées, même lorsque ces orientations n'ont pas toujours bénéficié des conditions favorables, extérieures à la science, qui leur auraient permis de déboucher sur des résultats encore plus importants ou même sur de nouvelles disciplines.

Un premier aspect de l'innovation a été une relecture des traités classiques, avec, en particulier, l'arithmétisation du livre X des *Éléments* d'Euclide dans le sens suivant. Le livre en question étudie des grandeurs géométriques (appelées binômes et apotômes) que l'on peut construire à la règle et au compas. L'arithmétisation a consisté à manipuler ces grandeurs comme des nombres, qui seront appelés, plus tard, des irrationnels quadratiques et biquadratiques[2]. Dès le milieu du IXe siècle, des algébristes, comme al-Māhānī (m. 888), ont étendu cette démarche à d'autres grandeurs sans tenir compte de leurs supports géométriques, et ils les ont introduites, aux côtés des entiers et des fractions, dans les résolutions d'équations et dans les calculs qui se faisaient en astronomie.

Toujours dans le domaine des nombres, un autre apport a consisté, après plusieurs tentatives, à reformuler la notion de rapport du livre V des mêmes *Éléments*. Cela a abouti à

2. Les irrationnels quadratiques s'écrivent aujourd'hui ainsi : $m = \sqrt{n}$, $m - \sqrt{n}$, $m + \sqrt{n}$, $\sqrt{m} - \sqrt{n}$. Les biquadratiques sont les racines carrées de ces derniers.

une nouvelle extension du concept de nombre. Ce qui a permis de faire des calculs, en particulier en trigonométrie, sans se soucier de la nature du nombre qui intervenait : entier, rationnel (comme les fractions) ou réel positif (comme π ou un rapport quelconque qui ne s'écrit pas sous forme de fraction). L'un des travaux les plus originaux dans ce domaine a été réalisé par al-Khayyām dans son *Épître sur l'explication des prémisses problématiques d'Euclide*. À peu près à la même époque, c'est-à-dire dans la seconde moitié du XIe siècle, en Espagne cette fois, Ibn Muᶜādh abordait le même problème dans son *Épître sur l'explication du rapport*, sans aller aussi loin qu'al-Khayyām. Cette extension de la notion de nombre a probablement favorisé, sous l'impulsion de l'astronomie, l'élaboration de nouvelles techniques d'approximation[3].

Le second aspect de l'innovation arabe a concerné l'étude des problèmes non résolus par les Anciens (à savoir les Grecs) ou dont la résolution a été jugée peu satisfaisante. C'était le cas, par exemple, de la proposition IV du livre II du *Livre de la sphère et du cylindre* d'Archimède, qui consiste à couper une sphère en deux parties de sorte que le rapport de ces deux parties soit égal à un nombre fixé à l'avance. Dans cette proposition, Archimède utilise un résultat qu'il ne démontre pas et qui est la clef de toute la proposition. C'était également le cas du problème de la multisection d'un angle[4] et de celui de l'inscription d'un heptagone ou d'un ennéagone réguliers dans un cercle[5].

Les recherches en arithmétique se sont orientées vers trois directions : la première a concerné l'étude des nombres pre-

3. Les méthodes d'approximation sont des procédés qui, à défaut de fournir la solution exacte d'un problème, permettent d'obtenir une valeur approchée de cette solution.

4. La bissection d'un angle consiste à le diviser en deux angles égaux, la trisection en trois angles égaux, la multisection en un nombre quelconque d'angles égaux.

5. Ces problèmes sont équivalents à la division du périmètre d'un cercle, respectivement, en sept et en neuf parties égales. La difficulté du problème tient au fait que, dans l'un et l'autre cas, la division exacte ne peut pas se faire à l'aide de la règle et du compas.

Nombres parfaits

Un nombre est dit parfait s'il est égal à la somme de ses diviseurs. Par exemple, le nombre 6 est parfait parce que ses diviseurs sont 1, 2 et 3, et que $6 = 1 + 2 + 3$.
12 ne l'est pas car $12 \neq 1 + 2 + 3 + 4 + 6$.

Nombres amiables

Deux nombres sont dits amiables si la somme des diviseurs de l'un des deux nombres est égale à l'autre nombre. Par exemple, les deux nombres 220 et 284 sont amiables parce que les diviseurs de 220 sont 1, 2, 4, 5, 10, 11, 20, 22, 44, 55, 110. Les diviseurs de 284 sont : 1, 2, 4, 71, 142. Or, on a :

$$284 = 1 + 2 + 4 + 5 + 10 + 11 + 20 + 22 + 44 + 55 + 110$$

$$220 = 1 + 2 + 4 + 71 + 142$$

miers[6]. Elle a débuté avec les travaux de Thābit Ibn Qurra (m. 901) sur les nombres parfaits et amiables et s'est poursuivie avec ceux d'Ibn al-Haytham (m. 1041) et d'al-Fārisī (m. vers 1320) sur certaines propriétés des nombres entiers, en particulier sur la manière d'écrire ces nombres en n'utilisant que des produits de nombres premiers.

La seconde orientation a été suscitée, directement ou indirectement, par la lecture des *Arithmétiques* de Diophante, qui vont favoriser deux types de recherche. On y trouve la résolution des systèmes d'équation en ne s'intéressant qu'aux solutions qui sont des entiers ou des fractions. Dans ce domaine, on peut citer le *Livre des choses rares en calcul* d'Abū Kāmil (m. 930) et le *Fakhrī* d'al-Karajī (m. 1023). On y trouve aussi l'étude des nombres dits congruents[7] et les tri-

6. Un nombre premier est un nombre entier qui n'est divisible que par un et par lui-même.

7. Deux nombres sont dits « congruents modulo n » si leur différence est un multiple de n. Par exemple, 17 et 2 sont congruents modulo 5 parce que $17 - 2 = 3 \times 5$.

La méthode d'exhaustion

Il s'agit d'une méthode permettant de déterminer les aires de certaines figures planes et les volumes de certains solides réguliers en les comparant à des aires (respectivement à des volumes) connues. On utilise pour cela un procédé qui consiste à encadrer ces figures planes ou ces solides par des rectangles (respectivement des parallélépipèdes) dont on sait calculer les aires (respectivement les volumes). En augmentant indéfiniment le nombre de côtés de ces rectangles (respectivement de ces parallélépipèdes), on arrive à « approcher » la valeur de l'aire ou du volume cherchée.

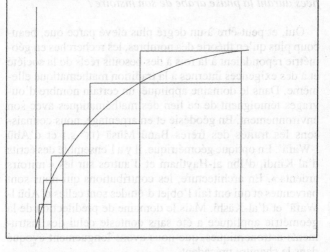

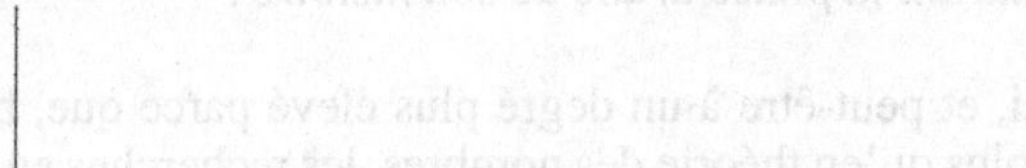

plets de nombres qui sont liés entre eux par une relation arithmétique. Un des problèmes appartenant à ce domaine et auquel se sont attaqués certains mathématiciens des pays d'Islam n'est autre que la célèbre conjecture de Fermat pour les deux premiers cas ($n = 3$ et $n = 4$)[8]. Parmi les chercheurs

8. Pierre de Fermat (1601-1665) est un mathématicien français. Il a été conseiller au parlement de Toulouse. Son théorème affirme qu'il n'existe pas trois nombres x, y, z vérifiant la relation : $x^n + y^n = z^n$, pour $n > 2$. Sa conjecture n'a pu être démontrée qu'en 1994 par Wiles.

qui y ont contribué, on peut citer Abū-l-Jūd, al-Khāzin, al-Khujandī, as-Sijzī, Ibn al-Haytham, tous des Xᵉ et XIᵉ siècles.

On y trouve enfin l'étude des suites et des sommes finies de nombres entiers. Cela a d'abord commencé par l'étude des suites arithmétiques et géométriques[9], puis les recherches se sont poursuivies par celle de certaines sommes d'entiers qui interviennent, en particulier, dans la détermination des surfaces et des volumes par la méthode d'Archimède, dite méthode d'exhaustion.

La géométrie a-t-elle eu des orientations aussi diversifiées durant la phase arabe de son histoire ?

Oui, et peut-être à un degré plus élevé parce que, beaucoup plus qu'en théorie des nombres, les recherches en géométrie répondaient à la fois à des besoins réels de la société et à des exigences internes à la tradition mathématique elle-même. Dans le domaine appliqué, un certain nombre d'ouvrages témoignent de ce lien des mathématiques avec son environnement. En géodésie et en arpentage, nous connaissons les traités des frères Banū Mūsā (IXᵉ s.) et d'Abū l-Wafā'. En optique géométrique, il y a l'ensemble des écrits d'al-Kindī, d'Ibn al-Haytham et d'autres sur les « miroirs ardents ». En architecture, les contributions qui nous sont parvenues et qui ont fait l'objet d'études sont celles d'Abū l-Wafā' et d'al-Kāshī. Mais le domaine de prédilection de la géométrie appliquée a été sans conteste celui des instruments astronomiques, que nous avons longuement évoqué dans le chapitre précédent.

Sur le plan théorique, on peut dégager trois orientations essentielles, qui d'ailleurs ne concernent pas exclusivement la géométrie, mais qui y sont apparues et ont, par la suite,

9. Une suite arithmétique de raison *a* est un ensemble d'entiers dont chacun des termes excède le précédent du même nombre *a*. Par exemple, la suite 1, 4, 6…, $2n$ a pour raison 2. Une suite géométrique de raison *a* est un ensemble d'entiers dont chacun des termes est égal à *a* fois le terme qui le précède. Par exemple, la suite 1, 2, 4, 8…, $2n$…, est une suite géométrique de raison 2.

bénéficié des progrès de l'algèbre. La première est partie des problèmes de la tradition grecque sur la constructibilité des points et des figures du plan, c'est-à-dire sur la possibilité ou non de les construire à l'aide de la règle et du compas. C'est après avoir été souvent confrontés à des problèmes non constructibles que les mathématiciens arabes ont été amenés à élargir la notion d'existence géométrique ou algébrique, par l'utilisation systématique des sections coniques, à savoir les paraboles, les ellipses et les hyperboles. Cela a abouti, en particulier, à la tentative d'Abū l-Jūd d'élaborer une théorie géométrique des équations cubiques. Ses efforts n'ont pas été couronnés de succès. Après lui, ᶜUmar al-Khayyām a repris les travaux de ses prédécesseurs, les a corrigés et complétés pour en faire une théorie complète permettant de fournir, géométriquement, les solutions positives des équations cubiques (lorsque ces dernières ont des solutions).

La deuxième de ces orientations concerne l'étude des courbes pour elles-mêmes dans le but d'en connaître les propriétés les plus accessibles, compte tenu des instruments théoriques disponibles alors. Cet aspect des recherches géométriques arabes est le moins bien connu à cause de la disparition de certains travaux fondamentaux. Mais quelques textes nous sont parvenus, qui témoignent de ces recherches, tels le traité de Thābit Ibn Qurra sur les ellipses et celui de as-Sijzī sur les hyperboles. De même, nous disposons de témoignages dignes de foi, comme celui d'al-Khayyām relatif à des travaux perdus d'Ibn al-Haytham, et celui du philosophe Ibn Bājja sur l'étude, par son professeur Ibn Sayyid (XIᵉ s.), de nouvelles courbes obtenues par projection de courbes gauches (c'est-à-dire non planes) sur un plan donné et suivant certaines directions.

Puisque l'on est encore dans la géométrie, il faut évoquer une troisième voie suivie par les chercheurs des pays d'Islam. Les géomètres de cette tradition se sont attachés à résoudre des problèmes de mesure à l'aide de la fameuse méthode qu'Archimède avait utilisée dans un certain nombre de ses traités et qui est parvenue aux Arabes par l'intermédiaire de son *Épître sur la mesure du cercle*. Les recherches ont commencé, en Orient, par les travaux des

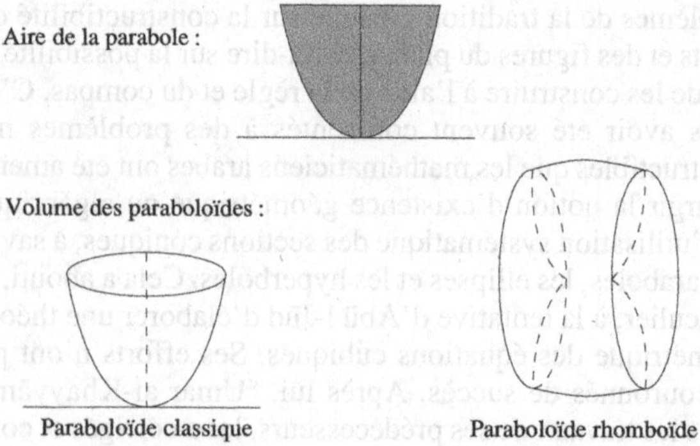

Les aires et les volumes déterminés par Ibn al-Haytham

frères Bānū Mūsā (*Livre sur la détermination des surfaces des figures planes et sphériques*). Elles se sont poursuivies avec Thābit Ibn Qurra et ses études sur les paraboles, les ellipses, les paraboloïdes, puis avec son petit-fils, Ibrāhīm Ibn Sinān (m. 940), qui a amélioré les méthodes de raisonnement de son grand-père et qui en a considérablement réduit l'exposé.

Dans la seconde moitié du Xᵉ siècle, ou au début du XIᵉ, Ibn al-Haytham a déterminé le volume de deux types de paraboloïdes. Tous ces travaux ont été réalisés en Orient. Quant à l'Espagne, nous savons, au vu de recherches récentes, qu'au moins deux mathématiciens ont étudié les courbes coniques : Ibn as-Samḥ et al-Mu'taman. Ce dernier a tenté de simplifier les démarches de ses prédécesseurs orientaux, s'attaquant même, mais sans succès, à un problème nouveau, celui du calcul de l'aire d'une portion d'hyperbole.

Nous savons que les Grecs ne se sont pas contentés d'établir des théorèmes et de résoudre des problèmes de géométrie par des méthodes de construction parfois très sophistiquées. Ils ont également réfléchi sur les outils qu'ils ont utilisés pour arriver à leurs fins et sur les fondements de leurs pratiques mathématiques. Qu'est-il parvenu aux Arabes de cette partie des activités grecques et qu'en ont-ils fait ?

Compte tenu de la place de la philosophie grecque dans les activités intellectuelles arabes, dès le IXe siècle, il était naturel que certains scientifiques, ceux précisément qui ont bénéficié d'une formation philosophique, s'interrogent, à la suite des Grecs, sur les fondements des mathématiques et réfléchissent sur les objets et les instruments nouveaux introduits à partir du IXe siècle.

En géométrie, une véritable tradition de recherche s'est constituée, entre le IXe et le XIIIe siècle, autour du cinquième postulat du livre I des *Éléments* d'Euclide, sur lequel repose tout l'échafaudage de la géométrie euclidienne. Parmi les savants qui ont contribué à ces travaux, on peut citer, dans l'ordre chronologique, Thābit Ibn Qurra au IXe siècle, an-Nayrīzī au Xe, Ibn al-Haytham et cUmar al-Khayyām au XIe, Naṣīr ad-Dīn aṭ-Ṭūsī et Muḥyī ad-Dīn al-Maghribī au XIIIe.

Prisonnières des méthodes euclidiennes et parfois des conceptions aristotéliciennes, ces recherches ne pouvaient aboutir sans transgresser ces limites. Comme elles ne les ont pas transgressées, elles n'ont donc pas réellement progressé. Cela dit, si on les replace dans le processus continu de l'activité mathématique, elles apparaissent comme une étape nécessaire à l'avènement des géométries non euclidiennes

Le cinquième postulat (ou postulat des parallèles)

Si une droite tombant sur deux droites fait les angles intérieurs et du même côté plus petits que deux droits, les deux droites, indéfiniment prolongées, se rencontrent du côté où sont les angles plus petits que deux droits.

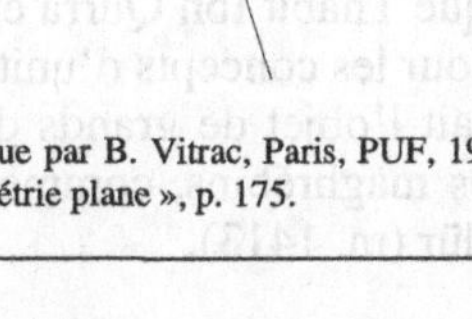

Source : Euclide, *Les Éléments*. Éd. critique par B. Vitrac, Paris, PUF, 1990, vol. I, « Introduction. Livres I à IV : Géométrie plane », p. 175.

Les géométries non euclidiennes

Ces géométries sont nées lorsque des mathématiciens, avec à leur tête Saccheri (m. 1733), ont tenté de montrer, par l'absurde, que le postulat des parallèles est vrai. Ainsi, en supposant que les angles C et D du trapèze isocèle (ABCD) sont aigus, ils ont abouti non pas à une contradiction, mais à des propriétés qui ont été à l'origine de la géométrie de Lobatchevski (m. 1856). De même, en supposant que les angles C et D sont obtus, ils ont abouti à des propriétés qui seront le fondement de la géométrie de Riemann (m. 1866).

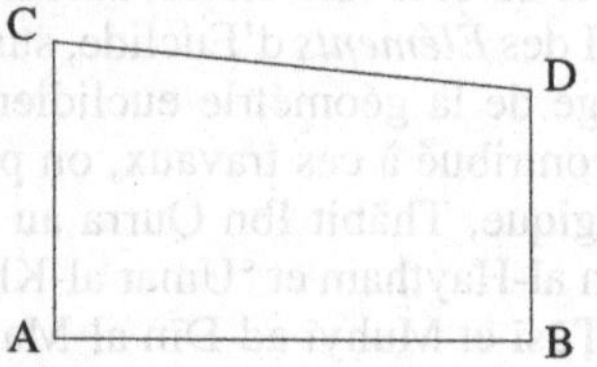

dont les précurseurs, en Europe, ont été Saccheri (m. 1733) et Lambert (m. 1777), qui ont pris, dans ce domaine, le relais des savants des pays d'Islam. Les travaux de ces deux mathématiciens constituent à la fois un prolongement et une rupture par rapport à ceux de leurs prédécesseurs.

Quant aux réflexions sur les instruments et les objets mathématiques, elles ont abouti, selon leur nature, à deux formes d'activités. D'un côté, des débats philosophiques et théologiques débordant la spécialité et intéressant beaucoup de non-mathématiciens. Ce fut le cas, par exemple, pour le concept de l'infini, qui a préoccupé des philosophes comme al-Kindī et Ibn Sīnā, mais également des mathématiciens tels que Thābit Ibn Qurra et al-Kūhī (XIe s.). Ce fut aussi le cas pour les concepts d'unité et de bases non décimales, qui ont fait l'objet de grands développements par des scientifiques maghrébins, comme Ibn al-Bannā (m. 1321) et Ibn Haydūr (m. 1413).

Les bases non décimales

Une base non décimale est un système de numération qui n'utilise pas, dans l'écriture des nombres, des paquets de 10, mais tout autre type de groupement. Depuis l'Antiquité, on a calculé, en astronomie, avec le système sexagésimal, qui utilise la base 60. Des sociétés anciennes ont utilisé des bases 5, 12, 20, etc. L'informatique repose sur le système binaire, qui utilise la base 2.

Parallèlement à ces débats de nature essentiellement philosophique on trouve des réflexions purement mathématiques sur les outils de la démonstration et sur la nature des problèmes étudiés. Les contributions connues dans ce domaine sont celles d'Ibrāhīm Ibn Sinān et d'Ibn al-Haytham sur l'analyse et la synthèse ainsi que celles d'al-Karajī (m. 1023) et d'as-Samaw'al (m. 1175) sur les classifications des problèmes mathématiques.

Arrêtons-nous sur l'histoire de la numération, même si les mathématiciens arabes ont surtout utilisé une technique empruntée aux Indiens, l'ont développée puis lui ont assuré une grande circulation. Les numérations antérieurement pratiquées, en effet, constituaient une source de blocage au développement du calcul.

Il faut tout d'abord préciser que les calculateurs des pays d'Islam ne se sont pas limités à l'utilisation du système décimal positionnel indien. Lorsqu'ils faisaient des calculs astronomiques, ils utilisaient le système de numération alphabétique qui était une arabisation du système grec. Lorsqu'ils effectuaient des transactions commerciales, il leur arrivait aussi d'employer le système de numération et de calcul digital. Il y avait également le calcul mental, pour lequel des formules avaient été élaborées dans le but de faciliter certaines opérations. Il y avait enfin, uniquement en Occident musulman, un système de numération non positionnelle à vingt-sept symboles, dit « chiffres *rūmī* » (c'est-à-dire byzantins)

La numération de Fès

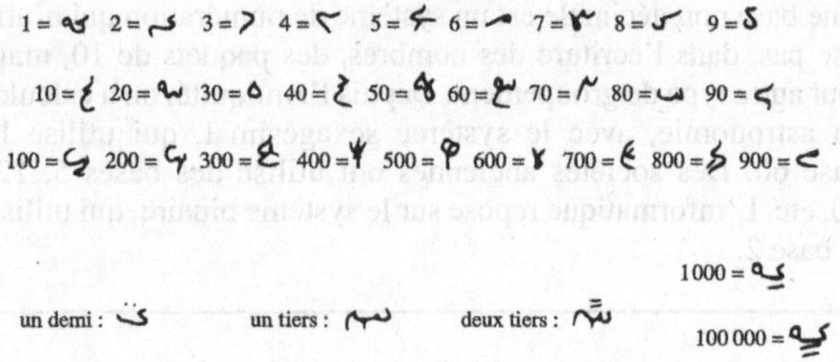

La numération alphabétique arabe

ا	ب	ج	د	ه	و	ز	ح	ط	
a	b	g	d	e	w	z	ḥ	ṭ	
1	2	3	4	5	6	7	8	9	
ي	ك	ل	م	ن	س	ع	ف	ص	
y	k	l	m	n	s	ʿ	f	ṣ	
10	20	30	40	50	60	70	80	90	
ق	ر	ش	ت	ث	خ	ذ	ض	ظ	غ
q	r	sh	t	th	kh	dh	ḍ	ẓ	gh
100	200	300	400	500	600	700	800	900	1000

Les chiffres arabes d'Orient et d'Occident

Chiffres d'Orient :

١ ٢ ٣ ۴ ۵ ۶ ٧ ٨ ٩ ٠

Chiffres d'Occident :

1 2 3 4 5 6 7 8 9 0

ou « chiffres de Fès ». Malgré la diffusion par l'école, le calcul indien n'a pas réussi à éliminer cette numération, qui s'est perpétuée au moins jusqu'au XVIIe siècle dans les administrations judiciaires et comptables de certaines villes du Maghreb extrême.

Cela dit, c'est incontestablement le système décimal positionnel indien qui va être l'outil de calcul par excellence. Depuis le premier livre de vulgarisation, publié au début du IXe siècle par al-Khwārizmī (et intitulé d'ailleurs *Livre sur le calcul indien*), des centaines de manuels ont été consacrés à ce système de numération, pour expliquer son principe, son utilisation et, surtout, la manipulation des différents algorithmes qui ont été empruntés à d'autres peuples ou inventés par des calculateurs anonymes. Ces algorithmes, nombreux et variés, permettaient de réaliser, de manière optimale, les opérations arithmétiques classiques (addition, soustraction, multiplication, division et extraction des racines carrées et cubiques).

Ces calculs se faisaient en utilisant deux types de symboles pour les dix chiffres : ceux d'Orient, qui étaient pratiqués de l'Égypte aux confins de l'Asie centrale, et ceux d'Occident (issus, comme les premiers, des symboles indiens), qui étaient en usage au Maghreb et dans la péninsule Ibérique.

L'écriture symbolique des fractions au Maghreb (XIIe siècle)

Fractions élémentaires : $\frac{1}{7}$

Fractions liées : $\frac{352}{867}\left[=\frac{2}{7}+\frac{5}{6}\times\frac{1}{7}+\frac{3}{8}\times\frac{1}{6}\times\frac{1}{7}\right]$

Fractions non liées : $\frac{3}{8}\Big|\frac{5}{6}\Big|\frac{2}{7}\left[=\frac{2}{7}\times\frac{5}{6}\times\frac{3}{8}\right]$

La multiplication par la méthode du grillage dans les différentes traditions mathématiques

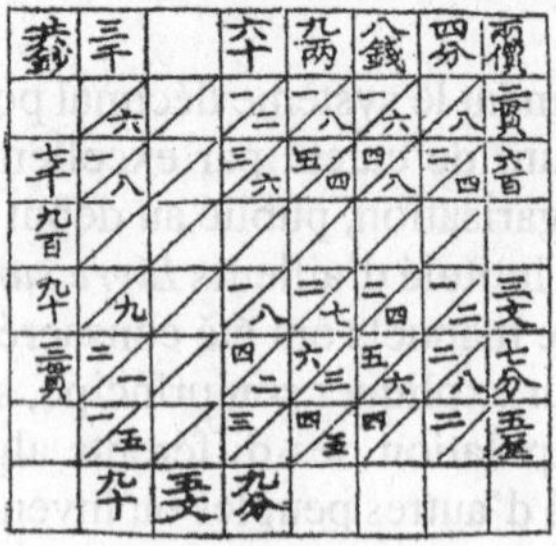

Tradition chinoise

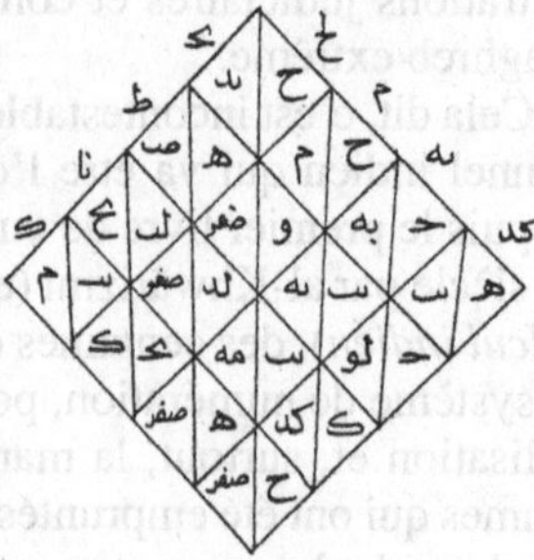

Tradition arabe

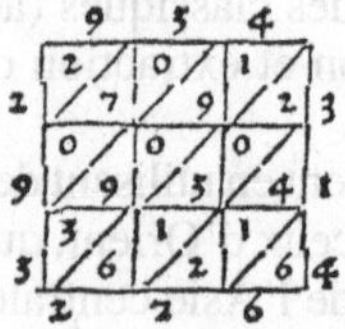

Tradition européenne

C'est d'ailleurs la proximité de ces deux régions avec l'Europe qui explique la circulation de ces symboles, appelés plus tard « chiffres arabes ». Cette même proximité a permis la circulation du symbolisme occidental des fractions (avec la fameuse barre des fractions) et non celui qui était en usage dans les manuels mathématiques d'Orient.

La naissance de l'algèbre

Le rôle joué par al-Khwārizmī dans l'adaptation du système décimal indien nous conduit à parler de son apport principal à l'histoire des mathématiques : l'invention de l'algèbre. Personne, je pense, ne refuse de l'attribuer au génie des mathématiciens arabes.

Il est effectivement admis par tous les spécialistes que l'acte de naissance officiel de l'algèbre en tant que discipline (avec un nom, des objets, des outils, des preuves et des domaines d'applications) a été la publication du petit traité de Muḥammad ibn Mūsā al-Khwārizmī intitulé *Abrégé du calcul par la restauration et la comparaison*, et dédié au calife abbasside al-Ma'mūn. À ses débuts, l'algèbre se limitait à la résolution des équations du premier et du second

Introduction du livre d'algèbre d'al-Khwārizmī

J'ai rédigé, dans le domaine du calcul par le jabr, un abrégé englobant les plus fines et les plus nobles opérations du calcul dont les hommes ont besoin pour la répartition de leurs héritages et de leurs donations, pour leurs partages et pour leurs jugements, pour leurs transactions commerciales et pour toutes les opérations qu'ils ont entre eux, relatives à l'arpentage, à la répartition des eaux de rivières, à l'architecture ainsi qu'à d'autres aspects. (…)

Lorsque j'ai réfléchi à ce dont ont besoin les gens en calcul, j'ai découvert que tout cela était des nombres et j'ai découvert que tous les nombres sont composés en fait < à partir > de l'un et que l'un est dans tous les nombres ; et j'ai trouvé que tout ce que l'on prononce comme nombres qui dépassent l'un jusqu'à dix découle de l'un ; puis dix est doublé puis triplé comme on l'a fait pour un ; il en résulte alors vingt, trente, jusqu'à cent exactement. Puis, cent est doublé et triplé comme l'on fait pour un et pour dix, jusqu'à mille ; puis mille est ainsi répété à chaque nœud jusqu'au nombre considéré.

J'ai découvert aussi que les nombres dont on a besoin dans le calcul par la restauration et la comparaison sont de trois types : ce sont les racines, les carrés et le nombre seul, non rapporté à une racine ni à un carré. Parmi eux, la racine est toute chose – parmi un, les nombres qui lui sont supérieurs et les fractions qui lui sont inférieures – qui est multipliée par elle-même. Le carré est tout ce qui résulte de la racine multipliée par elle-même. Le nombre seul est tout ce qui est exprimé comme nombre sans rapport à une racine ni à un carré.

Source : Al-Khwārizmī, *Kitāb al-jabr* [Le Livre d'algèbre]. Éd. critique par A. M. Musharrafa et M. M. Ahmad, Le Caire, 1968, p. 15-16.

degré qui contenaient une seule inconnue. Ces équations étaient obtenues après avoir choisi une inconnue dans le problème à résoudre et après avoir exprimé toutes les relations entre cette inconnue et les autres données du problème, qui, elles, étaient toutes connues.

La naissance de cette discipline n'est pas le fait du hasard et n'est pas indépendante du contexte de l'époque. Il apparaît en effet, d'après les indications des bibliographes, que le projet était en quelque sorte dans l'air du temps, dès la fin du VIIIe siècle, et que d'autres ouvrages l'ont réalisé à peu près à la même époque. L'un de ces écrits, dû à Ibn Turk, nous est partiellement parvenu. Les autres, s'ils ont réellement existé, n'ont pas encore été retrouvés. Peut-être ont-ils d'ailleurs disparu après avoir été supplantés par le livre d'al-Khwārizmī puis, plus tard, par des traités encore plus élaborés.

La première partie du livre d'al-Khwārizmī, évoquée rapidement dans son introduction par l'expression « opérations du calcul », est en fait la partie la plus importante au regard de l'histoire de l'algèbre. Elle se subdivise elle-même en plusieurs chapitres : dans le premier, l'auteur rappelle la définition du système décimal, hérité de l'Inde, puis il définit les objets de l'algèbre : les nombres (entiers et rationnels positifs), le *māl* (c'est-à-dire le bien, au sens de fortune) et la racine du *māl*. Puis, il donne les six « équations canoniques ».

Dans le deuxième chapitre, il fournit, pour chacune des six équations, un procédé de résolution permettant d'obtenir la valeur de la racine, c'est-à-dire de l'inconnue. Chaque étape de ce procédé est exprimée une première fois d'une manière générale, puis explicitée à l'aide d'un exemple. Ensuite, il expose les justifications géométriques de l'existence des solutions (positives) de chaque équation.

Dans le troisième chapitre, il présente la manière d'« algébriser » un problème donné afin de le ramener à l'une des six équations canoniques précédentes. C'est là qu'il donne la signification des termes *jabr* [restauration] et *muqābala* [comparaison] qui se trouvent dans le titre de son livre.

Les équations canoniques d'al-Khwārizmī

(1) $aX = b\sqrt{X}$; (2) $aX = c$;

(3) $b\sqrt{X} = c$ (4) (4) $aX + b\sqrt{X} = c$;

(5) $aX + c = b\sqrt{X}$; (6) $b\sqrt{X} + c = aX$

avec X = *māl* ; *a*, *b* et *c* sont des nombres positifs (nombres entiers, fractions et, quelquefois, racines carrées d'entiers).

La règle des signes

Cette règle s'énonçait ainsi :
Le produit d'un ajouté par un retranché est retranché, celui d'un ajouté par un ajouté est ajouté, celui d'un retranché par un retranché est ajouté.
D'où les formulations suivantes, en symbolisme moderne :

$$(+)(-) = (-) ;\ (-)(+) = (-) ;$$
$$(+)(+) = (+) ;\ (-)(-) = (+)$$

Signification de *jabr* et de *muqābala*

Prenons l'exemple d'un problème qui s'écrit algébriquement :

$$3x^2 - 2x + 5 = 2x^2 + 4$$

L'opération du *jabr* [restauration] consiste à éliminer toutes les expressions retranchées. Ici, il s'agit de $-2x$. On ajoute alors $2x$ aux deux termes de l'équation. Elle est alors « restaurée » ainsi :

$$3x^2 + 5 = 2x^2 + 2x + 4$$

L'opération de *muqābala* [comparaison] consiste à simplifier l'équation en comparant les termes de même espèce qui sont des deux côtés de l'égalité. Ici, il y a deux espèces qui sont concernées par cette comparaison : les x^2 et les nombres. Après simplification, il reste : $x^2 + 1 = 2x$

Dans le quatrième chapitre, il montre comment étendre les opérations arithmétiques classiques (addition, soustraction, multiplication, division et racine carrée) aux objets de l'algèbre de cette époque, qui sont le « nombre », le « bien », et la « racine du bien », (dite aussi la « chose »). Il formule également ce qui sera appelé plus tard la « règle des signes ».

Il est intéressant de remarquer que cette terminologie va être conservée par les mathématiciens postérieurs à al-Khwārizmī, qui l'enrichiront au fur et à mesure du développement de l'algèbre. On retrouvera cette terminologie légèrement modifiée dans les écrits mathématiques arabes d'Espagne et du Maghreb puis, plus tard, dans les traductions latines où certains termes, tels « nombre », « bien », « racine », « chose » (qui remplace parfois le mot « racine »), auront une traduction littérale (*numerus*, *census*, *radix*, *res*), et d'autres, comme *jabr* et *muqābala*, seront conservés tels quels dans une translittération fidèle.

Le cinquième et dernier chapitre de la première partie du livre est constitué d'une quarantaine de problèmes d'application, groupés en trois thèmes (problèmes des dizaines, des biens et des hommes), et résolus à l'aide des outils des chapitres précédents.

La seconde partie du livre, quantitativement la plus importante, est consacrée exclusivement à la résolution de problèmes de transactions commerciales, d'arpentage et de calcul des donations dans un héritage (selon la loi islamique).

Compte tenu de ce que nous savons aujourd'hui au sujet des procédés algébriques que l'on rencontre dans les traditions mathématiques préislamiques et compte tenu surtout de la manière dont ils étaient utilisés, nous pouvons affirmer, à la seule lecture du contenu des chapitres du livre d'al-Khwārizmī, que, pour la première fois, nous trouvons rassemblés dans un même ouvrage un ensemble d'éléments (définitions, opérations, procédés de résolution, démonstrations) qui étaient auparavant éparpillés et sans lien entre eux ou qui n'étaient pas formulés explicitement. De plus, on constate que, dans le livre, tous ces éléments sont assemblés selon une logique qui vise à distinguer clairement ce chapitre des autres chapitres de la science du calcul. En effet, on sait maintenant qu'à l'époque où al-Khwārizmī a rédigé son livre d'algèbre, différents procédés de calcul étaient utilisés pour résoudre les mêmes types de problèmes nés de la pratique de l'arpentage, de la répartition des héritages et des transactions commerciales. Il y avait, en particulier, la méthode de double fausse position, la méthode de l'inversion et la méthode géométrique, efficaces pour certaines catégories de problèmes et ne nécessitant pas une initiation spéciale comme c'est le cas pour l'algèbre.

Mais, avec le développement et la diffusion de l'algèbre, ces différents procédés vont être quelque peu marginalisés, du moins dans le milieu scientifique. Ailleurs, ils continueront d'être pratiqués, ainsi qu'en témoignent les manuels de calcul qui nous sont parvenus. Nous savons d'ailleurs que certains de ces manuels, ou bien leur contenu, ont circulé en Italie et dans le midi de la France. Il n'est donc pas étonnant que l'on ait retrouvé, par exemple, la méthode de fausse position dans les premiers ouvrages européens de calcul à l'usage des marchands. Du reste, la méthode a conservé, tout au long du Moyen Âge, son nom arabe puisque les Latins l'appelaient la « méthode d'alcatayn ».

L'âge d'or de l'algèbre arabe

Peut-on résumer l'essor de cette discipline nouvelle après l'époque d'al-Khwārizmī ?

Il est impossible de suivre l'évolution de l'algèbre depuis ses premiers pas, c'est-à-dire depuis l'époque où elle se limitait à la résolution des équations de degré inférieur ou égal à deux. Mais l'étude du contenu de certains manuscrits importants permet de dégager les progrès essentiels qu'elle a connus et qui ont abouti à son autonomie vis-à-vis des autres disciplines (en particulier la géométrie), à l'extension de son domaine et à son intervention croissante comme instrument de résolution de problèmes pratiques ou théoriques.

On ne connaît pas encore l'apport des premiers commentateurs du livre d'al-Khwārizmī, qui ont publié leurs écrits dans la seconde moitié du IXe siècle, parce que, tout simplement, aucun de leurs ouvrages ne nous est parvenu. On constate néanmoins que, avec les travaux d'Abū Kāmil et de ses successeurs immédiats, de nouveaux progrès se manifestent clairement : d'abord l'intervention systématique des nombres réels positifs (c'est-à-dire autres que les entiers et les fractions), dans la résolution des équations, à la fois comme coefficients et comme racines. Puis, on observe un début d'extension des opérations arithmétiques aux inconnues et aux monômes de degré quelconque. Ces dernières initiatives vont préparer la voie à l'élaboration de l'algèbre des polynômes, qui a été l'œuvre des successeurs d'Abū Kāmil, comme al-Karajī, as-Samaw'al et peut-être d'autres.

On ne connaît pas non plus la contribution des mathématiciens d'Espagne et du Maghreb à l'élaboration de ce chapitre de l'algèbre, à cause de la disparition de certains traités dont la publication est attestée par les bibliographes. Mais on sait que tous ses aspects, même les plus élaborés, ont été introduits dans l'enseignement andalou et maghrébin, et sont encore présents dans les ouvrages du XIVe et du XVe siècle, comme le *Rashfat ar-ruḍāb* [La Succion du nectar] d'al-Qaṭrawānī (XIVe s.), le *Kashf al-jilbāb* [Le Soulèvement de la tunique] d'al-Qalaṣādī ou le *Bughyat aṭ-Ṭullāb* [Le Souhait des étudiants] d'Ibn Ghāzī (m. 1513).

Grâce à ces instruments nouveaux, rapidement intégrés à l'enseignement supérieur de l'époque, de nouvelles recherches prennent forme et de nouvelles orientations se dessinent : analyse indéterminée par l'école d'al-Karajī, théorie des équations cubiques[10] par Abū-l-Jūd, al-Khayyām et Sharaf ad-Dīn aṭ-Ṭūsī (m. 1213), théorie de l'approximation par Ibn Labbān (Xe s.), Ibn Mun^c^im, aṭ-Ṭūsī et al-Kāshī (m. 1429). Parallèlement à ces investigations, on observe, à l'intérieur de l'algèbre classique cette fois, une tendance à se libérer de la géométrie. On l'a vu, cette discipline a accompagné l'algèbre dès sa naissance en lui procurant les outils nécessaires à la validation des algorithmes utilisés. Mais,

10. Il s'agit des équations de degré inférieur ou égal à 3.

avec le développement de certains chapitres de l'algèbre, les démarches géométriques sont devenues, ici ou là, un frein très sérieux. Les premiers signes de cette libération se trouvent déjà chez Abū Kāmil, qui ne tient plus compte de la sacro-sainte homogénéité dans la manipulation des différentes grandeurs géométriques. À son tour, al-Karajī, tout en conservant les preuves géométriques de ses propositions, a introduit à leur côté des preuves algébriques. Cet effort a été poursuivi par Sharaf ad-Dīn aṭ-Ṭūsī, qui continue à utiliser des figures comme support mais raisonne sur les expressions polynomiales des équations qu'il a à étudier.

Malgré les fortes résistances d'une tradition issue de la géométrie, entretenue par l'enseignement, la tendance à l'algébrisation a fini par s'imposer un peu partout. On en a une preuve indiscutable dans des écrits maghrébins du XIVe siècle : dans les deux ouvrages d'Ibn al-Bannā (m. 1321) qui traitent de questions d'algèbre, à savoir *Le Lever du voile sur les < différents > types d'opérations du calcul* et *Le Livre des fondements et des préliminaires*, les démonstrations accompagnant la résolution des équations classiques n'ont plus aucun support géométrique, mais sont exprimées dans un langage dépouillé et général, immédiatement traduisible en symboles algébriques.

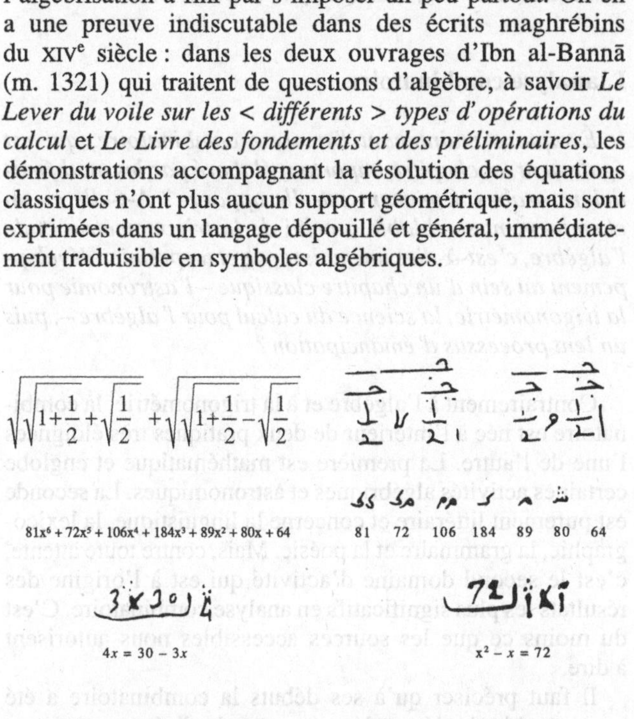

$\sqrt{\sqrt{1+\frac{1}{2}}+\sqrt{\frac{1}{2}}}+\sqrt{\sqrt{1+\frac{1}{2}}-\sqrt{\frac{1}{2}}}$
$81x^6 + 72x^5 + 106x^4 + 184x^3 + 89x^2 + 80x + 64$
81 72 106 184 89 80 64
$4x = 30 - 3x$
$x^2 - x = 72$

Le symbolisme algébrique et son utilisation au Maghreb

Ce n'est d'ailleurs pas un hasard que ce soit également dans les ouvrages maghrébins des XIVe et XVe siècles que l'on découvre un symbolisme mathématique relativement élaboré et utilisé non seulement dans les chapitres consacrés au calcul (fractions, extractions de racines), mais également dans ceux de l'algèbre (opérations sur les polynômes, résolution d'équations). En attendant des éléments nouveaux, il paraît raisonnable d'attribuer l'invention de ce symbolisme aux mathématiciens maghrébins, qui ont été, de toute manière, les seuls aux XIVe, XVe et XVIe siècles à l'avoir utilisé. Ces mathématiciens semblent avoir saisi très vite, d'ailleurs, l'importance de cet outil, puisqu'ils l'ont introduit à tous les niveaux de l'enseignement, comme le confirment les ouvrages d'Ibn Qunfudh (m. 1406), d'al-Qalaṣādī et d'Ibn Ghāzī.

L'analyse combinatoire

Évoquons maintenant l'analyse combinatoire, qui est également un chapitre important élaboré par les mathématiciens arabes. Comment est-elle apparue ? A-t-elle eu un cheminement semblable à celui de la trigonométrie et de l'algèbre, c'est-à-dire une naissance et un premier développement au sein d'un chapitre classique – l'astronomie pour la trigonométrie, la science du calcul pour l'algèbre –, puis un lent processus d'émancipation ?

Contrairement à l'algèbre et à la trigonométrie, la combinatoire est née à l'intérieur de deux pratiques très éloignées l'une de l'autre. La première est mathématique et englobe certaines activités algébriques et astronomiques. La seconde est purement littéraire et concerne la linguistique, la lexicographie, la grammaire et la poésie. Mais, contre toute attente, c'est le second domaine d'activité qui est à l'origine des résultats les plus significatifs en analyse combinatoire. C'est du moins ce que les sources accessibles nous autorisent à dire.

Il faut préciser qu'à ses débuts la combinatoire a été un ensemble de démarches, non standardisées, permettant d'énumérer ou de dénombrer des configurations d'objets[11]. Elle s'est ensuite étendue à la construction des configurations elles-mêmes. Ce n'est que dans une troisième étape qu'elle s'est engagée dans l'établissement des premières formules permettant de calculer, sans énumération fastidieuse, le nombre de configurations d'un problème donné.

C'est dans un ouvrage maghrébin du XIIIe siècle, *Fiqh al-ḥisāb* [La Science du calcul], d'Ibn Munᶜim, qu'apparaît, pour la première fois à notre connaissance dans l'histoire des mathématiques, un chapitre autonome traitant de combinatoire. Mais, pour que ce chapitre s'élabore et se manifeste d'une manière indépendante, il a fallu une longue pratique qui a favorisé la formation d'algorithmes de dénombrement et, parfois, des tentatives de justification des résultats par des démonstrations plus ou moins rigoureuses.

Dans le domaine scientifique, c'est l'astronomie qui a donné l'occasion aux mathématiciens de s'initier aux premières démarches combinatoires. C'est ce qu'a fait Thābit Ibn Qurra dans son *Épître sur la figure sécante*, où il utilise des tableaux pour énumérer puis dénombrer les différents cas d'un même résultat géométrique. Après lui, al-Bīrūnī a dénombré, dans son *Livre sur les clés de l'astronomie*, toutes les équations issues d'un triangle sphérique. Dans ces deux ouvrages, ce sont des dénombrements élémentaires qui interviennent. Il n'est donc pas étonnant qu'aucun des deux mathématiciens n'ait eu à chercher à déterminer la règle générale et encore moins une formule combinatoire.

En algèbre, on peut également citer deux ouvrages contenant quelques aspects combinatoires : le *Livre sur les choses rares en calcul* d'Abū Kāmil et *Le Livre flamboyant sur l'algèbre* d'as-Samaw'al. Le premier traite de la résolution de certains systèmes d'équations indéterminées, énoncés sous forme de problèmes d'oiseaux : la recherche des solutions utilise, en plus des techniques de l'algèbre, les dénombrements par énumération d'un ensemble d'entiers. Dans le

11. Une configuration est une correspondance entre un ensemble quelconque d'objets et un ensemble fini abstrait muni d'une structure.

second ouvrage, des éléments de combinatoire interviennent à l'occasion d'une réflexion sur l'algèbre, ses objets et ses instruments. Mais, dans les deux cas, les contraintes liées aux problèmes et la nature des dénombrements effectués ne nécessitaient pas l'établissement de formules ou de propositions combinatoires.

Quant au second domaine où la combinatoire intervient naturellement, c'est al-Khalīl Ibn Aḥmad, le premier linguiste arabe, qui en est l'instigateur. Ses travaux en lexicographie et en métrique arabes contiennent les premières démarches et les premiers calculs à caractère combinatoire. Ces calculs ont concerné le dénombrement de toutes les combinaisons des vingt-huit lettres de l'alphabet arabe pour former des mots de deux, trois, quatre ou cinq lettres. Après lui, des grammairiens éminents, tels Sībawayh (m. 796) et Ibn Jinnī (m. 1000), des lexicographes, comme Ibn Durayd (m. 933), et des spécialistes de la métrique, comme al-Akhfash (m. 793), ont eu à aborder les mêmes types de problèmes en tenant compte des spécificités de la langue arabe (en particulier l'introduction des voyelles pour s'assurer de la bonne prononciation des lettres).

C'est à cette tradition (et non à celle des mathématiciens) que s'est référé explicitement le mathématicien maghrébin du XIIIe siècle Ibn Munᶜim lorsqu'il a entrepris d'élaborer son chapitre de combinatoire. En effet, dans la onzième section de son livre, il expose les règles générales, soigneusement démontrées (selon les critères de l'époque), qui permettent de dénombrer non seulement les mots de la langue arabe, mais également ceux de n'importe quelle langue utilisant un nombre quelconque de lettres et de signes. Dans le problème I, Ibn Munᶜim établit, à partir d'un ensemble de couleurs de soie qui va jouer le rôle de modèle abstrait, une règle permettant de déterminer le nombre de combinaisons de n objets p à p. Pour cela, il construit un tableau numérique triangulaire à l'aide duquel il établit la formule permettant de déterminer le nombre cherché. Ibn Munᶜim donne ainsi, pour la première fois à notre connaissance et selon une démarche strictement combinatoire, le fameux triangle arithmétique, longtemps attribué à Pascal puis à Cardan, et que les algébristes du centre

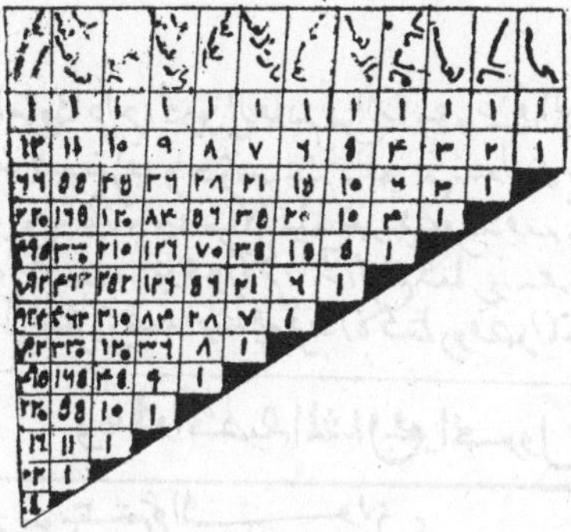

Le triangle arithmétique d'al-Karajī

de l'Empire musulman (comme al-Karajī) avaient déjà obtenu à partir de préoccupations purement algébriques.

L'étude d'Ibn Mun^{c}im se poursuit par l'établissement des formules relatives aux permutations d'un ensemble de lettres, avec ou sans répétitions[12], et de la relation de récurrence donnant le nombre de lectures possibles d'un mot de *n* lettres, compte tenu des voyelles et d'autres signes diacritiques spécifiques à une langue donnée. Ces résultats, et d'autres sur les arrangements et les combinaisons avec répétitions, lui permettent de déterminer les dénombrements cherchés.

Dans la deuxième moitié du XIIIe siècle ou au début du XIVe, un autre mathématicien maghrébin, Ibn al-Bannā, a repris une partie de ces résultats en y ajoutant une formule arithmétique importante, dont il revendique d'ailleurs la paternité, et qui permet d'éviter les tableaux dans le calcul des combinaisons. Cette formule sera redécouverte par Pascal, trois siècles plus tard.

À partir de là, on repère dans les écrits mathématiques maghrébins deux progrès significatifs au regard de l'histoire

12. Les permutations des trois lettres a, b, c, sont toutes les configurations obtenues à partir de ces trois lettres, c'est-à-dire : (a, c, b), (a, b, c), (b, c, a), (b, a, c), (c, b, a), (c, a, b).

وهكذا تخطيط المثال في الجدول											جدول جمع الجداول
من عشرة الوان										1	1
جدول الشرايب التي من تسعة الوان									1	9	10
جدول الشرايب التي من ثمانية الوان								1	8	36	45
جدول الشرايب التي من سبعة الوان							1	7	28	84	120
جدول الشرايب التي من ستة الوان						1	6	21	56	126	210
من خمسة الوان					1	5	15	35	70	126	252
من اربعة الوان				1	4	10	20	35	56	84	210
من ثلاثة الوان			1	3	6	10	15	21	28	36	120
من لونين لونين		1	2	3	4	5	6	7	8	9	45
من لون لون	1	1	1	1	1	1	1	1	1	1	10
	اللون الاول	اللون الثاني	اللون الثالث	اللون الرابع	اللون الخامس	اللون السادس	اللون السابع	اللون الثامن	اللون التاسع	اللون العاشر	جمع الالوان

صنعة العمل بالجدول

Le triangle d'Ibn Munᶜim

Les résultats de combinatoire établis par Ibn Mun^{c}im et Ibn al-Bannā

Théorèmes d'Ibn Mun^{c}im

Permutations sans répétition :

$$n! = n.(n-1)(n-2)\dots 3.2.1$$

Permutations avec répétition d'une ou de plusieurs lettres :

$$P_n^k = \frac{n!}{k!}$$

Permutations avec répétition de p lettres :

$$P_n^{k_1 \dots k_p} = \frac{n!}{k_1! \dots k_p!}$$

Combinaisons :

$$C_n^p = C_{n-1}^{p-1} + \dots + C_{p-1}^{p-1}$$

Théorème d'Ibn al-Bannā

$$C_n^p = \frac{n(n-1)\dots(n-p+1)}{p(p-1)\dots 2.1}$$

de cette discipline : en premier lieu, l'extension du champ d'application du formulaire connu et des raisonnements combinatoires. En second lieu, une prise en compte des problèmes de dénombrement en général, dans des domaines très variés et pas toujours mathématiques. C'est le cas, par exemple, de la détermination du nombre de prières à effectuer pour compenser celles qui ont été oubliées, ou bien du calcul du nombre de lectures d'une phrase, compte tenu des règles de la grammaire arabe.

L'existence de tous ces aspects de la pratique combinatoire nous autorise à dire qu'une nouvelle discipline était en gestation à la fin du XIIe siècle ou au début du XIIIe. Ses caractéristiques étaient d'abord une démarche, distincte de celle des autres branches des mathématiques de l'époque, puis un formulaire tout à fait opératoire avec les premiers éléments d'une terminologie, enfin un domaine d'application. Pourtant, cet ensemble d'éléments et de pratiques n'a pas suffi pour que la combinatoire ait un nom qui l'aurait distinguée des disciplines mathématiques traditionnelles et en particulier de l'arithmétique. Bien sûr, le processus de déclin des activités scientifiques qui s'amorce à la fin du XIIIe siècle n'a pas arrangé les choses. Comme le symbolisme, la combinatoire avait besoin d'un nouveau souffle. C'est dans l'Europe du XVIIe siècle qu'il se manifestera.

Nous n'avons abordé que les réussites des mathématiciens arabes. Il serait également intéressant de traiter, fût-ce plus rapidement, des échecs qu'ils ont dû rencontrer, comme tous les scientifiques du reste, quelles que soient leur spécialité et l'époque où ils ont vécu.

Les mathématiciens des pays d'Islam ont effectivement connu des échecs et ils se sont heurtés, de nombreuses fois, à des obstacles techniques ou conceptuels. Ils en ont contourné quelques-uns et ont reconnu leur incapacité à en éliminer d'autres. Ces échecs ont revêtu des formes très variées : hypothèses erronées, propositions fausses, problèmes non résolus, tentatives fécondes mais restées inachevées, etc.

Les chercheurs arabes du Moyen Âge, comme les autres, semblent répugner à évoquer les échecs dans leurs disciplines, sauf dans deux cas précis. D'abord, lorsqu'une véritable tradition, dans laquelle ils sont parfois impliqués, a consacré en quelque sorte le caractère ouvert du problème. C'est le cas, par exemple, du mathématicien du XIIIe siècle Ibn al-Khawwām (m. 1325), qui conclut son livre *Les Choses utiles relatives aux règles du calcul* par une liste de trente-deux problèmes algébriques non résolus, en faisant remarquer, avec prudence, qu'il n'a pas pu démontrer l'impossibilité de ces problèmes, mais qu'il est possible que des chercheurs plus qualifiés en viennent à bout. On apprécie d'autant plus sa remarque aujourd'hui, que les problèmes n° 3 et n° 23 de cette liste sont les deux premiers cas de la fameuse conjecture de Fermat que nous avons déjà évoquée. Enfin, lorsque cette évocation leur permet de mettre en valeur leur contribution personnelle et donc leur réussite du moment. C'est ainsi que ᶜUmar al-Khayyām, avant de développer sa théorie géométrique des équations cubiques, rappelle l'impuissance d'al-Māhānī à résoudre l'équation du troisième degré issue du fameux problème d'Archimède qui consiste à couper une sphère en deux parties selon un rapport donné. En écrivant cela à la fin du XIe siècle, al-Khayyām révèle en fait, à travers l'échec de tel ou tel scientifique, les limites d'une certaine mathématique.

Il y a enfin un dernier aspect concernant, non pas les échecs, mais les limites qu'a connues l'activité mathématique arabe à cause de facteurs extérieurs à la science. En premier lieu, il faut mentionner les crises politiques internes et, à partir du XIe siècle, les affrontements externes qui se sont traduits par un rétrécissement de l'aire géopolitique musulmane et par la perte de son hégémonie commerciale internationale. L'effet indirect de ces phénomènes sur l'activité mathématique a été, à moyen terme, un ralentissement des activités liées aux nouvelles orientations, puis leur extinction lente. C'est le cas, au XIe siècle, des travaux d'Ibn Sayyid d'Espagne sur les courbes gauches et les courbes planes de degré supérieur à trois. C'est probablement le cas, au XIIIe siècle, des recherches en analyse combinatoire et de l'utilisation du symbolisme algébrique. Ces tentatives, résultats d'un long processus de maturation, ont vu le jour à des époques où les sociétés n'étaient plus aptes à favoriser leur développement, ni même leur diffusion, parce qu'elles ne pouvaient plus garantir les conditions d'une activité scientifique normale.

*

RÉFÉRENCES BIBLIOGRAPHIQUES

Aballagh M., *Le Raf^c al-ḥijāb d'Ibn al-Bannā* [Le Lever du voile d'Ibn al-Bannā], thèse de doctorat, université de Paris I-Panthéon-Sorbonne, 1988.

Ahmad S. et Rashed R., *al-Bāhir fī l-jabr li s-Samaw'al al-Maghribī* [Le Livre flamboyant en algèbre d'as-Samaw'al al-Maghribī], Damas, Imprimerie de l'université de Damas, 1972.

Anbouba A., *L'Algèbre al-Badī^c d'al-Karajī*, Beyrouth, Publications de l'Université libanaise, 1964.

Anbouba A., « L'algèbre arabe aux IXe et Xe siècles », *Journal for the History of Arabic Science*, vol. 2, n° 1, mai 1978, p. 66-100.

Caveing M., *Essai sur le savoir mathématique dans la Mésopotamie et l'Égypte anciennes*, Lille, Presses universitaires de Lille, 1994.

Caveing M., *La Figure et le Nombre. Recherches sur les premières mathématiques des Grecs*, Lille, Presses universitaires de Lille, 1997.

Caveing M., *L'Irrationalité dans les mathématiques grecques jusqu'à Euclide*, Lille, Presses universitaires de Lille, 1998.

Coumet E., *Mersenne, Frénicle et l'élaboration de l'analyse combinatoire dans la première moitié du XVIIe siècle*, thèse de 3e cycle, Paris, 1968.

Dahan-Dalmedico A. et Peiffer J., *Routes et Dédales*, Paris-Montréal, Études vivantes, 1982. Réédité sous le titre *Une histoire des mathématiques. Routes et dédales*, Paris, Éditions du Seuil, coll. « Points Sciences », 1986.

Debarnot M.-Th., *La Trigonométrie sphérique chez les Arabes de l'Est à la fin du Xe siècle*, Damas, Institut français de Damas, 1985.

Djebbar A., « Enseignement et recherche mathématiques dans le Maghreb des XIIIe-XIVe siècles », Paris, *Publications mathématiques d'Orsay*, 1980, n° 81-02.

Djebbar A., « L'analyse combinatoire au Maghreb : l'exemple d'Ibn Mun^cim (XIIe-XIIIe siècles) », Paris, *Publications mathématiques d'Orsay*, 1985, n° 85-01.

Djebbar A., « Quelques aspects de l'algèbre dans la tradition mathématique arabe de l'Occident musulman », in *Actes du Ier Colloque maghrébin sur l'histoire des mathématiques arabes* (Alger, 1er-3 décembre 1986), version française, Alger, La Maison des Livres, 1988, p. 101-123.

Djebbar A., « Quelques aspects de l'algèbre dans la tradition mathématique arabe d'Orient », in *Actes de l'Université d'été sur l'histoire des mathématiques* (Toulouse, 6-12 juillet 1986), Toulouse, IREM, 1988, p. 257-286.

Djebbar A., *Mathématiques et mathématiciens du Maghreb médiéval (IXe-XVIe siècles). Contribution à l'étude des activités scientifiques de l'Occident musulman*, thèse de doctorat, université de Nantes-université de Paris-Sud, 1990, 2 vol.

Djebbar A. et Rashed R., *L'Œuvre algébrique d'al-Khayyām*, Alep, IHAS, 1981.

Djebbar A. et Jaouiche K., *Ibn al-Haytham. Le Livre sur l'analyse et la synthèse*, Berlin, Birkhäuser. Sous presse.

Hogendijk J. P., « Le roi géomètre al-Mu'taman Ibn Hūd et son livre de la perfection (Kitāb al-Istikmāl) », in *Actes du Ier Colloque maghrébin sur l'histoire des mathématiques arabes* (Alger, 1er-3 décembre 1986), Alger, La Maison des Livres, 1988, p. 51-66.

Ibn al-Bannā' de Marrakech, *L'Abrégé des opérations du calcul*, éd. critique, trad. française et commentaires par M. Souissi, Tunis, Publications de l'université de Tunis, 1969.

Jaouiche K., *La Théorie des parallèles chez les Arabes*, Paris, Vrin, 1986.

Lamrabet D., *Introduction à l'histoire des mathématiques maghrébines*, Rabat, Imprimerie al-Macārif al-jadīda, 1994.

Rashed R., *Entre arithmétique et algèbre. Recherches sur l'histoire des mathématiques arabes*, Paris, Les Belles Lettres, 1984.

Sesiano J., « Le traitement des équations indéterminées dans le Badīc fī l-ḥisāb d'Abū Bakr al-Karajī », *Archive of History of Exact Sciences*, vol. XVII, n° 4, 1977, p. 297-379.

Sesiano J., « Les méthodes d'analyse indéterminée chez Abū Kāmil », *Centaurus*, vol. XXI, n° 2, 1977, p. 89-105.

Sesiano J., *Un traité médiéval sur les carrés magiques*, Lausanne, Presses polytechniques et universitaires romandes, 1996.

Sesiano J., *Une introduction à l'histoire de l'algèbre*, Lausanne, Presses polytechniques et universitaires romandes, 1999.

Woepcke F., « Note sur des notations algébriques employées par les Arabes », *Comptes rendus de l'Académie des sciences*, vol. XXXIX, 1854, p. 162-165.

Youschkevitch A. P., *Les Mathématiques arabes (VIIIe-XVe siècle)*, Paris, Vrin, 1976.

7. La physique

Quels sont les champs disciplinaires englobés par la physique dans l'Empire musulman ? Nous savons que certains des chapitres de l'actuelle physique n'existaient pas ou étaient embryonnaires et parcellaires. Qu'en est-il des autres, ceux dont l'existence est antérieure à la naissance de l'Islam ?

En substance, la physique arabe comprend la statique, à savoir tout ce qui est relatif à l'équilibre des corps solides ou liquides (hydrostatique), la dynamique, c'est-à-dire la partie qui concerne le mouvement des corps solides ou liquides (hydrodynamique), et l'optique géométrique. On doit y inclure un ensemble de travaux relatifs à la description de ce que les auteurs arabes nomment les « procédés ingénieux » et à la réflexion sur leurs principes de fonctionnement, vaste domaine qui comprend la mécanique utilitaire (engins de levage, dispositifs hydrauliques…), la technologie militaire et la mécanique d'agrément, c'est-à-dire l'ensemble des appareillages dont la finalité est de distraire.

L'étude du mouvement des projectiles était-elle comprise dans la dynamique ?

Oui, mais elle a été surtout développée en rapport avec la technologie militaire, sujet sur lequel un certain nombre de livres spécialisés ont été publiés par des auteurs arabes. Il ne semble pas cependant, au vu des documents connus et analysés, que cette technologie ait eu des prolongements théoriques. Il faut toutefois signaler que des philosophes, tels Ibn Sīnā, Fakhr ad-Dīn ar-Rāzī et d'autres, se sont intéressés à la notion de mouvement et qu'ils ont produit une réflexion à ce sujet qui est restée dans le cadre de la philosophie aristotélicienne.

Les travaux en physique sont-ils principalement théoriques, ou bien les savants arabes se sont-ils intéressés également à leurs applications, comme pourraient le laisser penser les exemples précédents ?

Les deux aspects ont cohabité avec des imbrications plus ou moins importantes suivant les sujets et les auteurs. Il y a eu, par exemple, des recherches théoriques motivées par le seul souci de réactiver une tradition scientifique et de prolonger les travaux des prédécesseurs par des contributions nouvelles. Ce fut le cas de toutes les contributions consécutives aux résultats théoriques grecs. Mais il y a eu aussi des travaux qui visaient essentiellement ou exclusivement la résolution de problèmes concrets. C'est le cas des technologies utilitaires (engins de guerre, moulins hydrauliques et éoliens, etc.).

Les sources

Quelles sont les sources de la physique arabe, quels sont les héritages qui lui ont permis de prendre son essor ?

Contrairement à ce qui s'est passé pour d'autres disciplines, la physique théorique arabe n'est redevable qu'à la tradition grecque.

Grecque et alexandrine ?

Oui bien sûr, je ne sépare pas, ici, ces deux traditions. Il faudrait y ajouter, évidemment, les influences provenant des traditions locales, qui sont du domaine de la technologie. Comme on le sait, les mises au point de dispositifs hydrauliques pour l'irrigation, par exemple, tant en Asie centrale qu'en Mésopotamie, en Égypte ou ailleurs, n'ont pas attendu l'avènement de l'Islam. Ces traditions se sont progressivement fondues dans le nouveau corpus.

Le constat est donc différent de celui de l'astronomie ou de la médecine. En physique, pas d'apports indiens ou per-

sans. La physique arabe poursuit uniquement la tradition grecque ?

Oui, pour ce qui est de la physique savante. Ce sont d'ailleurs les auteurs arabes qui le disent. Et ce sont eux qui ont consciencieusement répertorié la liste des traductions des ouvrages grecs, discipline par discipline.

Pour la statique, cette liste doit être relativement limitée. L'essentiel de la statique scientifique grecque figure dans l'œuvre d'Archimède. On doit donc pouvoir parler ici de tradition archimédienne…

En ce qui concerne la statique des solides, oui. Il s'agit principalement des écrits d'Archimède. Pour l'hydrostatique, figurent des références à trois auteurs grecs : Archimède bien sûr, mais également Euclide et Ménélaüs.

Les orientations de la physique arabe

Nous connaissons la méthodologie des physiciens grecs et alexandrins. Elle a été explicitée par Aristote. Une évolution sensible s'est produite chez quelques auteurs ultérieurs, Archimède notamment, sans que pour autant elle en ait été fondamentalement modifiée. Peut-on considérer que la démarche des physiciens arabes, héritiers de la Grèce, soit restée identique à ce qu'elle était au IIIe *siècle avant J.-C. ?*

Elle s'est partiellement transformée, *a fortiori* par rapport à la mécanique d'Aristote, mais aussi par rapport à ce que l'on connaît de la physique d'Archimède. La démarche d'Aristote est surtout qualitative, celle d'Archimède est déjà plus scientifique à nos yeux. Les savants arabes vont plus loin qu'Aristote, dans la mesure où ils ne se contentent pas d'intégrer sa dynamique ; ils y introduisent des éléments mathématiques s'inscrivant ainsi beaucoup plus dans la tradition d'Archimède, qu'ils vont s'efforcer de prolonger et d'approfondir, toujours dans le sens d'une mathématisation

Méthodologie de la science grecque

La science est incluse dans une conception philosophique d'ensemble de la nature, conception qui, par rapport à l'étude des phénomènes eux-mêmes, est souvent *a priori*. Le physicien observe mais sans pour autant multiplier les observations. Une seule constatation peut lui suffire. Par ailleurs, le témoignage constitue pour lui une preuve scientifique valable. Il peut lui arriver de pratiquer une expérience, mais ce n'est pas systématique. En général, il ne mesure pas. Sa physique est essentiellement qualitative. Les formulations scientifiques ne sont pas mathématiques : pas de formules, pas d'équations chez Aristote. Cela change partiellement à partir d'Archimède.

croissante. C'est ainsi que les outils mathématiques, intégrés, perfectionnés ou élaborés par les Arabes vont continuer à s'introduire progressivement en physique. C'est le cas de l'algèbre et de la trigonométrie.

La science devient aussi plus quantitative dans le sens où, comme on le verra par la suite, la pratique de la mesure intervient parfois pour l'établissement de certains résultats. Autre changement tout à fait capital et sans doute encore plus net que le précédent : la pratique de l'expérience fait son entrée, non plus de manière accidentelle et sporadique comme chez Aristote, mais en tant que dimension constitutive de la méthodologie de ces physiciens.

Peut-on la qualifier d'expérimentation « à part entière » ?

Je le pense, tout au moins dans certains cas, en optique par exemple, et en mécanique.

L'étude de la réfraction par Ptolémée relève déjà, à mon avis, d'une démarche véritablement expérimentale.

Certainement, mais des auteurs comme Ibn al-Haytham, et davantage encore al-Fārisī, nous donnent une version bien plus achevée de cette démarche. Un exemple très intéressant chez ces deux physiciens est l'étude de l'arc-en-ciel et son évolution entre les travaux du premier et ceux du second. À ce sujet, Ibn al-Haytham observe et formule une hypothèse, laquelle se révèle d'ailleurs erronée par la suite. Al-Fārisī expérimente vraiment et propose une explication que l'on peut juger cohérente, complétant son raisonnement par un aller-retour entre la spéculation théorique et l'expérience.

En fait, ce qui constituera l'une des dimensions fondamentales de la « révolution scientifique galiléenne » au XVII*e siècle – le recours systématique à l'expérimentation – figure, et davantage qu'en germe, chez les physiciens arabes ?*

Exactement, de même d'ailleurs que l'utilisation, en physique, du langage mathématique, même si c'est à un degré moindre.

Avant d'aborder les différentes disciplines de la physique dans le détail, pourrait-on avoir une idée des contributions essentielles des physiciens arabes ?

Dans l'état actuel des recherches, les spécialistes de l'histoire de la physique évoquent des contributions dans le cadre des disciplines grecques anciennes et en dehors d'elles. En premier lieu, on attribue aux physiciens arabes la généralisation de la théorie archimédienne des centres de gravité à des objets à trois dimensions, avec l'introduction d'une approche dynamique dans l'étude de la statique et l'amélioration des procédés de détermination des poids spécifiques. Comme prolongement théorique de ce domaine, il faut signaler le développement du chapitre sur la pesanteur. En second lieu, on observe la mise au point d'une théorie du levier[1] pondérable, le regroupement de la statique et de la dynamique en une seule discipline, et l'introduction d'une

1. C'est un corps solide, mobile autour d'un point fixe, qui est le point d'appui, et qui permet de multiplier une force dans le but de soulever des fardeaux.

approche dynamique dans l'étude de l'hydrostatique, créant ainsi les conditions de la naissance d'une nouvelle discipline, l'hydrodynamique.

La statique

La statique est l'étude de l'équilibre des corps, et singulièrement celle de la notion de force. La physique arabe comprend-elle des précisions à ce sujet ?

Pour les physiciens arabes, comme pour leurs prestigieux prédécesseurs grecs, la statique est la science de la pesée qui étudie les forces, les poids, la pesanteur, les leviers, les centres de gravité[2]. À travers ces travaux, les savants ont cherché à dégager des lois, celles relatives à l'équilibre par exemple, et à résoudre des problèmes concrets comme ceux des pesées, de la détermination de la composition des alliages, de la conception de mécanismes permettant de soulever et de déplacer des objets lourds.

Comme chacun sait, les concepts les plus anciens de la physique dérivent, la plupart du temps, de notions intuitives qui font partie de la culture de base de tous les individus. C'est notamment le cas du mot « force », mais aussi de la majorité des termes de la mécanique théorique de l'époque. La plupart d'entre eux existent déjà dans le langage courant dès la Grèce archaïque. Les scientifiques des pays d'Islam vont reprendre ceux qu'ils vont rencontrer déjà dans les manuscrits traduits et leur trouver un équivalent dans la langue arabe.

Aristote a été le premier à tenter une synthèse générale de tout ce que l'on englobe sous le vocable de mécanique. Tant et si bien, d'ailleurs, que les auteurs postérieurs se sont le plus souvent positionnés par rapport à son œuvre. Nous en verrons ultérieurement un exemple, à propos du mouvement des projectiles.

2. C'est le point d'application des forces exercées par la pesanteur sur toutes les parties d'un corps.

Le concept de force

Le mot arabe qui désigne la force est *quwwa*. Il est construit à partir de la racine trilitère *qawiya* (s'affermir, se consolider, se fortifier). Il était également utilisé, en particulier par les philosophes, pour désigner la puissance, par opposition à l'acte (*fiᶜl*). Aujourd'hui, la force est la cause capable de déformer un corps ou d'en modifier le mouvement, la direction, la vitesse.
En physique, on définit la force associée à un corps comme le produit de sa masse par l'accélération qu'il subit.

Mais si l'on évoque le discours scientifique dans sa globalité et pas seulement la terminologie utilisée, la statique d'Archimède marque une réelle avancée par rapport à Aristote. Ses exposés et ses démonstrations sont en effet complètement géométrisés. Contrairement à Aristote, Archimède traite la statique comme une discipline en soi. Il aborde les centres de gravité, l'équilibre des plans – qui conduit notamment à la démonstration du principe du levier – et, bien sûr, l'équilibre des corps flottants, qui a donné lieu à un mémoire largement passé à la postérité. Le levier est un objet technique utilisé empiriquement depuis la lointaine préhistoire. Archimède en développe la première étude scientifique. Même remarque pour les corps flottants : les bateaux existaient bien avant Archimède. Mais ce dernier en a établi le principe qui porte son nom.

Les premiers physiciens arabes vont évidemment hériter de ces avancées à partir des écrits auxquels ils ont pu accéder. Ils vont également bénéficier de la formulation grecque des concepts de base et ils vont l'adapter comme il l'ont fait pour les autres disciplines.

Que trouve-t-on, dans la statique arabe, qui ne soit pas une simple reprise de celle des Grecs ?

Il faut d'abord préciser que la production arabe en statique a été quantitativement importante : soixante écrits nous sont parvenus. Sur le plan qualitatif, des résultats significa-

Statique et chute des corps chez Aristote

Le monde est formé de quatre « éléments premiers » : le feu, l'air, l'eau et la terre. Un cinquième élément – l'éther – est le constituant des cieux. Il est divin et donc parfait.
Chaque élément – comme toute matière, du reste – contient du « lourd » et du « léger », en proportion variable. Le plus léger est le feu ; ensuite vient l'air, puis l'eau, puis la terre*. Abandonné à lui-même, un corps suit son « mouvement naturel » vers son « lieu naturel ». Le « lieu naturel » des corps lourds est le centre de la Terre. Sous l'action de la pesanteur, ils ont donc tendance à tomber. Plus la proportion de « lourd » est grande, plus la tendance à tomber est forte : ainsi, une pierre tombe dans l'eau, mais l'huile flotte sur l'eau. Le bois tombe dans l'air, mais il flotte sur l'eau.
De la même manière, un corps « léger » a son « lieu naturel » vers le haut : il a tendance à monter.
La statique pratique a été étudiée davantage par les disciples d'Aristote que par le maître lui-même.

* L'eau, en tant qu'élément, représente en fait tous les liquides et la terre tous les solides.

tifs leur sont attribués. Ils concernent la pesanteur, les centres de gravité, les leviers et les balances.

Pour ce qui est du contenu, on constate que l'étude de la pesanteur devient, chez les physiciens arabes, un chapitre à part entière. Les concepts fondamentaux de la statique d'Aristote (le lourd, le léger, les lieux naturels, etc.) sont conservés par eux. Mais ils récupèrent aussi les apports des savants hellénistiques postérieurs – Euclide, Archimède et leurs disciples, notamment –, dont la physique marque une avancée très nette par rapport à la science très qualitative du philosophe. Une de leurs références importantes est un *Traité sur le grave et le léger*, longtemps attribué à Euclide mais probablement dû à l'un de ses élèves. Elle figure notamment chez Ibn al-Haytham et al-Khāzinī.

À partir de ces acquis, bien assimilés, certains de ces scientifiques vont faire des incursions dans des domaines peu explorés : al-Khāzinī aurait été le premier à prendre en considération l'hypothèse que la pesanteur des corps varie avec leur éloignement du centre de la Terre. Il a également contribué (avec al-Kūhī et Ibn al-Haytham) à unifier les deux notions de pesanteur : celle par rapport au centre de l'Univers et celle par rapport à l'axe de suspension d'un levier. Il a enfin énoncé l'hypothèse de la variation de la pesanteur d'un corps en fonction de sa distance au centre de l'Univers (ou de la Terre). Mais cette hypothèse n'a pas eu de prolongement connu dans la tradition arabe. On sait qu'elle ne sera établie qu'au XVIIIe siècle, en Europe.

Dans le domaine des centres de gravité, les physiciens arabes ont tenté de généraliser les travaux d'Archimède. Partant des résultats de ce dernier sur le centre de gravité d'un corps ou d'un système de corps (considérés comme des points dans des figures planes), al-Kūhī et Ibn al-Haytham ont étudié la même notion, mais pour des objets à trois dimensions ; puis ils ont étendu les axiomes d'Archimède à des figures constituées de corps liés les uns aux autres d'une manière rigide. De son côté, al-Isfizārī (XIe s.) a élaboré une théorie des centres de gravité pour un système de corps tridimensionnels non solidaires. Poursuivant ces investigations, al-Khāzinī a étudié le cas du centre de gravité d'un système de corps solidaires en réduisant le problème solide à un problème plan.

Les travaux arabes sur les leviers s'inscrivent dans le prolongement de la double tradition grecque, celle d'Archi-

Livres grecs sur la mécanique théorique traduits en arabe

Euclide (IIIe s. av. J.-C.)
– *Kitāb fī l-mīzān* [Le Livre sur la balance]

Archimède (m. 202 av. J.-C.)
– *Kitāb fī th-thiqal wa l-khiffa* [Le Livre sur le grave et le léger]
– *Kitāb wazn at-tāj* [Le Livre sur la pesée de la couronne]

Héron (Ier s.)
– *Kitāb raf^c^ al-athqāl* [Le Livre sur la levée des objets lourds]

mède, qui a élaboré à l'aide de la géométrie sa théorie du centre de gravité, et celle de la cinématique, qui concerne l'étude d'un levier en rupture d'équilibre. Ils ont abouti à de nouvelles formulations et à des généralisations. Dans son *Livre de la balance*, Thābit Ibn Qurra détermine la résultante de deux forces égales, puis il généralise le résultat à un nombre infini de forces égales réparties sur un levier et étudie le cas d'une charge constante uniformément répartie sur le levier.

Un chapitre corollaire à l'étude des leviers est consacré à la balance et à la pesée. La balance est un objet technique fort ancien. Compte tenu de son usage, très développé dans les échanges commerciaux, il n'est pas étonnant qu'elle ait de tout temps préoccupé les hommes. De prestigieux scientifiques arabes ont écrit sur ce sujet : Thābit Ibn Qurra au IXe siècle, al-Kūhī au Xe, Ibn al-Haytham, al-Isfizārī et ar-Rāzī au XIe, al-Khayyām et al-Khāzinī au XIIe. Ils ont expérimenté un certain nombre de modèles de balance : le dispositif classique à bras égaux et à deux plateaux suspendus, bien sûr, mais aussi quantité de systèmes à bras inégaux, plateaux suspendus ou non, variantes multiples de ce qu'il est convenu d'appeler la « balance romaine ». D'une manière plus précise, on trouve dans les écrits arabes la description des types suivants : balance à deux plateaux, appelée *qarasṭūn*, balance du changeur, dont le fléau était subdi-

La balance

Les premiers échanges commerciaux se sont effectués sur la base du « troc » : entre objets, entre poids de matériaux, entre capacités volumiques (pour des liquides, parfois pour des grains). La deuxième de ces procédures exigeait la possession d'un instrument de mesure. La remarque vaut pour le calcul de certains impôts, fondés sur la production. D'où, sans doute, l'apparition précoce de la balance. Des modèles de cet instrument figurent sur les fresques de Thèbes (IIe millénaire av. J.-C.), notamment sur les multiples représentations de la « pesée des âmes », sur celles du travail des orfèvres, etc.

Le moment d'une force

La notion de « moment » sert principalement à traduire de manière quantitative l'action d'une force au cours d'un mouvement de rotation. Supposons, par exemple, un poids sur un plateau de balance :

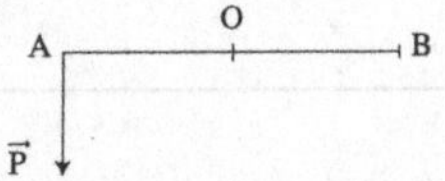

Le moment du poids $\vec{P}$ sera : $\vec{P} \times \vec{OA}$. La longueur OA est parfois nommée « longueur du bras de levier ».

En français, le terme a été emprunté au latin *momentum*, issu de *movimentum*. Ce mot désigne concrètement le poids qui détermine le mouvement et l'impulsion d'une balance. Galilée lui-même utilise l'italien *momento*, dont l'origine est identique.

visé en douze sections dans un rapport de 10/7 (qui correspond au rapport de la monnaie d'or, le dinar, à la monnaie d'argent, le dirham), balance géodésique, et trois types de balances hydrostatiques, pour peser, à l'air et dans l'eau, des métaux et des minéraux ou pour déterminer des poids spécifiques et la composition des alliages. Il y avait la balance simple, à bras égaux et à deux plateaux, la balance à trois plateaux et la balance à cinq plateaux (dite « balance de la sagesse »). Cette dernière balance, relativement sophistiquée, a été inventée par al-Isfizārī et améliorée par al-Khāzinī. Elle avait de multiples usages puisqu'elle pouvait se transformer en l'une quelconque des balances simples.

Je suppose qu'il a existé des balances hydrostatiques.

Oui, et nous revenons par là à une autre dimension de la tradition archimédienne. Dans le domaine théorique, l'un des premiers savants qui a étudié ce sujet est le célèbre philosophe et mathématicien al-Kindī. Son ouvrage est connu sous le titre de *Grand Traité sur les corps immergés dans l'eau*. Après lui, al-Khāzinī a fait une synthèse de la démarche archimédienne et de celle d'Aristote sur le mouvement des corps. Il a également étendu la théorie des corps

La définition du poids spécifique selon al-Khāzinī

Le poids d'un corps relativement petit, quelle qu'en soit la substance, entretient le même rapport avec son volume que le poids d'un corps plus grand < de la même substance > avec son propre volume.

pleins flottants à des corps creux flottants (bateaux), et il a ramené la théorie de la flottaison d'un corps creux chargé à celle d'un corps flottant plein. Il serait également le premier à avoir proposé une définition du poids spécifique.

Dans le domaine appliqué, la balance hydrostatique a été notablement améliorée chez les Arabes par l'introduction d'un troisième plateau. Elle était principalement utilisée pour la pesée des métaux et des alliages dans l'eau, et pour la détermination des poids spécifiques des métaux et des minéraux.

L'étude des poids spécifiques a d'ailleurs abouti à la publication d'un certain nombre d'ouvrages, dont les plus connus sont ceux d'al-Bīrūnī, d'al-Khāzinī, d'ar-Razī et d'al-Khayyām. Ce dernier a même résolu certains problèmes d'alliages à l'aide de l'algèbre.

La dynamique

Venons-en à la dynamique, c'est-à-dire à l'étude du mouvement des corps. La référence obligatoire reste Aristote, dont la mécanique, dans sa totalité, statique comme dynamique, est intégrée dans une philosophie d'ensemble qui inclut le système de l'Univers dans sa version aristotélicienne. Une partie notable de cette mécanique figure d'ailleurs dans le Traité du ciel. *En ce qui concerne la dynamique, contrairement à ce qui s'est produit en statique, les Alexandrins ne se sont pas vraiment affranchis de la tutelle d'Aristote. Qu'en a-t-il été des physiciens arabes ?*

Ouvrages grecs traitant d'hydrostatique

Archimède
– *Kitāb fī l-ajsām* [Livre sur les corps flottants]
– *Kitāb fī th-thiqal wa l-khiffa* [Le Livre sur le grave et le léger]
Euclide
– *Kitāb fī th-thiqal wa l-khiffa* [Le Livre sur le grave et le léger]
Ménélaüs (IIe s.)
– *Kitāb Mīnilāwūs ilā Ṭurṭās al-malik* [Livre de Ménélaüs au roi Turtas]

Ouvrages arabes sur les poids spécifiques

al-Bīrūnī (XIe s.)
– *Maqāla fī n-nisab al-latī bayna al-filizzāt wa l-jawāhir fī l-ḥajm* [Livre sur les relations entre les métaux et les pierres précieuses du < point de vue du > volume]
al-Khayyām (XIIe s.)
– *Risāla fī l-iḥtiyyāl li maᶜrifat miqdāray adh-dhahab wa l-fiḍḍa fī jism murakkab minhā* [Épître sur la manière de procéder pour la connaissance des quantités d'or et d'argent dans un corps composé des deux]
al-Khāzinī (XIIe s.)
– *Kitāb mīzān al-ḥikma* [Livre de la balance de la sagesse]

Le cadre conceptuel est, pour l'essentiel, aristotélicien. Nous y retrouvons l'idée de « lieu naturel » et de « mouvement naturel ». La référence centrale est la pesanteur. Tous les mouvements naturels s'ordonnent par rapport à la chute des corps. Soumis à une force – une « contrainte » si l'on adopte les mots du philosophe –, un mobile adopte un « mouvement contraint » (ou « forcé »), lequel n'est pas naturel. Si la contrainte cesse d'agir, l'objet reprend alors son mouvement naturel. Ce qui est contraire au « principe d'inertie », qui est l'un des fondements de la mécanique dite classique, celle de Galilée et de Newton.

À côté de ces conceptions philosophiques, la mécanique d'Aristote inclut de multiples considérations qui sont, pour l'essentiel, inspirées par des raisonnements de « bon sens ».

Telle est, par exemple, l'idée que la vitesse d'un mobile est proportionnelle à la force qui est responsable de son déplacement.

Il est un chapitre de la Mécanique *d'Aristote qui a été discuté et contesté dès le Moyen Âge, c'est celui qui concerne l'explication du mouvement des projectiles. Qu'en est-il dans l'Islam ?*

Il est exact que l'interprétation du *Stagirite* a rapidement soulevé des interrogations. L'action initiale qui lance un projectile – celle de la main du lanceur, de l'arc, de la baliste… – s'interrompt dès le départ de l'objet, ce qui contredit les principes aristotéliciens évoqués précédemment. Aristote conjecture alors que l'air « conserve » en quelque sorte le mouvement amorcé, tout cela jusqu'à ce que, la nature reprenant somme toute ses droits, ce mouvement soit vaincu par la pesanteur. Le corps reprend alors son mouvement naturel. Le premier opposant à cette interprétation que l'on connaisse est un philosophe et physicien alexandrin, Jean Philopon (VIe siècle). Il suppose que le lanceur communique au projectile un « élan », une « puissance à se mouvoir ». Grâce à cette « vertu », en utilisant un autre terme, le mouvement se poursuit.

C'est en effet davantage conforme au « bon sens ». La thèse de Philopon a-t-elle influencé la tradition arabe ?

Assez nettement, semble-t-il. Les historiens de la mécanique ajoutent d'ailleurs que cette tradition s'est ensuite

Le « principe d'inertie » dans la mécanique classique (ou galiléo-newtonienne)

C'est l'une des bases de la physique classique. Il a été esquissé par Galilée et précisé par Descartes. Newton l'énonce ainsi : « Tout corps persévère dans l'état de repos ou de mouvement uniforme en ligne droite dans lequel il se trouve, à moins que quelque force n'agisse sur lui et ne le contraigne à changer d'état. »

Énoncé d'Aristote

« Soit donc A le moteur, B le mû, Γ la grandeur selon laquelle il est mû et Δ le temps dans lequel il est mû. Dans un temps égal, une force égale, à savoir A, mouvra la moitié de B du double de Γ, mais de Γ dans la moitié de Δ. Et, si la même force meut le même corps dans tel temps et de telle quantité, elle le mouvra d'une quantité moitié dans un temps moitié ; et une force moitié mouvra un corps moitié d'une quantité égale dans un temps égal. »

Traduction de cet énoncé sous forme de formule :

$$A = B\frac{\Gamma}{\Delta}$$

Soit, avec des notations modernes :

$$F = m \cdot \frac{l}{t} = m \cdot v$$

Avec : F = force ; m = masse ; l = longueur ; t = temps ; v = vitesse.

En physique classique, la force responsable du mouvement est proportionnelle, d'une part, à la *masse* du mobile, d'autre part, à la *variation de vitesse*, c'est-à-dire à l'*accélération*, c'est-à-dire (si g est l'accélération) : $f = m.\ g$.

transmise à l'Occident par l'intermédiaire d'al-Bitrūjī. Une œuvre très intéressante à ce propos est la dynamique d'Ibn Sīnā. Dans son monumental corpus philosophique, *Le Livre de la guérison*, il étudie le mouvement des projectiles et la chute des graves. Après avoir critiqué les différentes hypothèses énoncées avant lui, il introduit la notion d'« inclination » (*mayl*) et l'explicite. Il s'agit, pour lui, de la tendance d'un corps à rejoindre son lieu naturel lorsqu'il en est éloigné. C'est aussi, lorsque ce même corps est au repos, sa tendance à résister à une cause externc qui tendrait à le mettre en mouvement et à l'écarter de son lieu de repos. C'est enfin l'impulsion qu'un corps en mouvement induit dans un autre corps qui lui fait obstacle. On a ainsi trois types d'inclination : une inclination naturelle, qui se manifeste par la légèreté ou la gravité ; une inclination psychique, qui est à l'origine du mouvement des êtres animés ; une inclination violente, dite « force acquise », qui s'oppose à l'inclination naturelle en transmettant du mouvement.

C'est l'« élan » de Philopon…

À une différence importante près, cependant. La « vertu » de Philopon diminue progressivement du fait de la distance de l'objet de son origine. La force acquise, elle, est contrecarrée à la fois par la résistance du milieu (de l'air, en général) et par l'inclination du corps à rejoindre son lieu naturel (donc par la pesanteur).

Cela a-t-il un rapport avec la théorie de l'« impetus *» énoncée par Jean Buridan, recteur de la Sorbonne au* XIVe *siècle ?*

L'*impetus* et la force acquise sont pratiquement identiques. Buridan reprend exactement l'interprétation d'Ibn Sīnā sur les causes de l'affaiblissement de cette « vertu » quand le projectile s'éloigne.

Le philosophe scolastique a bâti toute une physique à partir de cet *impetus*, une physique conforme pour l'essentiel à la tradition aristotélicienne, mais opposée sur ce point. Elle a inspiré plus tard de nombreux auteurs, de Nicole Oresme à Albert de Saxe et Benedetti, lequel fut l'un des maîtres de Galilée. Il existe donc une sorte de filiation de Philopon jusqu'aux prémices de la révolution scientifique des XVIe et XVIIe siècles, *via* la mécanique arabe.

La mécanique appliquée

Davantage encore peut-être que les autres disciplines, la mécanique est constituée par un ensemble de procédés techniques, très longtemps avant de devenir une science. Pouvons-nous aborder rapidement cet aspect de l'activité des Arabes, qu'il serait aberrant de passer sous silence, même si notre préoccupation principale est surtout orientée vers l'histoire des sciences ? Qu'en est-il donc, non des applications technologiques des travaux théoriques – ce type de relation a surtout cours au XXe *siècle –, mais des réalisations concrètes d'objets et des réalisations techniques ? Et quels sont les héritages reçus par les Arabes dans ce domaine ?*

Sur cette question, le grand historien des techniques Bertrand Gille écrit que « les véritables successeurs des Alexandrins sont les Arabes ». Ce sont en effet les premiers héritiers de l'école d'Alexandrie. Mais ils ont également bénéficié d'apports provenant de l'Empire romain, qui a été très peu productif dans le domaine scientifique mais, à l'inverse, très inventif en ce qui concerne les technologies. Des échanges ont également été réalisés avec les Byzantins qui étaient les contemporains et les voisins immédiats des Arabes.

Mais avant d'aller plus loin, il faut préciser que, comme dans d'autres domaines, la mécanique appliquée a connu deux traditions correspondant à deux pratiques bien distinctes (même si les interactions ont été constantes) : la tradition de la mécanique savante, élaborée par des scientifiques reconnus comme tels, et la tradition que l'on pourrait qualifier de « populaire », à défaut de terme plus adéquat. Autant la première est relativement bien connue, du moins dans ses principes, ses méthodes et ses grandes orientations, autant la seconde garde ses secrets et ne présente que quelques vestiges de ses réalisations les plus ingénieuses ou les plus spectaculaires. Quant aux nombreuses techniques indispensables à la vie courante, leur communication a été la plupart du temps presque insensible et, pour cette raison, est souvent passée inaperçue. Chacune des régions de cet immense empire possédait des techniques originales propres, qui en général variaient selon les conditions géographiques ou climatiques, les ressources locales, etc. Les échanges à l'intérieur du vaste territoire de l'empire ont donc provoqué de multiples transferts. Mais leur histoire est difficile à écrire.

Livres grecs sur la mécanique appliquée traduits en arabe

Archimède
– *Kitāb ᶜamal al-mīzān* [Livre sur la fabrication des balances]
– *Kitāb ᶜamal sāᶜāt al-mā'* [Livre sur la fabrication des horloges hydrauliques]

Apollonius
– *Risāla fī ᶜamal ālat az-zamr* [Épître sur la fabrication d'un orgue]

Héron
– *Kitāb fī l-ḥiyal ar-rūḥaniya* [Le Livre sur les procédés ingénieux divins]

D'où la difficulté de dresser un bilan des sources à l'origine de cette tradition, de son rôle dans le développement de la tradition savante et même de ses réalisations. Ce qui n'est pas le cas pour la mécanique savante, dont la transmission a bénéficié du support écrit et qui n'a donc pas trop souffert de la disparition de certaines de ses réalisations. Cela dit, la curiosité et l'esprit encyclopédique de certains penseurs ont permis de conserver une partie de ce patrimoine. C'est ce qu'a fait, par exemple, le grand philosophe Ibn Sīnā, qui a établi une classification des machines simples et de leurs combinaisons (leviers, poulies, treuils, etc.), ainsi que de certains dispositifs utilisés à son époque (siphons, soupapes, engrenages…).

Les anciennes civilisations du Moyen-Orient ont étroitement dépendu de l'irrigation et de la maîtrise de ses technologies. Il n'est donc pas étonnant que les techniques hydrauliques aient particulièrement préoccupé les Arabes. Plusieurs dispositifs ont été utilisés. Ils varient parfois selon les contrées. Les plus connus sont les qanats, que l'on rencontre surtout en Perse et qui sont très ingénieux. On peut évoquer également ceux de l'Espagne musulmane. Des systèmes un peu analogues ont servi dans les mines. On rencontre aussi des modèles de pompes hydrauliques qui font penser à celles de Héron et d'autres auteurs d'Alexandrie. Citons enfin les norias (*naᶜūra*, en arabe), dont on ne connaît pas l'origine exacte mais qui ont été abondamment utilisées en Orient.

Le cas des moulins à eau et à vent mérite d'être évoqué. L'industrialisation de l'Europe occidentale, à partir du XIII*e siècle, les a en effet exploités comme vecteurs énergétiques principaux, et cela pour de multiples usages. Étaient-ils nombreux dans les pays d'Islam, au cours des périodes qui nous intéressent ?*

Les historiens des techniques nous disent que les premiers moulins à eau que l'on connaisse sont représentés dans les *Pneumatiques* de Héron. Les ingénieurs romains en auraient ensuite amélioré la technique. Il n'est donc pas étonnant qu'ils aient fait partie de l'héritage récupéré par les Arabes. Quant au moulin à vent, il viendrait de Chine, *via* semble-t-il les hauts plateaux d'Asie centrale. Dans l'Empire musulman, toute une variété de moulins sont décrits par les géographes, et leur fonctionnement est expliqué par les spécialistes de la mécanique hydraulique : systèmes à main ou actionnés par des animaux, moulins à eau, moulins flottants, moulins à marée, moulins à vent. Les usages de ces moulins étaient multiples : moulins à blé, bien sûr, mais aussi à riz, moulin de forge, moulin à papier (dont les plus célèbres sont ceux de Fès au Maghreb et de Jativa en

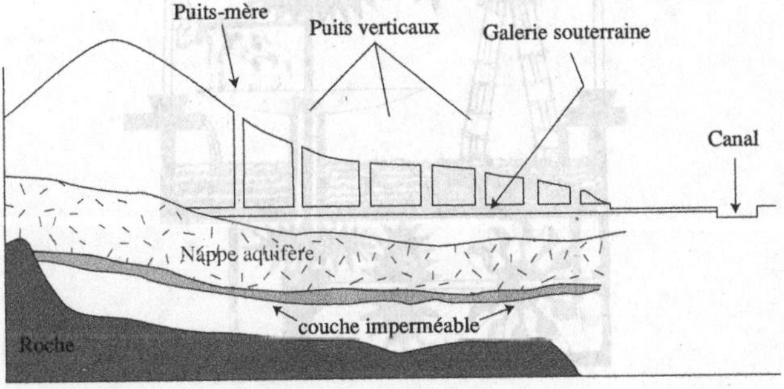

Schéma d'un qanat

Espagne), etc. Leurs gabarits variaient par ailleurs en fonction du rôle qui leur était assigné et du rendement qu'on exigeait d'eux. Cela va du petit moulin de ferme actionné par un mulet jusqu'au véritable complexe qui aurait fonctionné à Bagdad et qui devait actionner cent paires de meules à la fois.

Nous ne savons pas si l'une ou l'autre des technologies des moulins en usage dans les pays d'Islam a pénétré ultérieurement en Europe. Mais il semble que les plus anciens moulins de cette région ne dateraient que du XIIe siècle et que leur nombre ait considérablement augmenté en France, en Angleterre et en Allemagne à partir du XIIIe siècle. Il faut signaler par exemple que de grands moulins à marée sont mentionnés très tôt dans l'estuaire de l'Adour, donc dans une région proche de l'Espagne.

Le système bielle-manivelle a été indispensable à la révolution technique suivante, celle de la vapeur. Il permet en effet de transformer le mouvement de va-et-vient d'un piston en mouvement de rotation (et inversement). Selon l'historien des techniques Bertrand Gille, il aurait été inconnu de

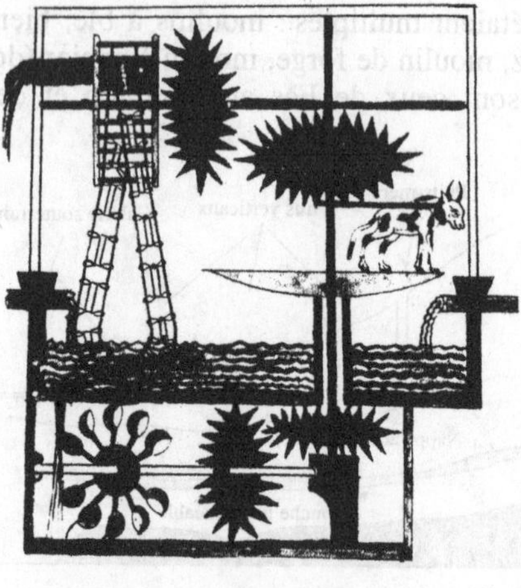

La pompe à eau d'al-Jazarī

Ouvrages arabes traitant de mécanique

Banū Mūsā (IXe s.)
– *Kitāb al-ḥiyal* [Livre des procédés ingénieux]

al-Khwārizmī (Xe s.)
– Mafātīḥ al-^{c}ulūm [Les Clefs des sciences]

Ibn Sīnā (m. 1037)
– *Mi^{c}yār al-^{c}aql* [Mesure de l'intellect]

al-Murādī (XIe s.)
– *Kitāb al-asrār fī natā'ij al-afkār* [Livre des secrets sur les résultats des pensées]

al-Jazarī (m. 1206)
– *al-Jāmi^{c} bayna l-^{c}ilm wa l-^{c}amal an-nāfi^{c} fī ṣinā^{c}at al-ḥiyyal* [Le Recueil utile sur la théorie et la pratique de l'art des procédés ingénieux]

as-Sā^{c}ātī (m. 1220)
– *Kitāb ^{c}ilm as-sā^{c}āt wa l-^{c}amal bihā* [Livre sur la science des horloges et leur utilisation]

az-Zardakāshī (ca 1462)
– *al-Anīq fī l-majānīq* [Le < Livre > élégant sur les catapultes]

Taqiy ad-Dīn (m. 1585)
– *aṭ-Ṭuruq as-saniyya fī l-ālāt ar-rūḥāniyya* [Les Procédés nobles sur les instruments merveilleux]

Héron, qui avait cependant décrit des systèmes actionnés par la vapeur. Le même historien signale son apparition dans le rouet pendant le Moyen Âge occidental. Il date sa première description de la fin du XIVe siècle. Mais des études récentes ont montré qu'il figure déjà dans le traité d'al-Jazarī (XIIe s.). Qu'en est-il de l'apport d'al-Jazarī dans ce domaine ?

En effet, dans le chapitre V de son fameux traité intitulé *Le Recueil utile sur la théorie et la pratique de l'art des procédés ingénieux*, al-Jazarī décrit le principe d'une pompe à eau fonctionnant à l'aide d'une roue à aubes ou à palettes verticales elle-même mue par un courant d'eau. Entraînée par la roue à aubes, une première roue dentée verticale met en mouvement une seconde roue dentée disposée horizontalement et qui est reliée à une bielle. Aux extrémités de la bielle sont fixés deux pistons. La rotation de la roue horizontale imprime à une tige, solidaire des pistons, un mouvement alternatif qui actionne le dispositif permettant ainsi d'aspirer puis de refouler l'eau.

Au XVIe siècle, on trouve un dispositif analogue dans le livre d'Ibn Ma^c^rūf intitulé *Les Procédés nobles sur les instruments merveilleux*.

L'optique

Avant de rentrer dans le vif du sujet, pourriez-vous décrire succinctement les grandes orientations de la tradition arabe en optique ?

Comme dans d'autres domaines de la physique, les premiers pas de l'optique arabe (après la phase des traductions) ont été déterminés à la fois par des facteurs internes à l'activité scientifique et par des sollicitations extérieures, par des besoins si vous voulez. D'où l'apparition, dès le départ, d'activités multiformes représentant déjà, mais à l'état plus ou moins embryonnaire, les grandes orientations qui se dégageront réellement au Xe siècle et s'épanouiront au XIe.

Compte tenu de l'avance objective prise par la médecine en pays d'Islam, une première orientation liée à l'optique va apparaître dès le VIIIe siècle. Elle va concerner les aspects physiologiques et médicaux de la vision : étude de l'œil, de son fonctionnement, de ses maladies, etc. Les progrès qui ont été faits dans ce domaine, tout au long des IXe et Xe siècles, vont être intégrés aux chapitres de l'optique proprement dite.

C'est également au début du IXe siècle que sont publiés des écrits relatifs à deux domaines appliqués. Le premier correspond à une optique que l'on pourrait qualifier d'« utilitaire ». Il concerne l'étude de différents instruments ou dispositifs optiques incendiaires (qui intéressaient grandement les responsables militaires de l'époque). Le plus ancien texte arabe connu ayant traité de ce sujet est le *Livre sur les miroirs ardents* de Qusṭā Ibn Lūqā. Le second domaine s'apparente à une optique d'agrément dans la mesure où l'unique but était de distraire, d'amuser ou d'étonner les commanditaires des objets et des instruments utilisant certains phénomènes optiques. Ibn Lūqā a également publié un écrit sur ce sujet.

Dans le domaine théorique, figurent d'abord les thèmes et les problèmes classiques hérités de la tradition hellénistique : étude des phénomènes de réflexion, de réfraction, d'éclipse, de halo, d'arc-en-ciel, etc. Ce travail va d'abord se concentrer sur l'explicitation, accompagnée parfois de critiques et de justifications, du corpus optique grec. Mais, avec le développement des activités scientifiques, en particulier en mathématique, de nouveaux sujets, prolongeant la tradition savante grecque ou issus des domaines appliqués, vont préoccuper un certain nombre de chercheurs. C'est ainsi que des études spécifiques vont être menées à partir du Xe siècle sur les aspects théoriques du fonctionnement des instruments incendiaires (en fonction de leurs formes et de leur nature réfléchissante ou réfractante).

Autre champ scientifique majeur à l'époque, l'optique dite « géométrique », c'est-à-dire celle qui se préoccupe essentiellement du parcours des rayons lumineux.

Il s'agit à nouveau de l'héritage des Alexandrins. L'interrogation sur les phénomènes lumineux est probablement aussi ancienne que l'espèce humaine. Son approche rationnelle émerge, comme pour d'autres domaines, dans la Grèce classique. La réflexion et les investigations se sont faites à trois niveaux. En premier lieu, le questionnement philosophique, qui assimile la lumière à une forme du feu, lequel est l'un des quatre « éléments » (le feu, l'air, la terre et l'eau). En deuxième lieu, l'aspect physiologique, dans lequel le mécanisme de la vision est étudié dans toutes ses particularités (anatomie de l'œil, etc.). En troisième lieu, la géométrie de la propagation de la lumière. Ce sont les deux derniers niveaux qui nous intéressent ici, même si les résultats du premier n'ont pas été sans effets sur les conceptions des spécialistes de l'optique.

Dans ce que nous appelons l'optique géométrique, l'œuvre la plus ancienne connue est celle d'Euclide. Les écrits d'Archimède n'ont pas été retrouvés par les Arabes, et il semble, hélas, qu'ils soient définitivement perdus. La forme la plus achevée de la tradition grecque dans ce domaine se situe dans *L'Optique* de Ptolémée, qui malheureusement nous est parvenue incomplète (le premier chapitre est perdu), dans une traduction arabe, elle-même traduite en latin plus tard. À cette partie essentielle de l'héritage grec, il faut ajouter des écrits de Héron (Ier s.), de Théon d'Alexandrie (IVe s.), d'Anthémius de Tralles (VIe s.), de Dioclès, de Didyme, sans oublier les réflexions d'Aristote qui seront prises en compte par les premiers spécialistes arabes de l'optique.

Que comporte cet héritage ? En ce qui concerne les thèmes, on trouve l'idée de la propagation rectiligne de la lumière, la connaissance des miroirs plans et la loi de la réflexion sur ces miroirs, l'étude expérimentale de la réfraction, tout au moins chez Ptolémée, sans que la loi de ce phénomène soit énoncée, l'étude des propriétés des miroirs sphériques concaves, qualifiés de « miroirs ardents », et une étude de la vision binoculaire.

Livres grecs sur l'optique théorique traduits en arabe

Euclide
– *Kitāb al-manāẓir* [Livre de l'optique]

Ptolémée
– *Kitāb al-manāẓir* [Livre de l'optique] (traduction partielle)

Anthémius de Tralles
– *Kitāb al-manāẓir* [Livre de l'optique]

Théon
– *Kitāb al-manāẓir* [Livre sur l'optique]

Didyme
– *Kitāb al-manāẓir* [Livre sur l'optique]

Aristote
– *Fī s-Samā' wa l-āthār al-ʿulwiyya* [Les Météorologiques]

Réflexion et réfraction

La réflexion

La réflexion est le changement de direction du rayon lumineux qui tombe sur une surface réfléchissante. Ce changement de direction obéit aux lois suivantes :

1. Le rayon incident, le rayon réfléchi et la normale à la surface réfléchissante sont dans un même plan.
2. L'angle de réflexion est égal à l'angle d'incidence.

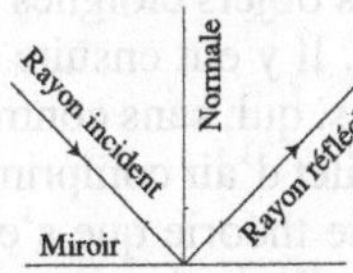

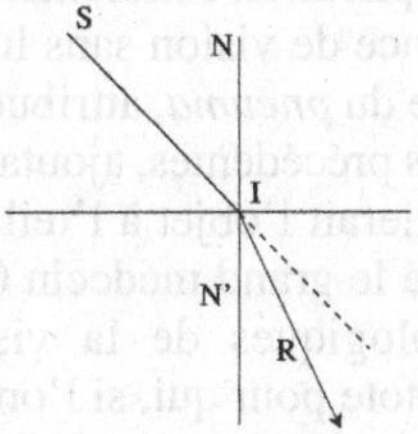

La réfraction

C'est le changement de direction du rayon lumineux lorsqu'il passe d'un milieu transparent vers un autre. Le rayon SI prend alors la direction IR. Ce changement de direction obéit aux lois suivantes :

1. Le rayon incident SI, le rayon réfracté IR et la normale NIN' à la surface qui sépare les deux milieux sont dans un même plan.
2. Pour deux milieux donnés, le rapport du sinus de l'angle d'incidence $\widehat{NIS}$ au sinus de l'angle de réfraction $\widehat{N'IR}$ est constant.

Pour ce qui est des théories grecques de la lumière, on est en présence d'un ensemble d'explications d'une grande ingéniosité, qui se distinguent les unes des autres tout en se complétant. Pour résumer, on peut dire qu'il y eut d'abord la théorie du toucher, qui affirmait la nécessité d'un contact physique entre l'observateur et l'objet, puis la théorie de la copie de l'objet (*eidôla*), préconisée par Épicure (m. 270 av. J.-C.), selon laquelle tout objet diffuserait des copies de lui-même sous forme de minces pellicules qui entrent en contact avec l'œil de l'observateur, créant ainsi la sensation visuelle.

La troisième théorie est celle de l'émission par l'œil, selon un cône, de rayons lumineux qui, en aboutissant à l'objet, déclenchent la sensation visuelle. On sait qu'elle a été mathématisée par Euclide et soumise à l'expérience par Ptolémée. Dans le prolongement de cette théorie, il y avait celle du rebond, qui permettait d'expliquer la réflexion sur un miroir. Après cela, il y eut la théorie de Platon, qui combinait la précédente avec un principe d'émanation de l'objet, à travers sa couleur. Cette combinaison permettait de donner une explication cohérente de la vision des objets éloignés et l'absence de vision sans lumière du jour. Il y eut ensuite la théorie du *pneuma*, attribuée aux stoïciens, qui, sans contredire les précédentes, ajoutait l'idée d'un filet d'air comprimé qui relierait l'objet à l'œil. C'est sur cette théorie que s'est appuyé le grand médecin Galien pour expliquer les aspects physiologiques de la vision. Il y eut enfin la théorie d'Aristote pour qui, si l'on en croit les spécialistes qui l'ont analysée, la vision est un processus passif au cours duquel l'œil ne reçoit que la forme de l'objet (comme la cire ne reçoit que la forme d'une bague). Dans cette théorie, la lumière n'est pas une substance en mouvement. C'est un simple état où la transparence du milieu et la couleur des objets sont les éléments déterminants.

Il me semble que certains historiens actuels sous-estiment quelque peu l'apport d'Aristote, contrairement d'ailleurs à ce que l'on faisait dans le passé. On considère que la formulation « scientifique » – à l'aune de nos conceptions du XXe siècle – de la théorie ondulatoire de la lumière commence à la fin du XVIIe siècle chez le physicien néerlandais Christian Huygens. Or, Huygens lui-même et ses prédécesseurs, de même que ces grands de l'optique ondulatoire que furent ensuite Leonhard Euler et Thomas Young, se réfèrent explicitement à Aristote pour justifier leur choix conceptuel. Une tentative d'interprétation du mécanisme des sensations humaines existe effectivement chez le philosophe grec, dans laquelle il essaie d'expliquer la vision par analogie avec l'ouïe. Certes, des historiens ont démontré que toute l'optique antique était une physique du « rayon visuel » et que le rayon lumineux ne faisait pas partie des concepts de l'époque. Il n'en est pas moins vrai que l'analogie vision-ouïe a été traduite plus tard par une autre analogie entre la lumière et le son. Il ne paraît donc pas juste, en réduisant ainsi l'apport d'Aristote dans l'histoire de l'optique, de négliger de ce fait la source d'inspiration qu'il a représentée pour les physiciens du XIIe *au* XIXe *siècle.*

En ce qui concerne les physiciens de la tradition arabe, il ne semble pas qu'ils aient été sensibles à cet aspect de la réflexion d'Aristote sur la lumière. En tout cas, on n'en a pas trouvé trace chez les premiers commentateurs. Mais de nouvelles recherches peuvent révéler des surprises. En attendant, et au vu de ce que nous savons des débuts de l'optique dans la tradition arabe, nous constatons que la démarche des premiers spécialistes a été semblable à celle adoptée pour les autres disciplines héritées de la tradition grecque. Après la traduction des textes qui ont pu être exhumés, ils en ont fait des commentaires et des lectures critiques. Ils ont également réalisé, scrupuleusement, les vérifications des résultats anciens, en les corrigeant éventuellement. Dans une troisième phase, et tout en restant dans le cadre de l'ancienne théorie du rayon lumineux partant de l'œil, ils ont amélioré certains résultats anciens, avant de s'engager dans de nouvelles démarches et recherches.

Quels sont les premiers écrits théoriques des spécialistes arabes de l'optique ?

Ils ont concerné d'abord, comme dans les autres disciplines, l'étude critique des ouvrages d'optique grecs qui avaient pu être traduits, tels ceux d'Euclide, de Ptolémée, d'Anthémius de Tralles et d'autres. Puis de nouvelles recherches ont été entreprises, à peu près à la même époque, et elles ont abouti à la publication d'ouvrages souvent sans originalité, mais ayant un cachet propre qui les distinguait du simple commentaire des textes traduits. Parmi les écrits de cette première phase, il y a les épîtres d'al-Kindī, d'Ibn ᶜĪsā, d'Ibn Masrūr et d'Ibn Sahl.

Ouvrages arabes sur l'optique théorique

al-Kindī (IXe s.)
– *Risāla fī ikhtilāf al-manāẓir* [Livre d'optique] = *De aspectibus*
– *Risāla fī iṣlāḥkitāb Uqlīdis* [Livre sur les corrections du < livre de l'optique > d'Euclide]
– *ar-Risāla al-kabīra fī l-ajrām al-ghā'iṣa fī l-mā'* [La Grande Épître sur les corps immergés dans l'eau]

Ibn ᶜĪsā (Xe s.)
– *Kitāb fī l-ḥāla wa qaws quzaḥ* [Livre sur le halo et l'arc-en-ciel]

Ibn Masrūr (xe s.)
– *Kitāb al-manāẓir* [Livre sur l'optique]

Ibn al-Haytham (Xe-XIe s.)
– *Risāla fī ḍ-ḍaw'* [Le Discours sur la lumière]
– *Maqāla fī qaws quzaḥ wa l-hāla* [Épître sur l'arc-en-ciel et le halo]
– *Maqāla fī ru'yat al-kawākib* [Épître sur la visibilité des astres]
– *Maqāla fī kayfiyyat al-aẓlāl* [Épître sur la formation des ombres]
– *Maqāla fī ṣūrat al-kusūf* [Épître sur la forme de l'éclipse]
– *Kitāb al-manāzir* [Livre de l'optique]

al-Fārisī (XIIIe s.)
– *Tanqīḥ al-manāẓir* [Révision < du livre > de l'optique]

Ibn Maᶜrūf (XVIe s.)
– *Kitāb nūr ḥadāqat al-abṣār wa nūr ḥadīqat al-anẓār* [Livre sur la lumière de l'acuité des vues et la lumière du jardin des regards]

Selon les historiens de l'optique antique, le concept de rayon lumineux n'apparaît pas dans les textes grecs. C'est Ibn al-Haytham, aux Xe et XIe siècles, qui marque un vrai tournant conceptuel dans l'histoire de la science de la lumière, l'optique géométrique – telle que nous l'entendons aujourd'hui – commençant avec lui. Comment en est-il arrivé à cette remise en cause du postulat ancien du rayon lumineux partant de l'œil et éclairant l'objet ?

Ibn al-Haytham répond à cette question au tout début de son monumental *Traité d'optique*. Après avoir rappelé, succinctement, les différentes théories de la lumière en les classant en deux catégories, celles des physiciens et celles des mathématiciens, il dit, pour justifier à la fois son rejet des théories anciennes et l'élaboration d'une nouvelle interprétation : « Puisque cela est ainsi et que la réalité de cette notion est confuse, sans parler des divergences persistantes à travers les époques parmi les chercheurs qui se sont engagés à l'étudier, et puisque le procédé de la vision n'a pas été établi avec certitude, nous avons pensé qu'il fallait se préoccuper de cette question, l'examiner, chercher sérieusement sa nature véritable et poursuivre l'étude de ses principes et de ses prémisses, en commençant l'investigation par l'induction des choses existantes et par l'observation des conditions des objets visibles, en distinguant les propriétés des choses particulières, en récoltant, par induction, ce qui concerne l'œil pendant la vision et ce qui, dans la sensation, est inchangé, manifeste et non sujet au doute. Puis, nous nous élèverons dans la recherche et la comparaison, d'une manière graduelle et ordonnée, en critiquant les prémisses et en étant prudent dans les résultats. »

De fait, tout au long des nombreux chapitres de son traité, Ibn al-Haytham adoptera cette démarche faite d'expériences, d'inductions, de raisonnements, de retours à l'expérience, pour expliciter ou justifier les affirmations qu'il avance, en particulier celles qui contredisent les théories anciennes de la lumière.

Il y a quelques années, tous les historiens de l'optique dataient du XVIIe *siècle la formulation de la loi de la réfraction (dite aussi « loi des sinus »). Or une traduction récente d'un texte d'Ibn Sahl, un scientifique du* X^e^ *siècle, lui attribue la découverte de cette loi. Qu'en est-il exactement ?*

Les travaux mathématiques et optiques d'Ibn Sahl s'inspirent de ceux de la tradition grecque traitant des mêmes sujets et les prolongent. En ce qui concerne l'optique, on connaît de lui un traité, qui nous est parvenu incomplet, dans

Livres arabes sur l'optique utilitaire

al-Kindī (IXe s.)
– *Kitāb al-marāyā al-muḥriqa* [Livre sur les miroirs ardents] (3 écrits)

Qusṭā Ibn Lūqā (IXe s.)
– *Kitāb al-marāyā al-muḥriqa* [Livre des miroirs ardents]

^{c}Uṭārid (Xe s.)
– *al-Anwār al-mushriqa fī ^{c}amal al-marāyā al-muḥriqa* [Les lumières scintillantes sur la réalisation des miroirs ardents]

Abū l-Wafā'
– *Kitāb al-marāyā al-muḥriqa* [Livre sur les miroirs ardents]

Ibn Sahl (Xe s.)
– *Kitāb al-ḥarrāqāt* [Livre des < instruments > incendiaires]

Ibn al-Haytham (X^{e}-XIe s.)
– *Risāla fī l-kura al-muḥriqa* [Épître sur la sphère ardente]
– *Risāla fī l-marāyā al-muḥriqa bi l-quṭū^{c}* [Épître sur les miroirs ardents à l'aide des sections < coniques >]

al-Fārisī (XIIIe s.)
– *Taḥrīr Risālat al-kura al-muḥriqa* [Rédaction de l'épître < d'Ibn al-Haytham > sur la sphère ardente]

lequel il étudie différents procédés d'embrasement à distance à partir d'une source lumineuse qui se réfléchit sur un miroir ardent ou qui se réfracte à travers un corps en cristal. Dans ce traité, Ibn Sahl dit explicitement qu'il est le premier à avoir étudié le phénomène de l'embrasement par réfraction. Son étude consiste à montrer que les rayons lumineux aboutissant sur la surface d'un corps en cristal, plan convexe ou biconvexe, de forme hyperbolique, pénètrent ce corps et le traversent en convergeant vers un point déterminé, qui est le lieu de l'embrasement. Dans cette étude, il fait intervenir le rapport de deux grandeurs géométriques : la première est la longueur du rayon lumineux réfracté dans le corps en cristal, la seconde est la longueur du même rayon non réfracté. À aucun moment l'auteur ne commente la signification de ce rapport et ne fait, explicitement, le lien entre lui et la nature

Aristophane et la pierre transparente

Dans *Les Nuées*, d'Aristophane, figure le dialogue suivant :
« Tourneboule :
– Tu as déjà vu, chez les droguistes, cette pierre, tu sais ?… la belle, la transparente… on allume le feu avec… ?
Socrate :
– Le cristal, tu veux dire ?
Tourneboule :
– C'est ça. Eh bien ! j'en prendrais une et pendant que le greffier enregistrerait, je me tiendrais comme ça, à bonne distance, au soleil, et je ferais fondre le texte de son assignation[1]. Qu'en penses-tu ? »

1. Le commentateur rappelle en note que de telles assignations étaient gravées au stylet sur des tablettes en cire, lesquelles fondaient sous l'action de la chaleur.

Source : Aristophane, *Théâtre complet*, t. I, Paris, Gallimard, 1965, p. 265-266.

du corps transparent, c'est-à-dire la signification du rapport comme l'inverse de l'indice de réfraction dans le cristal.

Venons-en à l'optique utilitaire et en particulier à l'étude des miroirs ardents. Les scientifiques arabes ont-ils développé ce chapitre alexandrin ? Mais tout d'abord, quelques mots sur ces miroirs : pourquoi étaient-ils qualifié d'« ardents » ?

Un faisceau lumineux, tombant sur un tel miroir, se concentre, après réflexion, en un point. Cette caractéristique permet d'utiliser le miroir pour allumer du feu. C'est ce qui est déjà noté dans la *Catoptrique* d'Euclide (ou de Théon). Des chroniqueurs – Plutarque, Galien par exemple – ont raconté qu'Archimède avait ainsi, grâce à de grands miroirs concaves, incendié les galères romaines assiégeant Syracuse, en 212 av. J.-C. L'anecdote est contestée, mais des fours solaires sont décrits dans la littérature alexandrine (par Héron notamment).

Dans le domaine des miroirs ardents, les Arabes ont disposé de plusieurs écrits grecs, dont les plus importants sont le traité de Dioclès et celui d'Anthémius de Tralles. Les deux sont intitulés *Livre sur les miroirs ardents*. À partir de là, un ensemble d'ouvrages arabes vont traiter des différents aspects de ces miroirs.

Les morceaux de verre (ou de cristal de roche) épais ont été depuis longtemps utilisés pour allumer le feu. Cela figure entre autres chez Aristophane. Ces morceaux de verre ou de quartz sont-ils restés, chez les Arabes, ce qu'ils étaient du temps d'Aristophane[3]*, c'est-à-dire des curiosités (des gadgets, dirait-on maintenant)? Ou, à l'inverse, leur étude (géométrique notamment) a-t-elle été menée scientifiquement, préludant en quelque sorte à des développements en optique ?*

À ma connaissance, en dehors des études faites par Ibn Sahl sur la réfraction à travers un corps en cristal, qui a été évoquée précédemment, il n'y a pas, dans les sources connues, de référence à des travaux sur les lentilles de verre et sur leurs effets grossissants. Il n'y a pas non plus de référence à l'utilisation de corps transparents pour améliorer la vue ou même pour des buts ludiques. Cela paraît surprenant, compte tenu de l'importance du travail du verre dans la civilisation arabo-musulmane, non seulement en Syrie, le foyer le plus ancien, mais également en Égypte, en Perse, au Maghreb et en Espagne. Cela dit, il est possible que des esprits inventifs, en avance sur leur temps, aient eu l'idée de réaliser des verres grossissants pour améliorer la vue. Il est même possible que des poètes et des chroniqueurs aient chanté cet exploit ou l'aient dénigré, et que ces opinions ne nous soient pas parvenues. Ce sont deux événements semblables qui me font dire cela. Au IXe siècle, Ibn Firnās, un personnage étonnant (à qui l'on attribue d'ailleurs des innovations dans le travail du verre), a tenté de montrer que l'homme pouvait voler. Son expérience a même partielle-

3. Aristophane est un auteur comique grec. Il a vécu entre 450 et 386 av. J.-C. environ.

Les lentilles

Ce que l'on nomme lentille en optique est un objet transparent (en verre généralement), limité par deux faces, lesquelles, dans les premières lentilles, étaient des portions de sphères (ou un plan, celui-ci étant alors considéré comme une sphère de rayon infini). On utilise aujourd'hui plutôt des lentilles dont les faces sont des portions de conoïdes (paraboloïdes, etc.), pour éliminer certains défauts géométriques des lentilles sphériques.

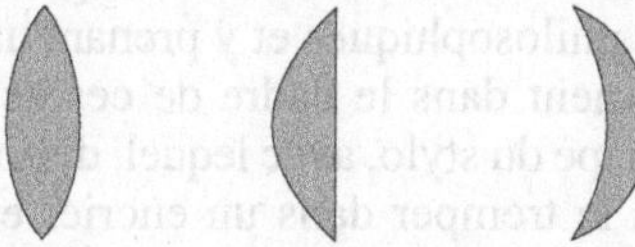

Si ce n'est pour allumer du feu, les lentilles ont principalement servi à corriger la vue : celle des presbytes, d'abord, puis celle des hypermétropes et des myopes. Les historiens situent actuellement dans l'Italie de la fin du XIIIe siècle l'apparition de ces lunettes correctrices.
Des associations de lentilles ont conduit (peut-être à la fin du XVIe siècle) à l'invention des lunettes astronomiques (la première lunette astronomique connue est celle de Galilée, en 1609), puis des microscopes.
On peut se demander pourquoi, dans une société connaissant les sphères ardentes et où la lecture était très développée, les Arabes n'ont pas, bien avant les Italiens de la fin du Moyen Âge, utilisé les premières lentilles pour corriger les vues défectueuses. Dans l'état actuel de nos informations historiques, tout au moins, cette primauté revient aux Italiens (peut-être aux Florentins).
Le mot français « lentille » est issu (vers 1170) du latin *lenticula* (lenticule), qui désignait au départ uniquement le légume. Il serait passé, au XVIIe siècle, dans le vocabulaire de l'optique (Descartes, *Dioptrique*, 1637), en raison de l'analogie de forme entre la graine et l'objet optique.

ment réussi. Ce qui lui a valu les railleries d'un poète aigri mais perspicace : il avait remarqué qu'Ibn Firnās, s'il avait réussi son envol, avait lamentablement échoué dans son atterrissage parce qu'il avait oublié de se munir… d'une queue, comme les oiseaux. Le second exemple est celui de l'invention du principe du stylo avec cartouche d'encre. C'est au détour d'une phrase dans un ouvrage des plus austères (qui avait été considéré pendant longtemps comme perdu) que l'auteur évoque la conception, par le calife fatimide al-Mu^c^izz (953-975), du principe du stylo. Ce calife est surtout connu pour sa conquête de l'Égypte en 973, mais c'était également un intellectuel encourageant les activités scientifiques et philosophiques et y prenant une part active. C'est probablement dans le cadre de ces activités qu'il a réfléchi au principe du stylo, avec lequel, disait-il, « on pourrait écrire sans le tremper dans un encrier et dont l'encre serait en lui ». Il disait aussi, pour affirmer sa priorité dans ce domaine : « Ce serait un instrument merveilleux pour lequel personne ne nous aurait précédé. » Son biographe nous précise d'ailleurs qu'un premier modèle en or de ce stylo a été effectivement réalisé par un artisan à partir des indications de son inventeur. On sait aussi que ce modèle a été essayé puis amélioré.

Cela dit, ni l'initiative d'Ibn Firnās ni celle d'al-Mu^c^izz n'ont eu de prolongements théoriques ou technologiques. C'est peut-être ce qui est arrivé à propos des verres grossissants, si tant est qu'ils aient été conçus et expérimentés.

Avons-nous aujourd'hui une idée plus ou moins précise de la circulation de la production grecque et arabe en physique à travers le phénomène de traduction que nous avons déjà évoqué pour les autres disciplines ?

D'une manière générale, les écrits relatifs à la physique n'ont pas bénéficié du même intérêt de la part des traducteurs tolédans du XIIe siècle que les ouvrages d'astrologie, d'astronomie et de chimie. En statique, outre les écrits grecs traduits de l'arabe et, parfois, directement du grec, l'ouvrage qui a le plus circulé est le *Kitāb al-qarasṭūn* de Thābit Ibn

Qurra sur la balance romaine, traduit par Gérard de Crémone sous le titre de *Liber carastonis*.

En mécanique appliquée et, d'une manière générale, pour tout ce qui concerne la technologie, la circulation des idées et des techniques n'avait pas besoin de support écrit. Il y avait les réalisations elles-mêmes, que l'on pouvait reproduire, et des savoir-faire qui se transmettaient d'une manière directe. Ce fut le cas pour les instruments astronomiques, les techniques hydrauliques et les différents types de moulins intervenant dans la fabrication du papier.

En mécanique d'agrément, il ne semble pas que les grands ouvrages arabes du IXe au XIIe siècle aient connu une traduction même partielle. Mais la circulation des procédés, à travers les objets fabriqués en pays d'Islam, est admise par les historiens des techniques. Il y a d'ailleurs des témoignages attestant cette circulation, comme la clepsydre offerte à Charlemagne et, plus tard, les horloges conçues et réalisées en Andalus à partir du XIe siècle et dont les descriptions ont été reprises, au XIIIe, par des auteurs espagnols qui travaillaient dans la fameuse équipe du roi de Castille Alphonse X (1252-1284).

En optique, on sait qu'avant les traductions du XIIe siècle il n'y avait pas, en Europe, d'écrits consacrés à cette discipline ou à l'un de ses chapitres. L'optique était traitée, comme de nombreux autres sujets, dans des encyclopédies, dans des traités théologiques ou philosophiques. Ce traitement variait bien sûr en fonction du type d'ouvrage. Mais aucun de ces auteurs n'a introduit dans ses explications une démarche géométrique. Ce sera l'un des éléments novateurs que vont permettre les traductions.

D'après le patient recensement des historiens des sciences, on constate que les premiers textes ayant un lien avec l'optique ont été des traités médicaux arabes consacrés à différents aspects de l'œil (physiologie, anatomie, vision). Certains d'entre eux ont été accessibles aux lecteurs latins dès le XIe siècle, grâce, en particulier, aux traductions de Constantin l'Africain. D'autres ont dû attendre le XIIe siècle, avec les traductions de Gérard de Crémone. Mais ce sont les ouvrages d'optique grecs et arabes qui seront les plus nombreux à être traduits, au XIIe et au XIIIe siècle. Outre les écrits d'Euclide et de Ptolémée, que nous avons déjà évoqués, il y a ceux d'al-Kindī et, surtout, ceux d'Ibn al-Haytham. Après une période d'assimilation, ces textes vont inspirer et profondément influencer les auteurs latins qui se sont intéressés à ce domaine de la physique, comme John Pecham (m. 1292), Witelo (m. après 1281), Robert Grosseteste (m. 1253) et, surtout, Roger Bacon (m. 1292). Ce dernier apparaît même comme l'un des meilleurs vecteurs non seulement des résultats d'Ibn al-Haytham et de ses approches mathématiques des problèmes de l'optique, mais également de ses conceptions novatrices, comme celle qui a trait à la place et au rôle de la démarche expérimentale en physique. Même si le *Traité d'optique* d'Ibn al-Haytham a continué de circuler et d'être étudié en Europe bien au-delà du XIIIe siècle, ce sont les travaux de Bacon qui ont donné une seconde vie à l'œuvre de ce savant arabe.

*

RÉFÉRENCES BIBLIOGRAPHIQUES

Al-Jazarī, *Le Recueil utile sur la théorie et la pratique de l'art des procédés ingénieux*. Éd. critique par Y. Al-Hasan, Alep, Institut d'histoire des sciences arabes, 1979.

Hasnaoui A., « La dynamique d'Ibn Sīnā », *in* J. Jolivet et R. Rashed (sous la dir. de), *Études sur Avicenne*, Paris, les Belles Lettres, 1984, p. 103-123.

Jaouiche K., *Le Livre du qarasṭūn de Thābit Ibn Qurra*, Leyde, Brill, 1976.

Maitte B., *La Lumière*, Paris, Éditions du Seuil, coll. « Points Sciences », 1981.

Rashed R., *Géométrie et dioptrique au Xe siècle : Ibn Sahl, al-Kūhī et Ibn al-Haytham*, Paris, Les Belles Lettres, 1993.

Ronchi V., *Histoire de la lumière*, Paris, Armand Colin, 1956.

Rosmorduc J., *Une histoire de la physique et de la chimie, de Thalès à Einstein*, Paris, Éditions du Seuil, coll. « Points Sciences », 1985.

7. Les sciences de la Terre et de la vie

Abordons ce que l'on appelait naguère les « sciences naturelles » ou, il y a plus longtemps encore, l'« histoire naturelle », c'est-à-dire la géologie et la biologie (végétale et animale), ainsi que les pratiques qui leur sont liées, donc l'agriculture, l'agronomie et la médecine. Historiquement, ces disciplines dérivent directement des impératifs de la vie sociale : recherche de nourriture, fabrication d'outils et d'armes, soins apportés aux malades et aux blessés. On peut penser que, dans ces différents domaines et peut-être plus qu'ailleurs, la société arabe préislamique possédait déjà tout un patrimoine de connaissances, issues de ses activités anciennes ou empruntées à d'autres peuples. Qu'en est-il exactement ?

Nous allons voir effectivement que, dans chacun des domaines que vous avez évoqués, les sociétés préislamiques avaient un corpus de connaissances et de savoir-faire accumulés pendant des siècles. D'ailleurs, comme pour d'autres disciplines dont nous avons déjà traité, le nouveau savoir, souvent livresque, qui va s'ajouter à l'ancien à partir du VIIIe siècle, ne va pas l'effacer ou le marginaliser. Il y aura, là aussi, une sorte de cohabitation pacifique entre une science populaire et une science savante avec, parfois, la récupération par le savoir savant d'une partie du savoir populaire. Ce phénomène est très net en agriculture et en botanique. Il existe également en médecine, mais de façon plus atténuée.

Agriculture et botanique

Quelques mots, pour commencer, sur les facteurs qui ont favorisé et accompagné le développement des différentes disciplines que l'on peut rattacher à l'agriculture.

L'agriculture, en tant qu'objet d'étude, ne pouvait rester seule en marge de la dynamique générale impulsée par la nouvelle civilisation. Mais, pour ce domaine précis, d'autres facteurs ont été à l'œuvre d'une manière constante, et ce jusqu'à la fin du XIe siècle.

En premier lieu, le développement important d'anciennes métropoles régionales et la création de nouvelles cités, à certains carrefours du commerce international, ce qui va stimuler l'agriculture des pourtours de ces villes et augmenter son rendement, par une exploitation de plus en plus rationnelle des terres et des ressources hydrauliques. Avec l'accroissement considérable du nombre de citadins, on observe l'apparition de couches aisées, quantitativement importantes. La consommation quotidienne de ces catégories de la population a favorisé des cultures particulières, comme celles de la vigne, des fruits exotiques, des produits nécessaires à une cuisine raffinée. Cela a entraîné l'acclimatation de céréales (le riz, le sorgho, le blé dur), de légumes (l'aubergine, l'épinard, l'artichaut) et de fruits (la pastèque, le citron, l'orange, la banane, la mangue, etc).

En deuxième lieu, on constate l'avènement de nouvelles industries utilisant les produits de l'agriculture : le coton, la soie, la laine et le lin pour la fabrication de textiles, le chanvre pour le papier, les substances tinctoriales (garance, indigo, henné) pour les tissus et les livres, la canne à sucre pour les raffineries.

En troisième lieu, le développement de certaines activités comme la chimie et la médecine, à travers la pharmacopée, vont favoriser la culture de plantes rares.

Quelles sont les sources des écrits arabes sur l'agriculture ?

Extrait de la table des matières
du *Livre sur l'agriculture nabatéenne*

Introduction
Les éléments caractéristiques d'un végétal : description, type de terre, époque de plantation et de cueillette, mode de plantation, soins, vents et saisons, fumiers et traitements, utilités et nuisances, propriétés.

Les plantes florales odoriférantes

Les arbustes à essence et les arbres d'ornement

Les arbres fruitiers
– Fruits à péricarpe sec
– Fruits à péricarpe charnu

Les arbres non fruitiers

Les plantes légumineuses et graminées
– Céréales et farinacées
– Oléagineux
– Autres graminées

Phytobiologie et morphologie des plantes
– La genèse des plantes et leur diversification
– La genèse et la cause des odeurs, des saveurs et des couleurs
– Problèmes de morphologie structurale et de biologie végétale

Les légumes
– Légumes à oignons, rhizomes, grains
– Légumes à feuilles et fruits comestibles

L'olivier, la vigne et le palmier dattier

Source : T. Fahd, « Matériaux pour l'histoire de l'agriculture en Irak... », *Handbuch der Orientalistik*, I, 6, Leyde, Brill, 1977, p. 276-377.

En plus du savoir-faire local qui est patiemment recensé à partir des informations glanées sur les lieux mêmes des pratiques agricoles, les sources écrites proviennent de quatre traditions différentes. La première est mésopotamienne. Ses éléments essentiels avaient été rassemblés antérieurement à l'avènement de l'Islam dans un monumental traité de quelque trois mille pages, écrit en syriaque et intitulé *Kitāb al-filāḥa an-nabaṭiyya* [Livre sur l'agriculture nabatéenne]. On ne connaît pas le ou les auteurs de cette œuvre majeure, et celui à qui elle a été longtemps attribuée n'en a été que le traducteur du syriaque à l'arabe. Il s'agit d'Ibn Waḥshiyya (VIIIe s.), qui n'en a d'ailleurs jamais revendiqué la paternité.

La deuxième catégorie de sources écrites se rattache à la tradition grecque ancienne ou tardive. On y trouve d'abord un livre de Didyme d'Alexandrie (IIIe s.), dont le titre original ne nous est pas parvenu, et *Le Livre des causes* d'Apollonius de Tyane. Puis, il y a un ensemble d'ouvrages écrits par des Byzantins : *Les Géorgika* de Bolos de Mendès (IIe s. av. J.-C.), *La Synagogé* d'Anatolios (IVe-Ve s.), *Les Géorgika* de Kassianos (VIe s.) et *Le Livre de l'agriculture* de Démocrite. La troisième tradition, celle de l'agriculture romaine, est représentée par le livre de Columelle (Ier s.), intitulé *De re rustica*, que les agronomes d'al-Andalus ont plus particulièrement étudié et utilisé. La quatrième et der-

Les écrits agricoles arabes d'Orient postérieurs au Xe siècle

al-Waṭwāṭ al-Kutubī (m. 1318)
– *Kitāb Mabāhij al-fikr* [Livre des splendeurs de l'esprit]

al-Malik Ibn Yūsuf (m. 1297)
– *Milḥ al-mullāḥa fī ma*c*rifat al-filāḥa* [Le Sel de l'agrume dans la connaissance de l'agriculture]

al-Malik al-Afḍal (m. 1376)
– *Bughyat al-fallāḥīn fī l-ashjār al-muthmira wa r-rayāḥīn* [Le désir des agriculteurs au sujet des arbres productifs et des basilics]

al-cĀmirī (m. 1529)
– *Kitāb al-filāḥa* [Livre de l'agriculture]

an-Nābulsī (ca 1715)
– *Kitāb* c*alam al-mullāḥa fī* c*ilm al-filāḥa* [Le Livre du signe de l'agrume dans la science de l'agriculture]

Iyās Zādah (ca 1722)
– *Kitāb falāḥ al-fallāḥ* [Livre de la réussite de l'agriculteur]

L'agriculture vue par Ibn Khaldūn (XIVe s.)

L'agriculture est une branche de la physique. Elle étudie la culture et la croissance des plantes, leur irrigation, leur traitement, l'amélioration des sols, le choix des saisons propices et l'application régulière des moyens propres à les faire croître et prospérer. Les Anciens s'intéressaient beaucoup à l'agriculture en général. Ils étudiaient les plantes à plusieurs points de vue : leur mise en terre, leur multiplication, leurs propriétés, leurs vertus, les rapports de celles-ci avec les esprits des astres et des corps célestes, connaissances utilisées en magie. Ils y prenaient donc un très grand intérêt. Un ouvrage grec, sur l'agriculture nabatéenne, attribué aux Nabatéens, a été traduit en arabe. Il contient beaucoup de renseignements de ce genre. Les musulmans qui l'ont étudié, craignant de tomber dans les pratiques magiques défendues par l'Islam, se sont bornés aux parties du livre qui traitent de la mise en terre ou des soins à donner aux plantes. Ils ont laissé de côté tout le reste. (...) Quant aux Modernes, ils ont composé beaucoup d'ouvrages sur l'agriculture, qui ne traitent que de la mise en terre et des soins à donner aux plantes, de la manière de les protéger de tout ce qui peut leur nuire ou affecter leur croissance, etc. On trouve ces livres aisément.

Source : Ibn Khaldūn, *Discours sur l'histoire universelle. Al-Muqaddima*, Paris, Sindbad, 1967-1968, trad. V. Monteil, p. 1082-1083.

nière tradition préislamique est celle des Perses, connue à travers le *Kitāb Waruznāmah*.

Comment se sont orientés les travaux des premiers auteurs arabes étudiant des sujets ayant trait à l'agriculture proprement dite ?

Les premiers traités arabes, rédigés à partir de l'héritage évoqué, contiennent tous dans leur intitulé le mot *filāḥa* qui signifie « agriculture ». Mais cela ne reflète pas entièrement leur contenu puisqu'on y trouve aussi des éléments d'agronomie, de botanique, d'hydrologie, de météorologie, de climatologie, et parfois même des exposés culinaires. Plus tard, sous l'effet du développement général des sciences et, pro-

Les écrits agronomiques d'al-Andalus

Ibn Wāfid (m. 1074)
– *Majmū^c fī l-filāḥa* [Recueil sur l'agriculture]

Ibn Ḥajjāj (XIe s.)
– *al-Muqni^c fī l-filāḥa* [Le Livre satisfaisant sur l'agriculture]

Ibn Baṣṣāl (XIe s.)
– *Kitāb al-qaṣd wa l-bayān* [Le Livre de l'intention et de la démonstration]

Ibn Khayr al-Ishbīlī (XIe s.)
– *Kitāb al-filāḥa* [Livre de l'agriculture]

at-Taghnarī (XIIe s.)
– *Kitāb zahrat al-bustān wa nuzhat al-adhhān* [Livre de la fleur du verger et de l'agrément des esprits]

Ibn al-^cAwwām (entre 1118 et 1265)
– *Kitāb al-filāḥa* [Livre de l'agriculture]

Ibn ar-Raqqām (m. 1315)
– *Kitāb Khulāṣat al-ikhtiṣāṣ* [Livre de l'ultime spécialisation]

Ibn Liyūn (m. 1349)
– *Urjūza fī l-filāḥa* [Poème sur l'agriculture]

blablement, comme conséquence d'une consommation de plus en plus ciblée, on voit apparaître des écrits consacrés exclusivement à l'une ou l'autre de ces spécialités.

En ce qui concerne l'agriculture proprement dite, les auteurs arabes ont étudié les questions suivantes : la nature des sols, les phénomènes météorologiques (vents, pluies, soleil) et leurs effets sur les activités agricoles, la gestion de l'eau, la fertilisation des sols, la culture des plantes légumineuses et graminées. Dès le début, certaines cultures ont bénéficié d'une étude spécifique très détaillée. C'est le cas de l'olivier et du palmier dattier, ce qui peut se comprendre, compte tenu de leur importance dans l'alimentation et le mode de vie des habitants de vastes régions de l'Empire musulman. Mais c'est aussi le cas de la vigne qui, comme les sources le précisent, n'était pas cultivée uniquement pour la production de raisin de table. On peut même affirmer, sans craindre de se tromper, que c'est la production de vin (stimulée par une consommation régulière des non musulmans et d'une partie de l'élite musulmane) qui a motivé les agronomes arabes dans cette étude.

Lorsqu'on parle de l'agronomie arabe, on évoque surtout la tradition d'al-Andalus.

L'agronomie arabe s'est d'abord développée en Orient à partir de l'étude et de la mise en application du contenu du *Livre sur l'agriculture nabatéenne*. Cela dit, il est vrai que c'est en Espagne que nous trouvons les plus grands auteurs ayant écrit sur ce sujet. Dans cette région de l'empire, l'État lui-même s'est investi dans le développement des recherches agronomiques. On rapporte que certains jardins royaux des environs de Cordoue avaient été partiellement aménagés pour permettre aux agronomes d'y acclimater des espèces rapportées d'Orient.

Mais il faut préciser que, indépendamment de la région où elle s'est développée, l'agronomie arabe a, dès le départ et tout au long de son histoire, inscrit ses préoccupations et ses pratiques dans le cadre du modèle défini par l'ouvrage précité : descriptions de la plante étudiée, de la terre qui lui convient le mieux, du moment de sa plantation et de la cueillette éventuelle de ses fruits, du mode de plantation, des soins nécessaires à son développement (taille, greffes, transplants, engrais), des climats, des vents, des saisons favorables…

Qu'en est-il des sources de la botanique ?

Comme pour l'agriculture, la première source est constituée de tout le fonds local des plantes, cultivées, cueillies ou simplement répertoriées par les habitants de chaque région du nouvel empire. Les sources écrites auxquelles vont accéder les Arabes à partir du VIIIe siècle sont essentiellement grecques. Trois textes se détachent nettement : le commentaire du *Traité des plantes* d'Aristote par Nicolas le Damascène (Ier s.

av. J.-C.), *Les Causes des plantes*, de Théophraste (m. vers 287 av. J.-C.), et *La matière médicale*, de Dioscoride (Ier s.). Ce dernier livre sera traduit une seconde fois, au Xe siècle, à Cordoue, à partir d'une nouvelle copie grecque offerte par l'empereur de Constantinople au calife de Cordoue ʿAbd ar-Raḥmān III. À ces ouvrages majeurs il faut ajouter *Le Livre des plantes*, de Galien, ceux de Caton (IIe s. av. J.-C.) et de Pline l'Ancien (Ier s.).

Y a-t-il eu, comme pour l'agriculture, des raisons économiques ou sociales qui ont favorisé ou motivé l'étude de cette science ?

Oui. Il y a eu d'abord les raisons que nous avons évoquées à propos de l'agriculture. Mais elles ne furent pas les seules. On peut même dire que, avant d'être médicales ou agronomiques, les premières motivations dans ce domaine ont été linguistiques. En effet, à la fin du VIIIe siècle et au début du IXe, c'est le développement de l'étude de la langue arabe qui a favorisé, d'abord, l'insertion dans les lexiques ou dans les traités de linguistique d'un chapitre sur les plantes. C'est ce qu'a fait par exemple le premier grand linguiste arabe, al-Khalīl Ibn Aḥmad, dans son *Kitāb al-ʿayn* [Livre de < la lettre > ʿayn]. Un peu plus tard, ce sont des ouvrages lexicographiques entièrement consacrés aux plantes qui vont être publiés par différents auteurs. C'est le cas du *Livre des choses rares* d'al-Kilābī (m. 820) et des ouvrages – tous ont le même titre : *Kitāb an-nabāt wa l-ashjār* [Livre des plantes et des arbres] – publiés successivement par al-Aṣmaʿī (m. 831), al-Anṣārī (m. 829), Ibn as-Sikkīt (m. vers 859) et beaucoup d'autres.

Mais à la même époque et parallèlement aux préoccupations linguistiques, une seconde orientation s'est dessinée : celle de la classification et de l'étude des plantes. Le plus important des écrits arabes qui s'inscrivent dans cette orientation est indiscutablement celui d'ad-Dīnawarī, publié en six volumes mais dont deux seulement nous sont parvenus. En plus des sujets habituels des ouvrages d'agriculture, le traité contient une classification des plantes, avec la des-

Quelques ouvrages de botanique
(IX[e]-X[e] s.)

al-Baṣrī (m. 828)
– *Kitāb az-zar*[c] [Livre des céréales]

al-Aṣma[c]**ī** (m. 831)
– *Kitāb an-nabāt wa sh-shajar* [Livre des plantes et des arbres]

Ibn Ḥātim (m. 845)
– *Kitāb an-nabāt wa sh-shajar* [Livre des plantes et des arbres]

al-Anṣārī (m. 829)
– *Kitāb ash-shajar wa n-nabāt* [Livre des plantes et des arbres]
– *Kitāb az-zar*[c] *wa n-nabāt* [Livre des céréales et des plantes]

Ibn al-[c]**Arabī** (m. 845)
– *Kitāb ṣifat an-nakhl* [Livre sur l'attribut des palmiers]
– *Kitāb ṣifat az-zar*[c] [Livre sur l'attribut des céréales]
– *Kitāb an-nabāt wa l-baql* [Livre des plantes et des légumes]
– *Kitāb an-nabāt* [Livre des plantes]

Ibn Ḥabīb (m. 859)
– *Kitāb an-nabāt* [Livre des plantes]

Ibn as-Sikkīt (m. vers 859)
– *Kitāb an-nabāt* [Livre des plantes]

as-Sijistānī (m. 868)
– *Kitāb an-nakhla* [Livre du palmier]
– *Kitāb az-zar*[c] [Livre des céréales]
– *Kitāb al-kurūm* [Livre des vignes]
– *Kitāb an-nabāt* [Livre des plantes]

as-Sukkarī (m. 888)
– *Kitāb an-nabāt* [Livre des plantes]

ad-Dīnawarī (m. 895)
– *Kitāb an-nabāt* [Livre des plantes]

Ibn Salama (m. 920)
– *Kitāb az-zar*[c] *wa n-nabāt wa n-nakhl wa anwā*[c] *ash-shajar* [Livre des céréales, des plantes, des palmiers et des espèces d'arbres]

Ibn Khālawayh (m. 980)
– *Kitāb ash-shajar* [Livre des plantes]

cription de plusieurs centaines d'entre elles, ainsi qu'une étude complète de leurs différentes phases de croissance.

Dans la mesure où certains chapitres de l'agriculture et de la botanique traitent d'espèces que les Arabes ne connaissaient pas avant l'avènement de l'Islam et l'extension de l'empire, ou que, lorsqu'ils les connaissaient ils les appelaient d'un autre nom, comment les premiers botanistes linguistes se sont-ils débrouillés pour nommer et, surtout, pour reconnaître les plantes, à travers les descriptions des ouvrages anciens ?

C'est là un véritable problème auquel se sont heurtés les botanistes arabes. Au début, une bonne partie de la terminologie grecque des plantes a été tout simplement retranscrite selon la phonétique arabe avec, bien sûr, les déformations qui en découlent et qui s'accentuent par l'écriture. C'est ce qui est arrivé, par exemple, à l'ouvrage de Dioscoride *La matière médicale*. Il a fallu attendre le Xe siècle pour que la traduction faite en Orient soit « améliorée », en Occident musulman, par la substitution aux mots grecs transcrits en arabe au IXe siècle de termes arabes, berbères ou même latins (plus familiers aux scientifiques d'al-Andalus). Mieux encore, pour certaines plantes qui existaient en Orient et qui portaient des noms grecs transcrits, il a fallu attendre le grand botaniste d'al-Andalus Ibn al-Bayṭār (m. 1248) pour qu'un certain nombre de noms grecs soient remplacés par les mots arabes correspondants. Dans ce domaine, la traduction s'est donc poursuivie jusqu'au XIIIe siècle !

Quelles ont été les classifications des plantes adoptées par les auteurs arabes ?

Ad-Dīnawarī présente d'abord les plantes florales et odoriférantes, suivies des arbustes à essence et des arbres d'ornementation, puis les arbres fruitiers, les arbres non fruitiers, les plantes légumineuses et graminées et, enfin, les légumes. Quant aux botanistes, leurs classifications sont fondées sur les apparences extérieures des plantes (couleur, forme, feuillage, hauteur) ainsi que sur la saison du bourgeonnement ou de la floraison et sur le lieu d'acclimatation.

À quel moment sont apparus les premiers écrits arabes traitant de plantes médicinales ?

Le premier contact avec cette partie de la botanique a eu lieu très tôt, par l'intermédiaire du syriaque, langue dans laquelle avaient été traduits, avant l'avènement de l'Islam, un certain nombre d'œuvres médicales grecques. Mais c'est à partir du IXe siècle, puis au Xe, que des auteurs se mettent à publier des ouvrages consacrés exclusivement aux plantes médicinales. Pour l'Orient, il y eut Ḥunayn Ibn Isḥāq, le grand traducteur d'ouvrages médicaux, son fils Isḥāq Ibn Ḥunayn et son neveu Ḥubaysh. Au Maghreb, on peut citer, pour le IXe siècle, Isḥāq Ibn ᶜImrān, et, au siècle suivant, Ibn al-Jazzār.

Botanique et mathématique selon al-Bīrūnī (XIe s.)

Parmi les particularités des fleurs, il en est une qui semble réellement étonnante : à savoir que le nombre de leurs pétales, dont le sommet forme un cercle lorsqu'elles commencent à s'ouvrir, se conforme dans la plupart des cas aux lois de la géométrie. En général, elles épousent géométriquement les cordes d'un cercle, non les sections coniques. Il vous sera difficile de trouver une fleur à sept ou neuf pétales : la raison en est que, suivant les lois de la géométrie, l'on ne pourrait la construire dans un cercle avec des triangles isocèles. Le nombre des pétales est toujours de trois, quatre, cinq, six ou dix-huit. Ces nombres se rencontrent souvent.

Peut-être trouvera-t-on un jour une espèce de fleur à sept ou neuf pétales, ou peut-être ces nombres se rencontrent-ils parmi les espèces déjà connues ; mais dans l'ensemble, il faut reconnaître que la nature maintient ses genres et ses espèces tels qu'ils sont.

* Al-Bīrūnī, *Āthār bāqiyya ᶜan al-qurūn al-khāliyya* [Les vestiges restant des siècles révolus], *Courrier de l'Unesco*, juin 1974, p. 25.

En dehors des plantes médicinales, les auteurs médiévaux arabes se sont-ils intéressés à certaines plantes plutôt qu'à d'autres ?

À côté, d'une part, des ouvrages d'ordre général portant le titre de *Livre de l'agriculture* et traitant indistinctement, de toutes les questions ayant, de près ou de loin, un lien avec l'agriculture, et, d'autre part, des ouvrages exclusivement consacrés aux plantes médicinales, les bibliographes arabes nous fournissent des informations sur deux autres catégories d'écrits. La première regroupe un ensemble d'ouvrages plus spécifiquement botaniques mais portant tous dans leur titre les mots *Kitāb an-nabāt* [Livre des plantes], souvent seuls, parfois accompagnés du mot *shajar* [arbres] ou *zar*ᶜ [céréale]. La seconde catégorie regroupe des ouvrages traitant d'une seule espèce : palmier, vigne, céréale… Il nous est parvenu une vingtaine de titres d'ouvrages publiés dans ces deux catégories entre 828 et 980.

La zoologie

Les ouvrages sur l'agriculture évoquent-ils les animaux domestiques dans des chapitres particuliers, ou bien leur réservent-ils des écrits spécifiques ?

Comme les livres sur l'agriculture s'adressent aux fermiers, il est normal qu'ils contiennent des informations et des conseils sur l'élevage domestique. Et c'est effectivement le cas. Mais, très vite, des auteurs se sont mis à publier des ouvrages sur tel ou tel animal domestique, puis sur des animaux sauvages.

D'ailleurs ces deux orientations ne font que prolonger celles qui caractérisent la production zoologique antérieure à l'Islam, en particulier celle que les Arabes ont découverte dans les traductions de certains traités grecs.

Vous faites allusion aux traités agricoles déjà évoqués ?

Oui, comme celui d'Apollonius de Tyane (ve s.) qui traite de la fécondation des bovins, des soins aux ovins et aux chevaux, des abeilles et de la gestion des ruches, de l'élevage des poulets, du traitement des pigeons, des canards, des paons, des perdrix et des petits volatiles.

Mais je pense aussi à des ouvrages plus spécialisés et parfois peu connus. Dans ce domaine, il y a bien sûr le *Livre des animaux* d'Aristote, ouvrage incontournable. On citera aussi le *Livre sur la nature des animaux* d'Hippocrate, celui de Polémon sur l'élevage des pigeons, celui de Theomnestos de Tyane que les Arabes ont intitulé *Kitāb al-bayṭara* [Livre sur la < science > vétérinaire].

Quels sont les thèmes zoologiques traités dans les écrits arabes médiévaux ?

Comme cela était prévisible, ils ont consacré un certain nombre d'écrits aux animaux les plus familiers, tels le cheval, le mouton, le chameau et le pigeon, en s'intéressant à leur reproduction, à leur élevage, à leurs performances, aux soins vétérinaires qui devaient leur être prodigués, etc. Ils ont également écrit sur les oiseaux de proie, et plus particulièrement sur les faucons, parce que cela intéressait une élite arabe qui s'adonnait régulièrement à la chasse. En plus de ces écrits utilitaires, on trouve des études générales sur les espèces animales, domestiques ou sauvages, classées et décrites selon certains critères.

La zoologie a-t-elle eu un statut de science ou est-elle restée une branche de la science de l'agriculture ?

Le fait même que des auteurs prestigieux lui aient consacré des ouvrages (comme l'a fait le fameux al-Jāḥiẓ (m. 868), avec son *Livre des animaux*, et comme le feront, après lui, des spécialistes de l'agriculture), prouve qu'elle était considérée, de fait, comme une discipline à part entière, avec ses objets d'étude, sa terminologie et son domaine d'application. Ce qui sera d'ailleurs confirmé à un niveau plus théorique, si j'ose dire, lorsque la zoologie sera prise en compte dans les classifications des sciences arabes. Or, dès le xe siècle, on la trouve dans l'*Épître sur le recensement des sciences* du grand philosophe al-Fārābī. C'est, dit-il, « l'étude de ce qu'ont en commun les < différentes > espèces d'animaux et ce qui est particulier à chacune d'elles, et c'est la seconde partie de l'étude des < corps > composés de différentes parties ». À la même époque, les fameux Ikhwān aṣ-Safā' [Les Frères de la pureté] (xe s.) consacraient toute la huitième épître de leur *Encyclopédie* à « la manière dont ont été engendrés les animaux et à leurs < différentes > catégories ». Ils y exposent la cause de la différence des formes des animaux, l'excellence de leurs sens, la préférence des chevaux à toutes les autres bêtes de somme, les caractéristiques du lion et ses mœurs, celles des serpents, les qualités des abeilles, etc.

La géologie

Quelles sont les préoccupations géologiques de la civilisation arabo-musulmane et les différents domaines qui en ont résulté ?

À vrai dire, il n'y a pas eu, dès le départ, à l'instar de l'agriculture, une grande discipline « fourre-tout » qui se serait appelée géologie ou « science des pierres » et au sein de laquelle se seraient dégagées des spécialisations plus ou moins fécondes. Mais, avec notre regard d'aujourd'hui, on peut dire qu'un certain nombre d'activités, de réflexions ou de préoccupations, qui ont un lien direct ou indirect avec la géologie, sont apparues relativement tôt et ont influé sur les orientations futures. Ces activités et ces réflexions ont concerné quatre thèmes biens distincts : les minerais (avec les aspects industriels et technologiques qui leur sont liés), les pierres précieuses, les phénomènes géologiques, l'histoire des êtres vivants en relation avec l'histoire de la Terre.

Quelle a été l'importance de l'industrie minière en pays d'Islam, et a-t-elle favorisé des études sur les minerais exploités et utilisés dans les différents secteurs de l'économie et de l'industrie ?

L'histoire de l'industrie minière dans l'Empire musulman n'a pas encore été écrite, et elle ne le sera pas de sitôt car de nombreuses investigations préalables, dans les sites archéologiques et dans les documents écrits, sont nécessaires avant de faire un premier bilan. Cela dit, il est possible de répondre partiellement à la question. C'est d'abord presque une évidence de dire que cette puissante civilisation a connu une consommation à grande échelle de l'or, de l'argent et même du cuivre pour la frappe de ses monnaies, du fer pour la fabrication des armes et d'autres métaux pour divers usages, comme le mercure, le plomb, le zinc et l'étain. Il faut y ajouter le sel, qui occupe bien sûr une place particulière. Par ailleurs, compte tenu de la promotion d'une couche sociale extrêmement riche et raffinée, un autre type d'industrie minière avait la faveur à la fois des élites princières, des marchands et des artisans. Il s'agit de l'exploitation et du travail des pierres précieuses.

Ces pierres ont-elles fait l'objet de descriptions, de classifications, de comparaisons ?

Dans les écrits qui nous sont parvenus, les auteurs s'intéressent à plusieurs aspects des pierres précieuses. Il y a tout d'abord l'aspect linguistique (comme pour la botanique) : les auteurs donnent les noms des pierres et les différents types d'une même espèce. Il y a aussi l'aspect géologique, c'est-à-dire la manière dont la pierre s'est formée dans son minerai. On s'est intéressé, bien évidemment, à leur aspect esthétique en décrivant leurs différentes couleurs et, surtout, les formes géométriques particulières de certaines d'entre elles. Sur le plan purement scientifique, des spécialistes ont étudié leurs propriétés physiques (dureté, poids spécifiques) ou chimiques (par exemple, l'effet du vinaigre sur certaines d'entre elles).

Ces études ont-elles été influencées par la lecture d'ouvrages anciens ou bien ont-elles été motivées par des facteurs internes à la civilisation de l'Islam ?

La réponse n'est pas facile parce que, dans ce domaine, l'héritage ancien n'est pas quantitativement important. Les sources arabes évoquent deux livres grecs : l'un attribué faussement à Aristote *Le Livre des pierres*, et l'autre écrit par Théophraste et qui traite des minerais.

Quelles sont les particularités des écrits arabes dans ce domaine ?

On remarque d'abord le déséquilibre flagrant, d'un point de vue quantitatif, entre les publications sur les industries minières et celles sur les pierres. Pour prendre l'exemple du fer, un seul traité a été exhumé et analysé jusqu'à ce jour. Il s'agit de l'*Épître sur les épées* du philosophe al-Kindī. Un autre traité, antérieur et non retrouvé, est attribué à Mazīd ibn ᶜAlī, le forgeron. L'auteur y décrit également les épées qui étaient produites à son époque. Un troisième traité (*Le Livre du fer*) aurait été écrit par le fameux chimiste du VIIIe siècle Jābir Ibn Ḥayyān. En face de cela, la production sur les pierres précieuses non seulement est très importante quantitativement, mais sa publication s'étale uniformément sur plusieurs siècles (IXe-XIVe s.), comme le montrent clairement les références bibliographiques qui nous sont parvenues.

Venons-en à la seconde orientation. Les auteurs qui ont évoqué les phénomènes géologiques ont-ils puisé leurs explications ou leurs théories dans le corpus ancien ou ont-ils tiré leurs conclusions de leurs observations ?

Il faut d'abord faire quelques remarques préliminaires sur la nature des écrits traitant des phénomènes géologiques. En premier lieu, il ne s'agit pas d'ouvrages consacrés exclusivement à ce sujet, mais de simples passages plus ou moins longs qui abordent la question dans le cadre d'une problé-

Écrits arabes sur les pierres précieuses
(IXe-XIVe s.)

Uṭārid (IXe s.)
– *Kitāb al-jawāhir wa l-aḥjār* [Le Livre des pierres précieuses et des pierres]

al-Kindī (IXe s.)
– *Kitāb fī l-jawāhir* [Livre sur les pierres précieuses]
– *Risāla fī anwā^c^ as-suyūf wa l-ḥadīd* [Livre sur les < différents > types d'épées et de fer]

ad-Dīnawarī (IXe s.)
– *Risāla fī l-aḥjār* [Épître sur les pierres]

al-Bīrūnī (m. 1058)
– *al-Jamāhir fī l-jawāhir* [Florilège sur les pierres]

Ibn ^c^Alī (XIIe s.)
– *Kitāb fī l-aḥjār wa l-^c^aqāqīr wa ṭṭīb* [Livre sur les pierres précieuses, les drogues et les parfums]

Ibn Naṣr (XIIe s.)
– *Kitāb fī l-aḥjār wa l-^c^aqāqīr wa ṭ-ṭīb* [Livre sur les pierres précieuses, les drogues et les parfums]

at-Tīfāshī (m. 1253)
– *Azhār al-afkār fī jawāhir al-aḥjār* [Les Fleurs des pensées sur les joyaux des pierres]

al-Qābājāqī (XIIIe s.)
– *Kitāb al-aḥjār* [Livre des pierres]

Naṣīr ad-Dīn aṭ-Ṭūsī (m. 1274)
– *Kitāb al-aḥjār* [Livre des pierres]

Ibn al-Akfānī (m. 1348)
– *Nukhab ad-dhakhā'ir fī aḥwāl al-jawāhir* [La Sélection des trésors sur l'état des joyaux]

matique plus large sur la Terre et son histoire. En second lieu, les auteurs de ces passages ne sont pas des spécialistes dont l'intérêt dominant aurait été la géologie. Il s'agit de philosophes (Ibn Sīnā…), d'historiens (Ibn Khaldūn…), d'encyclopédistes (les Ikhwān aṣ-Ṣafā'…). Donc, compte tenu de ces profils, il n'est pas étonnant qu'ils aient élaboré des explications issues de leurs observations patientes et répétées ou qu'ils aient repris des analyses faites par d'autres mais qui correspondaient à leur manière de voir et de penser.

Quels sont les éléments essentiels de ces différentes explications des phénomènes géologiques, avec leurs éventuelles variantes ?

Il y a d'abord l'idée de changement, et de transformation au cours des temps, des composantes de la Terre : montagnes, déserts, mers, rivières, etc. Les Ikhwān aṣ-Safā' expriment cela sous la forme suivante : « Sache, ô mon frère, que ces endroits < de la Terre > se transforment et changent tout au long des époques et des temps ; les montagnes deviennent des steppes et des déserts, les steppes deviennent des mers, des lacs et des rivières, les mers deviennent des montagnes, des collines, des marécages, des maquis et des zones désertiques ; les lieux de civilisation deviennent des ruines et les endroits en ruine deviennent des lieux de civilisation. »

Les mêmes auteurs évoquent le rôle de l'érosion dans la formation des reliefs : « Sache, ô mon frère, que les rivières et les fleuves sont tous issus des montagnes et des collines et que leur écoulement se fait vers les mers, les marécages et les étangs. Quant aux montagnes, à cause de l'intensité du rayonnement du Soleil, de la Lune et des astres sur elles, tout au long des temps et des époques, leur humidité disparaît, leur sécheresse augmente et elles se fendent et se brisent, en particulier sous l'assaut des tempêtes. Elle deviennent alors des pierres, des rochers, des galets et des sables. Puis, les pluies et les écoulements déposent ces rochers et ces sables au fond des rivières et des fleuves. Alors, la force de leurs courants les entraînent vers les mers, les étangs et les marécages. »

Est ensuite abordé le phénomène de sédimentation, qui aboutit à la formation de certains sols. Après avoir parlé de l'érosion, les Ikhwān aṣ-Safā' concluent ainsi : « Puis, les mers, à cause de la force de leurs vagues, de leur perturbation et de leur bouillonnement, étalent ces sables, ces argiles et ces galets dans leurs fonds, couche sur couche, tout au long des temps et des époques. < Ainsi >, elles se collent, l'une sur l'autre, et se constituent, dans le fond des mers, des montagnes et des collines, comme se collent, sous l'effet du souffle des vents, des monticules de sable dans les steppes et les déserts[1]. »

C'est une explication semblable, mais plus explicite, que donnera plus tard Ibn Sīnā dans un chapitre de son *Kitāb ash-shifā'* [Livre de la guérison] : « Certaines montagnes apparaissent comme stratifiées, couche sur couche. Cela semble être dû au fait que leur matière, à un moment donné, s'était ainsi < constituée >, couche sur couche : une couche s'était d'abord déposée puis, à une autre époque, une autre couche s'est déposée alors que s'était < entre-temps > écoulée sur chaque couche une matière différente de leur essence, devenant ainsi un intermédiaire entre elle et l'autre couche. Lorsque la matière s'est solidifiée, l'intermédiaire s'est alors brisé et il s'est répandu entre les couches.

« (...) Et il est possible qu'il arrive à la mer d'envahir, petit à petit, une terre composée de plaine et de montagne puis de s'en retirer. Il arrive alors à la plaine de se transformer en argile, alors que cela n'arrive pas à la montagne. Et si elle se transforme en argile, elle est alors prête à se solidifier au moment du reflux < de la mer > et sa solidification est alors fortement stratifiée. Et si le reflux se fait sur ce qui est déjà solidifié, ce qui était anciennement solidifié devient, jusqu'à un certain point, prêt à l'effritement. Il lui arrive alors le contraire de ce qui arrive à la terre < meuble > dans le sens où celle-ci s'apprête à se solidifier et celui-là s'humidifie, se ramollit et redevient de la terre.

« C'est comme lorsque tu malaxes dans l'eau de la brique, de la terre et de l'argile puis que tu exposes au feu la brique, l'argile et la terre. Le malaxage de la brique aura alors augmenté la capacité de la brique à s'effriter une seconde fois par le feu alors que pour la terre et l'argile, c'est leur capacité à fortement se solidifier < qui augmente >. »

Nous trouvons des réflexions analogues dans les écrits d'al-Bīrūnī, un contemporain d'Ibn Sīnā. Il dit, à propos des

1. Ikhwān aṣ-Safā', *Rasā'il* [Épîtres].

Ibn Sīnā et la formation des montagnes

Quant à l'élévation < du sol >, elle peut avoir une cause par essence, comme elle peut avoir une cause par accident. Quant à la cause par essence, c'est comme ce qui arrive dans de nombreux tremblements de terre puissants où le souffle, agent du tremblement de terre, soulève une partie de la Terre et produit brusquement un monticule. Quant à la < cause > par accident, c'est < comme > lorsqu'il arrive que des failles < adviennent > à une partie de la Terre, et pas à une autre, parce que des vents ont soufflé ou des eaux ont creusé, provoquant un mouvement d'une partie de la Terre et pas de l'autre. Alors celle sur laquelle s'est écoulée < l'eau > se creuse et celle sur laquelle elle ne s'est pas écoulée reste < comme > un monticule. Puis, les ruissellements ne cessent d'approfondir le premier creusement jusqu'à ce qu'il atteigne des profondeurs importantes. Alors, ce qui reste de l'effondrement devient une montagne.

Mais il est possible aussi que l'eau ou le vent ait un effet régulier, sauf que les parties de la Terre sont différentes. Certaines d'entre elles sont tendres et d'autres solides. Alors les < parties > terreuses et tendres se creusent et les < parties > solides restent élevées. Puis cette érosion ne cesse de creuser et de s'étendre tout au long des jours, alors que la < partie > émergente reste, en devenant plus élevée à chaque fois que la Terre se creuse.

(…) La formation des montagnes a eu lieu selon l'une des causes < à l'origine > de la formation de la pierre. En < règle > générale, sa formation < a eu lieu >, tout au long du temps, à partir d'une argile compacte et sèche qui s'est solidifiée au cours d'une période indéfinie. Il semble que cette Terre ait été dans les temps passés non habitée mais plutôt couverte par les mers. Puis, elle s'est solidifiée, soit après l'émergence petit à petit au cours d'une période dont l'histoire n'a pas retenu ses limites, soit sous les eaux à cause de l'intensité de la chaleur existant sous les mers. < Mais > le plus probable est que cela ait eu lieu après l'émergence et que son argile l'ait aidée à se solidifier puisque son argile est compacte. Comme argument à cela, l'existence dans de nombreuses pierres, lorsqu'elles sont brisées, des parties d'animaux aquatiques comme les coquillages et autres.

Source : Ibn Sīnā : *Risālat al-maᶜādin wa l-āthār al-ᶜulwiya* [Épître sur les minerais et les phénomènes météorologiques]. Cité par ᶜA. Sakrī, in *Encyclopédie de la civilisation arabo-musulmane*, vol. I, p. 605-606.

phénomènes géologiques : « Nous avons relié les témoignages des roches aux vestiges du passé pour en inférer que tous ces changements se sont produits il y a très, très longtemps, et dans des conditions de froid et de chaleur qui nous demeurent inconnues ; car même à présent, il faut bien longtemps pour que l'eau et le vent accomplissent leur œuvre. Et des changements ont eu lieu, ont été observés et consignés dans des périodes historiques. »

Il nous reste à évoquer un aspect, lié au précédent, mais concernant cette fois l'histoire des êtres vivants sur la Terre. Y a-t-il eu des scientifiques ou des penseurs arabes qui se sont écartés des explications religieuses sur l'origine de l'homme ? Y a-t-il eu des auteurs annonçant l'idée d'évolution des espèces ?

Les éléments que je vais vous exposer ne sont peut-être pas décisifs pour répondre à vos questions, mais ils sont suf-

Observations géologiques d'al-Bīrūnī

La mer est devenue terre et la terre est devenue mer ; de tels changements, s'ils ont eu lieu avant que l'homme n'existât, ne sont pas connus, et quand ils sont survenus ultérieurement à son existence, on n'en a pas souvenir parce que la longueur des temps écoulés a effacé les témoignages de ces événements, surtout s'ils sont survenus peu à peu.

Le désert d'Arabie était en un temps une mer qui s'est modifiée, si bien que les traces de sa forme première sont encore visibles quand on creuse des puits ou des étangs, car on commence par trouver des couches de poussière, de sable et de cailloux, puis on atteint dans les sols des coquilles, du verre et des os dont on ne peut dire qu'ils ont été ensevelis ici à dessein. Non, car on exhume même des pierres dans lesquelles sont inclus des coquillages, des cauris, et ce qu'on appelle des « oreilles de poissons », parfois parfaitement conservées, ou bien ayant laissé des empreintes de leur forme première alors que la bête a péri.

Source : M. S. Atchekzai, « Un pionnier de l'observation scientifique », *Courrier de l'Unesco*, juin 1974, p. 18 et 42.

fisamment explicites pour autoriser un nouveau regard sur les courants de pensée apparus en pays d'Islam et qui ont parfois résisté au temps et aux courants contraires. Sur la question posée, nous connaissons les opinions d'un certain nombre d'auteurs. On ne peut décider si ce qu'ils exposent sur l'histoire des êtres vivants leur appartient ou est emprunté à d'autres. Ce qui est important, je crois, c'est que non seulement ces idées ne sont pas présentées par ces auteurs dans le but d'être critiquées (comme il leur arrive de le faire pour des questions philosophiques, astrologiques ou d'une autre nature), mais, en plus, le style de l'exposé permet de supposer une adhésion de ces intellectuels aux explications qu'ils proposent.

Au IXe siècle déjà, le grand historien al-Mascūdī évoquait dans son livre *Murūj adh-dhahab* [Les Prairies d'or] l'évolution du minéral vers le végétal, puis de celui-ci vers l'animal, et de ce dernier vers l'homme. Au Xe siècle, ce sont encore les Ikhwān aṣ-Ṣafā' qui se distinguent en esquissant

La chronologie du vivant par les Ikhwān aṣ-Ṣafā'

Les minéraux sont les premiers dans l'existence, puis les plantes, puis les animaux, puis l'homme. Et, pour chacune de ces espèces, il y a une spécificité dont elle a la priorité. La spécificité des quatre éléments, ce sont les quatre qualités qui sont le chaud, le froid, l'humide et le sec et la transformation de l'un en l'autre. La particularité des plantes, c'est la nutrition et la croissance ; la particularité des animaux, c'est la sensation et le mouvement ; la particularité de l'homme, c'est la parole, la pensée et l'élaboration des preuves ; la particularité des anges est qu'ils ne meurent jamais. L'homme partage avec ces espèces leurs particularités et ce, parce qu'il a les quatre qualités qui sont capables de transformation et de changement, comme les quatre éléments ; il a de la corruption et de la génération comme les minéraux ; il se nourrit et il croît comme les végétaux ; il sent et il se meut comme les animaux, et il lui est possible de ne pas mourir comme les anges.

Source : Ikhwān aṣ-Ṣafā', *Rasā'il* [Épîtres], vol. II, p. 118.

Al-Qazwīnī
et les quatre phases de l'évolution du vivant

Le premier stade de ces créatures est la terre et le dernier est une âme angélique purifiée. Quant aux minerais, leur premier stade se rattache à la terre et à l'eau et leur < stade > ultime aux végétaux ; pour les végétaux, leur premier stade se rattache aux minerais et leur < stade > ultime aux animaux ; pour les animaux, leur premier stade se rattache aux végétaux et leur < stade > ultime à l'homme ; pour les âmes humaines, leur premier stade se rattache aux animaux et leur < stade > ultime aux âmes angéliques.

Source : al-Qazwīnī, *ʿAjā' ib al-makhlūqāt wa gharā' ib al-mawjūdāt* [Livre sur les merveilles des créatures et les curiosités des choses existantes]. Cité par ʿA. Sakrī, in *Encyclopédie de la civilisation arabo-musulmane*, *op. cit.*, vol. I, p. 627.

une chronologie du vivant qui se prolonge par-delà la mort.

Au XIe siècle, Ibn Sīnā développe des idées analogues dans son *Livre de la guérison*.

Cette même théorie des quatre phases est reprise fidèlement par al-Qazwīnī (m. 1283) dans son ouvrage *Les Merveilles des créatures et les bizarreries des choses existantes*.

Il faut enfin signaler un passage, étonnant pour l'époque, du grand historien maghrébin Ibn Khaldūn. Dans sa fameuse *Muqaddima* [Les Prolégomènes], il commence par reprendre une formulation semblable à celle d'al-Qazwīnī, mais en l'illustrant par des exemples et en explicitant les liens entre les différentes espèces. C'est en résumant le processus de l'évolution du végétal vers l'animal puis vers l'homme qu'il évoque « le monde des singes » à partir duquel le monde animal se serait « élevé vers lui », c'est-à-dire vers l'être humain. Dans un autre passage du même ouvrage, Ibn Khaldūn revient sur le sujet d'une manière encore plus explicite *(voir encadré)*.

Ibn Khaldūn et l'histoire du vivant

Que l'on contemple l'univers de la Création ! Il a commencé par le < règne > minéral puis < ce fut > le < règne > végétal puis animal, dans une progression admirable. Le dernier niveau des minéraux est relié au premier niveau des végétaux, comme les herbes et les < plantes > sans semence. Le dernier niveau de végétaux, tels les palmiers et les vignes, est relié au premier niveau des animaux, comme les limaces et les coquillages, qui n'ont d'autre faculté < sensitive > que celle du toucher. La « relation » signifie, pour ces créations, que le dernier niveau de chacun < des règnes > est prêt, d'une manière merveilleuse, à devenir le premier niveau du règne suivant.

Le règne animal s'est alors développé, ses espèces se sont multipliées et, dans le progrès graduel de la Création, il a abouti à l'homme – l'être doué de pensée et de réflexion –, en s'élevant vers lui, à partir du monde des singes où sont réunies la sensation et la perception, mais qui n'est pas encore arrivé au stade de la réflexion et de la pensée en acte. Et ce fut là, après lui, le premier niveau de l'homme.

(...) On a vu que l'Univers, avec sa hiérarchie d'éléments simples et complexes, suit un ordre naturel, de haut en bas, de façon continue. Les essences placées à l'extrémité de chaque niveau sont destinées naturellement à devenir des essences voisines – au-dessus ou au-dessous. Il en est ainsi des quatre éléments. De même, le dattier et la vigne se trouvent à l'échelon supérieur des végétaux et, par conséquent, près de l'échelon inférieur des animaux – des limaçons et des coquillages. De même encore, les singes, qui sont doués de sagacité et de perception, se trouvent, au voisinage de l'homme, le seul être vivant à être doté de pensée et de réflexion. Cette possibilité d'évolution réciproque, à chaque niveau de la création, constitue ce qu'on appelle le lien continu des êtres vivants.

Source : Ibn Khaldūn, *Discours sur l'histoire universelle. Al-Muqaddima*, *op. cit.*, p. 190.

Science du corps humain et médecine

Si nous respections les définitions qui ont cours actuellement, et qui, pour une large part, ont été précisées à la fin du XVIIIe siècle et au XIXe, il nous faudrait distinguer, pour ce qui concerne le corps humain et son fonctionnement, plusieurs sciences : anatomie, morphologie, physiologie, pathologie, histologie, embryologie… (et même la génétique, si nous voulions évoquer tous les aspects modernes), chacune se subdivisant en plusieurs branches. La médecine emprunte à chacune de ces sciences – et à quelques autres – pour mieux soigner les êtres humains.

Les sciences anciennes ne se sont pas embarrassées de pareilles distinctions. La description des corps – l'anatomie, par conséquent – et ce que l'on croyait savoir de leur fonctionnement visaient principalement à les soigner en cas de maladie ou de blessure. La connaissance de l'anatomie n'était donc pas véritablement un objectif en soi, mais l'une des dimensions de la médecine, en laquelle résidait la véritable finalité. Il faut certainement lui ajouter, du moins en ce qui concerne les Grecs, les préoccupations artistiques. Pour sculpter les chefs-d'œuvre que nous leur devons, Phidias et ses confrères ont dû bien connaître l'anatomie humaine. La disparition partielle de la représentation des figures humaines par les artistes musulmans a cependant éliminé ce souci pendant plusieurs siècles. Il refera surface au cours de la Renaissance européenne. On se souvient, entre autres, des planches anatomiques de Léonard de Vinci.

Quelles ont été les sources de la médecine arabe, de quels héritages a-t-elle bénéficié ?

La volonté de soigner les malades et les blessés est aussi ancienne que l'humanité. On sait que, dès la préhistoire, ceux qui étaient les médecins de l'époque – c'est-à-dire les guérisseurs, les sorciers, les chamans – connaissaient les propriétés thérapeutiques de certaines plantes, arrivaient parfois à réduire certaines fractures, opéraient même, exceptionnellement, avec succès, malgré les problèmes d'infection.

La Mésopotamie, l'Anatolie, l'Égypte, la Perse, l'Inde…, sont aussi des pays de très ancienne médecine. Des tablettes mésopotamiennes sur ce sujet nous sont parvenues, de même que divers papyrus médicaux. Nous savons également que des écoles de médecine existaient sous les pharaons. Du fait de ces pratiques médicales, auxquelles contribuait le savoir découlant des pratiques des embaumeurs, il est probable que les médecins du Nouvel Empire en connaissaient davantage sur l'anatomie humaine que leurs lointains successeurs grecs ou arabes.

Tout ce corpus anatomique et médical a donc disparu en grande partie. Il n'en reste pas moins qu'une tradition médicale a perduré dans tous les pays du Moyen-Orient, tradition qui a été entretenue, enrichie puis transmise par les différents praticiens de la santé. Dans les pays d'Islam, une partie de ces pratiques a été, à un moment donné, recueillie et enrichie par des éléments spécifiques à la période de la prédication du Prophète. Et tout cela a constitué un corpus portant le titre de « médecine du Prophète ».

Cette médecine figure-t-elle dans le Coran lui-même ?

Non, pas vraiment. En dehors de recommandations générales à caractère social, on ne trouve pas dans le Coran d'évocation explicite et détaillée de la maladie, au sens physiologique du terme, ni de recommandations et de conseils médicaux, hygiéniques ou diététiques.

Que contient-elle dans ce cas ?

Elle propose un ensemble de recettes accompagnées de propos et d'actes attribués au Prophète, que la tradition a soigneusement conservés mais dont l'authenticité n'est pas toujours garantie par les spécialistes de la vie de Muḥammad. Ces propos et ces actes ont tous un lien avec les maladies et leur soins, mais également avec l'hygiène et la diététique. On y trouve des noms de maladies, des soins, des observations, des pratiques à caractère magique, des descriptions de talismans contre le mauvais œil, des prières visant à guérir ou à atténuer le mal.

Dans les premiers temps de l'Islam, ces recommandations ont été consignées dans les recueils de Ḥadīth, comme celui d'al-Bukharī, le *Ṣaḥīḥ* qui contient, dans son volume IV, une vingtaine de chapitres consacrés à l'hygiène, à la diététique, aux maladies et aux soins. Y sont évoquées la migraine, l'ophtalmie, la lèpre, la pleurésie, la fièvre, la peste. Sont conseillés la consommation de miel, l'application de ventouses, la cautérisation par le feu, la ponction (contre l'hydropisie), les douches froides, les scarifications (contre les maux de tête), les massages.

La médecine du Prophète utilisait, pour les soins, des aliments, des plantes et des médicaments simples. Les aliments recommandés étaient très variés : oignon, ail, asperge, orge, piment, miel, huile d'olive, cresson, menthe, banane, canne à sucre, citron, coing, datte, figue, grenade, melon, raisin, etc. Certains produits et certaines herbes faisaient aussi fonction de médicaments, par exemple le camphre, le séné, le musc, la scarmonnée, la camomille, la myrte, le thym, la nigelle, la rhubarbe et le pavot.

Cette médecine préconisait également l'hygiène mentale, et une grande importance était accordée aux moyens spirituels intervenant dans les soins du malade. Ainsi, on attribue au Prophète le précepte suivant : « Contempler l'eau qui ruisselle, les jardins fleuris et les beaux visages constitue un enchantement pour l'esprit et le corps. » Il aurait dit aussi : « Quand vous rendez visite à un malade, insufflez-lui toujours l'espoir ; cela ne changera peut-être pas grand-chose au cours de la maladie mais réconfortera l'âme du patient en lui donnant plus de vigueur. »

Quant à l'hygiène physique, elle est recommandée dans de nombreux propos du Prophète. Il aurait dit, à ce sujet : « La propreté est un acte de foi », « celui qui veut qu'Allah accroisse ses biens, se lave les mains et la bouche avant et après les repas », « évitez les trois causes de malédiction suivantes : aller à la selle près des sources d'eau ou dans les zones ombragées ou dans des lieux de passage ».

Une des conséquences des recommandations et des injonctions du corpus musulman en matière d'hygiène a été la multiplication des bains publics : au Xe siècle, il y avait un hammam dans chaque rue de Bagdad. À la même époque, on trouvait à Cordoue plus de six mille hammams, et Kairouan comptait un hammam pour quatre-vingts habitants.

Malgré ses démarches et son contenu qui ne répondaient pas toujours aux normes de la médecine savante de l'époque, il faut remarquer que cet ensemble de préceptes a été un facteur positif dans la mesure où, au-delà de ses prescriptions, il encourageait l'hygiène, les soins et la diététique. Mais il faut signaler que la médecine du Prophète n'a pas eu que des partisans, comme le montre ce témoignage d'Ibn Khaldūn : « Le Prophète a eu pour mission de nous faire connaître les prescriptions de la loi divine et non pas de nous apprendre la médecine et les pratiques communes de la vie quotidienne. On n'est donc pas tenu de croire que les prescriptions médicales rapportées dans les traditions authentiques nous ont été transmises comme des règles que nous sommes tenus d'observer. Rien dans ces traditions n'indique qu'il en soit ainsi. »

Je suppose que l'héritage grec, là aussi, a pesé d'un grand poids…

Certainement. Le premier nom de médecin qui vient à l'esprit d'un praticien du IXe siècle est, bien évidemment, Hippocrate, dont le fameux serment était appris par cœur par les étudiants en médecine de Bagdad et des autres villes de l'Empire musulman. On peut citer aussi Aristote, même si la médecine n'était pas sa préoccupation principale, et, à Alexandrie, Hérophile et Érasistrate, tous deux connus également comme naturalistes. À l'époque romaine, le médecin le plus important est Galien, dont l'œuvre dominera l'enseignement médical d'abord en pays d'Islam puis dans l'Europe chrétienne.

À Alexandrie, la tradition médicale grecque était encore présente au VIIe siècle, à la veille de la conquête musulmane. Elle y était représentée par Paul d'Égine, Alexandre de Tralles et Jean Philopon. En Mésopotamie, l'enseignement médical se faisait en syriaque dans des écoles où s'enseignaient également la philosophie et la théologie. Cet enseignement avait commencé à Édesse puis il s'est poursuivi, à partir du Ve siècle, à Nisibe et à Gundishapūr, en Perse. Il s'appuyait essentiellement sur seize livres de Galien et douze livres d'Hippocrate, qui avaient été traduits en syriaque au VI[e] siècle. On avait également traduit le *Kunnāsh* d'Ahrūn.

Tout au long du VIII[e] siècle, les nouveaux ouvrages de médecine ont été écrits en syriaque. C'est le cas des traités de Jurjīs Bakhtishū[c] et de son fils. Les premiers écrits médicaux en arabe ne vont paraître qu'au début du IX[e] siècle. Il s'agit des ouvrages de Yūḥannā Ibn Māsawayh (m. 857) et de [c]Alī Ibn Sahl aṭ-Ṭabarī (m. 864). Mais, après cette date, le développement de la médecine arabe va être relativement rapide, tant dans le domaine théorique que dans celui des soins, et le statut social des médecins ne cessera de grandir. Pourtant, cette discipline ne gagnera pas son autonomie dans les classifications des sciences qui vont être publiées à partir du IXe siècle. Pis que cela, elle n'apparaît même pas dans les classifications des philosophes al-Kindī et al-Fārābī. Il faudra attendre les ouvrages biobibliographiques, comme celui d'Ibn an-Nadīm, et les encyclopédies, comme celle d'al-Khwārizmī (m. 997), pour la voir mentionnée, mais seulement comme une branche de la physique. Ce statut sera confirmé un peu plus tard par le médecin et philosophe Ibn Sīnā.

Que dire des autres traditions ?

Il faut signaler principalement les apports indiens et persans. Les médecins indiens, connus en pays d'Islam, sont Canaka (Ier-IIe siècle), pour la médecine interne, Susruta (IIe s.), pour la chirurgie, Vāgbhāṭa (vers 600) et Mādhavajara. Leurs écrits étaient déjà parvenus à Bagdad au IXe siècle. Parmi les caractéristiques de la médecine indienne du VIIe siècle, telle que l'ont connue les Arabes, il y a la pratique de la dissection des cadavres pour l'étude de l'anatomie, la prise en compte de la diététique, du régime de vie et du comportement. Quant à la matière médicale indienne, elle recense des produits surtout d'origine végétale. Dans leurs pratiques, les Indiens réservaient une place à la chirurgie : sutures de plaies intestinales, opération de la cataracte, greffe de peau nasale. Cette médecine était estimée à Bagdad, au IXe siècle : on en a pour preuve la présence, à la cour du calife Harūn ar-Rashīd et à celle de son fils al-Ma'mūn, d'un médecin indien, surnommé Mankah. Cette tradition médicale était également appréciée des spécialistes eux-mêmes, comme le montrent les traductions dont ont bénéficié un certain nombre de traités médicaux sanskrits.

De son côté, la médecine persane était une synthèse des médecines égyptienne, grecque et indienne. Gundishapūr, le centre scientifique persan le plus connu à la veille de la conquête musulmane, aurait possédé un grand hôpital et une école de médecine. C'est d'ailleurs à Gundishapūr que, selon les historiens arabes, le médecin et compagnon du Prophète, al-Ḥārith Ibn Kalada, aurait été formé. J'emploie le conditionnel à dessein parce qu'il n'y a pas unanimité chez les historiens de la médecine sur le contenu de la tradition médicale de Gundishapūr.

Les traductions

Dans la mesure où la pratique médicale existait à une certaine échelle avant l'avènement de l'Islam, les traductions du corpus ancien ont-elles été aussi importantes que pour les autres disciplines ?

Le phénomène a commencé dès la fin du VIIIe siècle et s'est poursuivi jusqu'à la fin du IXe. D'ailleurs, dans ce domaine, une véritable école s'est constituée à Bagdad avec, à sa tête, le grand traducteur et médecin Ḥunayn Ibn Isḥāq. Mais ce phénomène a été précédé, pendant plusieurs décennies, par l'utilisation d'ouvrages médicaux qui avaient été traduits du grec au syriaque entre le Ve et le VIIe siècle, ainsi que par la publication d'autres traités rédigés directement en syriaque. Ce qui explique d'ailleurs, en partie, pourquoi la traduction d'ouvrages médicaux grecs directement en arabe

Les traductions arabes des ouvrages de Galien

D'après le témoignage de Ḥunayn, sur les 129 écrits attribués à Galien, 71 avaient été déjà traduits en syriaque par Sergius de Rās al-ᶜAyn (m. 536) et 36 par Ayyūb al-Abrash (VIIIᵉ s.).
Ḥunayn a traduit, du grec au syriaque, 94 traités de Galien : 51 qui avaient déjà été traduits avant lui mais dont il a jugé la traduction non satisfaisante, et 43 qui n'avaient pas encore été traduits.
Dans une seconde phase, ou peut-être parallèlement, 75 traités de Galien ont été traduits du syriaque à l'arabe : 27 par Ḥunayn, 35 par son neveu Ḥubaysh et 13 par d'autres traducteurs.
Ḥunayn a également traduit les *Aphorismes* d'Hippocrate et presque tous les commentaires de Galien sur les écrits de ce dernier.

a été un phénomène rare. J'ai dit « en partie » parce que l'autre raison de cette rareté a été la difficulté de trouver des copies grecques. On constate du reste, à la lecture de certaines biographies, que la recherche des manuscrits a été une activité essentielle chez les premiers traducteurs, tels que Ayyūb al-Abrash (VIIIᵉ s.), ᶜIsā Ibn Yaḥyā, Ḥunayn, son fils Isḥāq et son neveu Ḥubaysh.

Il faut signaler, à ce propos, que les traductions n'étaient pas uniquement des commandes de princes ou de marchands cultivés voulant encourager la science. Des scientifiques – médecins ou autres – en ont financé également un certain nombre. On a ainsi recensé trente-neuf traités qui ont été traduits pour de grands médecins, quarante-deux pour des mathématiciens ou des astronomes et quatre pour de hauts fonctionnaires cultivés.

Comment les traducteurs ont-ils forgé leur terminologie médicale ?

Comme pour les autres disciplines dont ils avaient hérité le contenu à travers des traductions, les Arabes ont essayé de rendre dans leur langue les mots grecs ou syriaques en deux

Témoignage de Ḥunayn Ibn Isḥāq

Je l'ai cherché [le manuscrit grec] d'une manière minutieuse et, pour le trouver, j'ai arpenté, de long en large, l'Irak, la Syrie, la Palestine et l'Égypte jusqu'à ce que j'arrive à Alexandrie. Mais je n'ai pu en récupérer que la moitié, à Damas.

Source : Ḥunayn Ibn Isḥāq, *ᶜAshr maqūlāt fī l-'ayn* [Dix Épitres sur l'œil]. Cité par M. Meyerhof, « Les sciences et la médecine », in T. Arnold, *L'Héritage de l'Islam*, Beyrouth, Dār aṭ-ṭalīᶜa, 1978, p. 457.

temps et selon différents procédés : dans une première phase, de nombreux termes syriaques ou grecs ont tout simplement été transcrits en arabe. Dans une seconde phase, les traducteurs ont cherché dans les racines trilitères arabes celles dont le sens pouvait s'approcher de celui du terme médical syriaque ou grec. C'est ainsi que le mot syriaque *mawtunū* [épidémie] devient *mawtān* en arabe puis *waba'*, et que le mot grec *diabêtês* [diabète] devient *diyābīṭā* puis *dā' as-sukkar* [maladie du sucre].

Pour les mots grecs construits à l'aide de deux noms ou d'un nom et d'un préfixe, les traducteurs évitaient la transcription et préféraient rendre le sens en juxtaposant deux mots. C'est ainsi que *haimorrhagia* [hémorragie] devient en arabe *infijār ad-dam* [giclement du sang], *kephalgia* [céphalée] devient *wajaᶜ ar-ra' s* [mal de tête], *anorexia* (anorexie) devient *buṭlān ash-shahwa* [absence d'appétit], etc.

Les premiers médecins étaient-ils musulmans ?

Non, la plupart des grands médecins du IXᵉ siècle étaient des Arabes chrétiens. Cinq grandes familles chrétiennes nestoriennes[2] vont dominer la médecine du VIIIᵉ au Xᵉ siècle : Les Bakhtishūᶜ (huit générations de médecins), les Māsawayh (trois générations), les Sarābyūn (trois générations), les Ṭayfūrī (trois générations) et les ᶜIbād (deux générations).

2. Nestoriens : chrétiens d'Orient opposés à l'Église orthodoxe.

C'est également dans cette communauté qu'apparaissent les premiers ouvrages médicaux arabes, comme les *Masā'il fī ṭ-ṭibb* [Les Questions de médecine] et les *ᶜAshr maqālāt fī l-ᶜayn* [Les Dix Épîtres sur l'œil] de Ḥunayn Ibn Isḥāq.

Philosophie médicale

Pour les historiens du Moyen Âge, la médecine paraît constituer un chapitre majeur de la science arabe, tout de suite après les mathématiques et l'astronomie. Qu'est-ce qui justifie cette appréciation ? Est-ce, par exemple, un progrès dans la connaissance du corps humain et de son fonctionnement ?

À l'exception peut-être des médecins de la grande époque de l'Égypte antique – mais nous avons dit précédemment qu'une grande partie de leur savoir et de leur savoir-faire avait été oublié –, la médecine ancienne ne reposait pas sur une connaissance précise de l'anatomie et de la physiologie humaines. Et cela pour une raison facile à comprendre : ni les naturalistes ni les médecins ne pratiquaient la dissection de cadavres humains (la dissection n'était effectuée que sur des animaux morts). Les historiens de la médecine nous disent que ni Hippocrate ni Galien – références en médecine jusqu'à la Renaissance européenne – n'ont disséqué de corps humains. Même ce dernier, qui fut pourtant dans sa jeunesse médecin des gladiateurs à Pergame, n'a fait qu'observer des blessures reçues au combat, ce qui ne pouvait pas lui permettre de découvrir la circulation sanguine.

Il ne faut donc pas s'étonner du caractère approximatif et parfois erroné des descriptions anatomiques et physiologiques, lorsqu'elles existent, dans le corpus médical antique et médiéval. Aristote par exemple, qui est postérieur à Hippocrate et qui est resté une référence en histoire naturelle même s'il n'était pas médecin, situe le cerveau dans la partie avant du crâne, l'arrière étant vide et creux. L'anatomie antique assimile aux veines l'ensemble des vaisseaux sanguins, ceux-ci partant tous de la partie arrière de la tête. Les auteurs hippocratiques ignorent complètement le concept d'organes… Bref, les connaissances anatomiques et physiologiques des médecins et des naturalistes, tant de l'Antiquité que du Moyen Âge, reposaient sur des constatations externes, parfois sur des observations accidentelles et sur des analogies – fondées ou non –, le tout parfois complété par des études souvent approximatives sur l'anatomie des animaux.

Le seul moment de l'histoire antique et médiévale où la dissection a été pratiquée est celui des débuts de l'école d'Alexandrie. Elle aurait été instaurée par le roi Ptolémée II Philadelphe (IIIe s. avant J.-C.). Des cours gratuits sur le sujet auraient été dispensés au musée. Hérophile, par exemple, aurait disséqué six cents cadavres. Malheureusement, il semble que ses manuscrits et ceux d'Érasistrate aient été détruits au cours de l'incendie provoqué par les troupes de César en 48 av. J.-C. Toujours est-il que nous ne connaissons les œuvres de ces deux auteurs que par ce qu'en dit Galien. Les dissections ont à nouveau été prohibées sous la domination romaine. Il en sera de même dans l'Empire musulman et dans l'Europe chrétienne.

Compte tenu de ce que nous venons de dire, on peut se demander comment les médecins pratiquaient concrètement leur art. Selon les témoignages des plus prestigieux d'entre eux, nous savons qu'ils avaient d'abord acquis une réelle expérience dans l'identification de certaines maladies à partir de la connaissance de leurs symptômes les plus visibles : douleurs, fièvres, éruptions cutanées, secrétions inhabituelles, etc. En l'absence de méthodes d'investigation scientifique, lesquelles sont historiquement très récentes pour la plupart (faute de connaissances anatomiques précises), le diagnostic du médecin avait, bien sûr, un certain caractère d'empirisme.

La religion musulmane et les Églises chrétiennes ont-elles formellement interdit la dissection ?

Il n'y a pas dans les textes sacrés d'interdiction explicite. Cela étant, les traditions juive, chrétienne et musulmane sont toutes trois, en principe du moins, respectueuses du corps humain. Pour autant, les comportements des médecins reflétaient plus l'état d'esprit de leur société, qui exprimait une répugnance générale à violer l'intégrité des cadavres, qu'ils ne répondaient à des prohibitions officiellement formulées. Cet état d'esprit s'est traduit par un interdit de fait de la dissection. À l'exception parfois de médecins audacieux, qui se sont aventurés, à l'occasion, à travailler sur des corps de condamnés à mort, elle n'a pas été utilisée pendant plusieurs siècles. Il était bien sûr très difficile dans ces conditions, voire impossible, de connaître rationnellement l'intérieur du corps de l'homme et son fonctionnement.

Peut-on, dans ce contexte, parler d'une « théorie médicale arabe » ?

Il serait préférable de parler de « philosophie médicale » plutôt que de « théorie ». Cette philosophie, qui découlait essentiellement des conceptions des médecines grecque et alexandrine, appréhendait l'être humain comme une composante de la Nature, du Cosmos si l'on préfère, avec les astres et les planètes, mais également avec tout ce qui existe et vit sur la surface de la Terre. Le régulateur, le garant si l'on veut, de ce Cosmos et de son équilibre est Dieu pour les trois religions monothéistes. Ce sont des conceptions analogues que nous retrouvons chez les chimistes arabes. Elles ne sont du reste pas très éloignées de celles de la « philosophie naturelle » de la fin du XVIIe siècle et du XVIIIe.

Cette philosophie repose aussi sur une conception finaliste de la composition du corps humain et de son architecture. Chacune de ses parties a été faite au mieux, et toutes contribuent, dans leurs rôles respectifs, au bon fonctionnement de l'ensemble. Depuis Hippocrate, les médecins pensent que ce fonctionnement est assuré par quatre « humeurs » : le flegme, ou lymphe (fabriqué par le cerveau), le sang (fabriqué par le cœur), la bile jaune (fabriquée par le foie), la bile noire, ou atrabile (fabriquée par la rate). Ces quatre humeurs correspondent aux quatre éléments définis par la philosophie grecque (au moins depuis

Empédocle) : la terre, l'eau, l'air et le feu. Quatre qualités leur sont associées : le froid (à la terre), la chaleur (au feu), l'humidité (à l'eau) et la sécheresse (à l'air). Un rapport relatif est établi entre les humeurs et les qualités : le sang (chaud et humide), la lymphe (froide et sèche), la bile jaune (chaude et sèche), la bile noire (froide et sèche).

Les conceptions des médecins arabes intègrent celles de la tradition grecque et y ajoutent quelques explicitations et développements. Ils considèrent, par exemple, qu'au stade embryonnaire le mélange des humeurs donne les parties solides du corps : tissus, organes, membres, etc. Ces parties sont subdivisées en deux grands groupes : les composants formés d'une substance homogène (chair, os, nerfs, vaisseaux sanguins) et les autres, résultats d'une combinaison des substances précédentes (tête, bras, pieds, estomac). Parmi ces dernières, les médecins distinguent celles qu'ils qualifient de « principales », parce qu'elles régissent le corps dans sa totalité. Il s'agit du cœur, du foie, du cerveau et des testicules. Chaque individu est alors caractérisé par un mélange spécifique et équilibré des qualités premières, ce mélange déterminant sa « complexion » (ou tempérament).

Le corps est également animé par des *souffles*, porteurs de forces qui lui permettent d'accomplir des actions. La combinaison entre humeurs, complexion et forces détermine l'état physiologique de la personne. L'anatomie n'est, on le voit, en rien primordiale dans ce système.

Vous avez esquissé le fonctionnement d'un individu en bonne santé. Qu'en est-il de la maladie dans ce cadre ?

Quand ses humeurs sont en équilibre, la personne bénéficie d'une santé satisfaisante. Une maladie est la conséquence d'une rupture de cet équilibre. Le rôle du médecin est alors de rétablir l'équilibre pour retrouver la santé perdue. C'est ce que dit explicitement Ibn Sīnā.

La médecine selon Ibn Sīnā

Je dis que la médecine est une science dans laquelle on apprend à connaître les états du corps humain relativement à ce qui est sain et ce qui sort de la santé, en vue du maintien de celle-ci, lorsqu'elle existe, et de sa restauration lorsqu'elle est perdue.

Source : Ibn Sīnā, *al-Qanūn fī ṭ-ṭib* [Le Canon de la médecine]. Cité par D. Jacquart et F. Micheau, in *La Médecine au temps des califes*, Paris, Institut du monde arabe, 1996.

La pharmacopée

On déduit de ce que vous avez dit précédemment qu'en l'absence d'une connaissance précise de l'anatomie et de la physiologie et, d'une manière générale, compte tenu de l'état d'avancement de la médecine, l'intervention de la pharmacopée n'était pas toujours suivie d'effets concluants…

Bien sûr, cette médecine ne pouvait être efficace en cas de maladies bactériennes, par exemple. Encore que certains soins de précaution, le souci de l'état général du malade, voire l'amélioration de son moral consécutive aux visites du médecin, puissent avoir des résultats non négligeables. Il ne faudrait pas, par ailleurs, sous-estimer les effets de la pharmacopée traditionnelle d'origine végétale. Si quelques drogues médicinales anciennes, comme les décoctions d'intestin d'antilope ou de vers de terre, restent totalement fantaisistes, un grand nombre d'entre elles avaient une certaine efficacité, même quand elles n'étaient pas susceptibles de s'attaquer réellement à la maladie. Nous savons d'ailleurs que les principes actifs de quelques médicaments actuels, certes souvent fabriqués aujourd'hui par synthèse chimique, étaient initialement obtenus à partir d'extraits de plantes. Un exemple fameux est celui de l'aspirine, à l'origine inspirée par l'observation des effets des décoctions d'écorce de saule. Selon Jean-Marie Pelt, cinquante-quatre spécialités figurant dans la liste publiée par l'OMS en 1978 étaient déjà réper-

La pharmacie selon al-Bīrūnī (XIe s.)

La Pharmacie consiste en la connaissance des drogues simples quant à leurs genres, leurs sortes et leurs traits caractéristiques, et en la connaissance de la confection des médicaments composés selon leur recette établie ou selon le désir de la personne chargée du traitement. Ce qui est placé au plus haut rang, c'est la connaissance de la force des médicaments simples et de leurs caractéristiques.

Source : Al-Bīrūnī, *Kitāb aṣ-Ṣaydana fī ṭ-ṭibb* [Livre de la pharmacie en médecine]. Cité par N. Stephan, « La pharmacie médiévale d'expression arabe », in *La Médecine au temps des califes*, *op. cit.*, p. 83.

toriées dans l'ouvrage de Dioscoride *La matière médicale*, dans lequel il avait établi une liste d'environ cinq cents espèces de plantes médicinales.

Pour revenir aux pharmaciens, les historiens de la médecine précisent, à leur sujet, qu'ils recevaient une formation différente de celle des médecins. Les ouvrages destinés à cette formation rassemblaient le riche héritage antique, complété par les apports des différentes régions de l'Empire musulman et par certaines drogues recueillies au cours d'échanges commerciaux avec d'autres pays.

La dimension théorique de la pharmacie est pour l'essentiel empruntée aux ouvrages grecs et alexandrins, notamment le *Livre des médicaments simples* de Galien. Selon cet auteur, pour soigner une maladie il faut d'abord repérer l'humeur dont l'excès a été la cause de la maladie du patient, puis on choisit les médicaments dont les qualités primaires dominantes (froideur, chaleur, humidité, sécheresse, ou une combinaison de certaines de ces qualités) s'opposent aux qualités de l'humeur en question. Tout cela, en tenant compte du degré de qualité du médicament simple, sachant que chaque qualité est affectée de quatre degrés d'intensité.

Au IXe siècle, al-Kindī généralise cette démarche aux médicament composés en introduisant, sur la base de la théorie mathématique des rapports géométriques, une relation entre l'augmentation du degré d'une qualité et celle de

Ouvrages arabes de pharmacopée

Isḥāq Ibn ᶜImrān (m. 892)
– *Kitāb al-adwiyya al-mufrada* [Livre des médicaments simples]

Muwaffaq al-Hirāthī (ca 975)
– *Usus al-khawāṣ al-ḥaqīqa li l-ᶜilājāt* [Les fondements des particularités véritables pour les soins]

Ibn al-Jazzār (m. 980)
– *Kitāb al-adwiyya al-mufrada* [Livre des médicaments simples]

al-Bīrūnī (m. 1050)
– *Kitāb aṣ-ṣaydana* [Livre de la pharmacopée]

Ibn Wāfid (m. 1074)
– *Kitāb al-adwiyya al-mufrada* [Livre des médicaments simples]

al-Ghāfiqī (m. 1165)
– *Kitāb al-adwiyya al-mufrada* [Livre des médicaments simples]

Ibn ar-Rūmiyya (m. 1239)
– *ar-Riḥla al-mashriqiyya* [Le Voyage oriental]

Ibn al-Bayṭār (m. 1248)
– *al-jāmiᶜ li mufradāt al-adwiyya wa l-aghdhiyya* [Le Recueil des médicaments simples et des aliments]

son intensité. Il expose sa théorie pour la première fois dans son livre *Fī maᶜrifat quwwat al-adwiyya al-murakkaba* [Livre sur la connaissance de l'intensité des médicaments composés]. Cette innovation a été régulièrement discutée dans les milieux scientifiques arabes. En son temps, le philosophe Ibn Rushd l'a réfutée dans son traité de médecine, *al-Kulliyyāt fī ṭ-ṭibb* [Le Colligé en médecine], et le mathématicien maghrébin Ibn al-Bannā (XIVe s.) l'a longuement discutée dans une de ses épîtres. Plus tard, on la retrouve chez des auteurs européens, comme Arnald de Villanova et Bernard Gordon, qui se réfèrent explicitement à al-Kindī et appuient sa démarche.

Du IXe au XIIIe siècle, on a dénombré cent dix auteurs ayant publié des ouvrages portant partiellement ou entièrement sur les médicaments simples. La nomenclature de Dioscoride a notamment été complétée par le médecin de Cordoue, Ibn Juljul, qui a ajouté soixante-deux drogues, la plupart d'origine indienne : deux animales, cinq minérales et cinquante-cinq végétales. Les ouvrages les plus célèbres, ceux d'Ibn Sīnā, d'Ibn Wāfid et d'Ibn al-Jazzār, ont ensuite été traduits en latin.

Comme d'autres domaines, la pharmacopée n'a pas échappé à des opérations frauduleuses portant sur la composition des médicaments proposés aux patients. C'est la raison pour laquelle les contrôleurs des marchés, appelés *muḥtasib*, étaient également chargés de lutter contre les médicaments frelatés. L'un d'entre eux a même rédigé pour ses lecteurs des conseils leur permettant de reconnaître le véritable opium de celui qui a été trafiqué.

En sus des extraits purs de plantes ou de minéraux, existait-il des médicaments résultant de la combinaison de différents produits ?

C'est ce que les auteurs arabes appellent les « médica-

Les conseils d'ash-Shayzarī pour reconnaître le bon opium

De leurs fraudes connues, ils [les pharmaciens] falsifient l'opium égyptien avec du suc de Chélidoine, avec du suc des feuilles de laitue sauvage et aussi avec de la gomme arabique. Le signe de falsification est que si on le dissout dans l'eau, une odeur proche de celle du safran apparaît en cas de falsification avec du suc de chélidoine ; et si son odeur est faible et qu'il est onctueux au toucher, il est falsifié avec du suc de laitue ; et s'il est amer, de couleur limpide et de force restreinte, il est falsifié avec de la gomme arabique.

Source : Nouha Stephan, « La pharmacie médiévale d'expression arabe », in *La Médecine au temps des califes*, *op. cit.*, p. 86.

La recension des espèces de plantes (médicinales ou non) dans l'histoire

Un des besoins élémentaires de l'homme est de connaître les différentes choses qui composent son environnement. Même les peuples primitifs ont des noms pour désigner les diverses sortes d'oiseaux, de poissons, de fleurs ou d'arbres, et ils reconnaissent également les mêmes espèces que les taxinomistes modernes », écrit le biologiste Ernst Mayr. C'est ce que Gabriel Gohau appelle aussi le « besoin d'inventaire » du monde (il en est de même d'ailleurs des roches et des matériaux divers). Mayr définit par ailleurs une « espèce » comme un « groupe d'individus qui partagent certaines caractéristiques communes ». Des éléments d'une même « espèce » sont en principe interféconds. Il s'agit là d'un concept moderne, qui n'apparaît dans un sens satisfaisant qu'aux XVIIe et XVIIIe siècles (John Ray, 1686, et surtout Karl von Linné [1707-1778]), dont la signification scientifique varie d'une époque à l'autre et, de nos jours, d'une spécialité à l'autre. Son utilisation pour l'Antiquité ne se conçoit donc que pour des raisons de commodité et reste entachée d'anachronisme. Ces réserves étant formulées, le papyrus Ebers (1600 av. J.-C.) contient 700 noms de plantes. La Bible mentionne une centaine de plantes. Théophraste en aurait répertorié environ 500 espèces et Dioscoride environ 600, en décrivant aussi leurs utilisations médicales. Les ouvrages concernés de Théophraste et de Dioscoride ne nous sont toutefois connus que par des citations dans des livres souvent très postérieurs. Maïmonide, quant à lui, répertorie 300 espèces de plantes médicinales.

Les voyages et la démarche expérimentale aidant, au XVIe siècle le nombre d'espèces végétales connu est aux alentours de 1 000. Il est de 9 000 chez le naturaliste français Joseph Pitton de Tournefort (1656-1708), de 18 000 chez John Ray (1627-1705). Actuellement, 270 000 espèces de plantes à fleurs sont connues sur un total de 350 000 espèces végétales, et on en découvre constamment de nouvelles. Le nombre d'espèces décrites (végétales et animales) serait aujourd'hui de 1,4 à 2 millions. Mais il n'est encore que provisoire.

Source : communication personnelle de Pascal Tassy aux auteurs.

ments composés ». Dans une première phase, ces auteurs ont puisé, comme d'habitude, dans les traditions anciennes, grecque, persane, mésopotamienne et probablement égyptienne. Ils ont ensuite conçu et composé des médicaments à partir de leurs propres expériences. Ainsi, au XIIe siècle, Ibn al-Bayṭār a décrit mille quatre cents drogues médicinales, dont plus de quatre cents étaient inconnues des Grecs : deux cents appartiennent au règne végétal, deux cents aux règnes animal et minéral.

Hôpitaux et chirurgie

Les historiens de l'Islam nous disent que les établissements publics de soins ont été nombreux dans l'Empire musulman, au point que l'on peut évoquer une véritable « politique de santé » des califes…

Je n'irai pas jusque-là, mais il y a du vrai dans ce que vous dites, dans la mesure où c'était l'une des préoccupations des différents pouvoirs centraux et régionaux de l'époque depuis le VIIIe siècle. Il faut dire que des signes avant-coureurs existaient déjà dans l'Empire perse. Le terme *Bimaristān,* qui désigne l'hôpital dans l'Empire musulman, est d'ailleurs d'origine persane. Il est vrai que l'existence d'un hôpital à Gundishapūr avant l'avènement de l'Islam a été contesté par certains historiens des sciences. Mais la terminologie persane, en investissant toutes les activités hospitalières en pays d'Islam, laisse supposer qu'il y avait une forte tradition et une pratique hospitalière, sous une forme ou une autre, dans la Perse préislamique. Il faut signaler, par exemple, qu'un certain nombre de fonctions et de services hospitaliers, en pays d'Islam, ont porté, pendant des siècles, des noms persans. C'est le cas de *sharābkhāna* [pharmacie], *sharābdār* [agent], *mahtār* [directeur d'un service], etc.

Un impératif d'ordre religieux a influé, au départ, sur l'instauration d'un réseau « public » de santé dans l'empire. Le Coran fait en effet obligation au croyant de soigner toute personne malade quelle que soit sa place dans la société, esclaves compris. On sait aussi que la littérature pieuse attribue au Prophète la création du premier hôpital de campagne en pays d'Islam, à l'occasion des luttes qu'il a menées en Arabie. Plus tard, toutes les armées musulmanes ont été dotées de dispensaires ambulants.

Au Xe siècle, un ministre dynamique du calife al-Muqtadir ordonna de créer des dispensaires itinérants et des salles de soins dans les prisons. Mais on ne sait pas si ces actions ont été pérennisées et étendues après lui.

La première initiative califale dans ce domaine est attribuée à Harūn ar-Rashīd, qui aurait fait construire le premier hôpital à Bagdad. Le grand médecin Abū Bakr ar-Rāzī (m. 935) y a exercé. En 979, c'est au tour de l'hôpital al-ᶜAḍūdī d'être érigé. Il était encore en activité en 1184 lorsque le grand voyageur Ibn Jubayr l'a visité. Trente-quatre ouvertures d'hôpitaux sont recensées en pays d'Islam après le IXe siècle, dont cinq supplémentaires dans la seule ville de Bagdad. Damas a également eu ses hôpitaux, le plus important étant celui dont Nūr ad-Dīn Zinkī a ordonné la construction en 1154. Il restera en fonction jusqu'au XIXe siècle.

Dans un premier temps, ces créations ont principalement concerné l'Orient, à quelques exceptions près (Kairouan par exemple, en 830). Le phénomène a été plus tardif au Maghreb (Marrakech, en 1190) et en Espagne (Grenade, en 1365) et, surtout, beaucoup plus limité qu'en Orient.

Le premier hôpital d'Égypte a été construit au Caire en 872 par Ibn Ṭūlūn (m. 883). Il a fonctionné jusqu'au XVe siècle. Après lui, d'autres établissements de santé seront édifiés dans cette capitale régionale. Le plus prestigieux a été, sans conteste, l'hôpital al-Manṣūrī, construit par Qalawūn, en 1282. À ses débuts, il employait un professeur de médecine pour dix étudiants.

Dans la seconde période de la dynastie abbasside, il y avait, en plus des hôpitaux publics ordinaires, des asiles d'aliénés, des hôpitaux mobiles et des hôpitaux militaires, ainsi que des sortes de dispensaires accolés à certaines mosquées et où exerçaient des médecins et des pharmaciens.

Quelques hôpitaux en pays d'Islam

ÉGYPTE

Le Caire : hôpital an-Nāṣirī (après 1171) ; hôpital al-Manṣūrī (1282) ; hôpital al-Mu'ayyidī (1421). **Alexandrie :** hôpital de Saladin (1181).

IRAK

Bagdad : hôpital d'ar-Rashīd (après 786) ; hôpital des Barmékides (VIIIe s.) ; hôpital Ibn ^cĪsā (vers 914) ; hôpital d'as-Sayyida (918) ; hôpital d'al-Muqtadir (918). **Wāsiṭ :** hôpital de Mu'ayyid al-mulk (1022). **Mossoul :** hôpital de Qaymāz (1176).

SYRIE

Damas : hôpital an-Nūrī (1154) ; hôpital Bāb al-barīd ; hôpital al-Qaymarī (avant 1296). **Alep :** hôpital al-^cAtīq an-Nūrī ; hôpital de la Grande Mosquée. **Jérusalem :** hôpital de Saladin (vers 1187). **Gaza :** hôpital de l'émir Sanjar (avant 1344).

ARABIE

La Mecque : hôpital Mustanṣirī. **Médine :** hôpital de Baybars.

PERSE

Hôpitaux de Rayy, d'Ispahan, de Shiraz, de Nishapour, de Tabriz, de Marw, de Khwārizm, de Sijistān, etc.

ANATOLIE

Istanbul : hôpital de Muḥammad al-Fātiḥ (1470) ; hôpital de Sulaymān (avant 1566) ; hôpital de Khāṣikī (1539) ; hôpital du sultan Ahmet (1616). **Konya :** hôpital ^cAlā' ad-Dīn (1219). **Kostamonu :** hôpital ^cAlī (1272).

OCCIDENT MUSULMAN

Grenade : hôpital du roi Muḥammad V (1366). **Marrakech :** hôpital al-Manṣūr (XIIe s.). **Fès :** hôpital de Fès (1282). **Tunis :** hôpital de Sidi Mahraz (après 1393).

Un des éléments qui va dans le sens d'une profonde tradition hospitalière en pays d'Islam est la longévité de ces établissements. Certains d'entre eux, qui datent pourtant du XIIe et du XIIIe siècle, n'ont jamais cessé de fonctionner jusqu'à aujourd'hui. C'est le cas de l'hôpital al-Manṣūrī du Caire, de l'hôpital an-Nūrī de Damas et de l'hôpital Araghūn d'Alep. Mais il faut préciser que la structure et le fonctionnement d'un hôpital ont varié en fonction des régions, des époques et des souhaits des bienfaiteurs qui financèrent leur construction et leur gestion quotidienne. Cela dit, les témoignages rapportés par les biobibliographes et les historiens nous permettent de donner les grandes lignes du fonctionnement des établissements les plus importants, comme ceux que nous venons d'évoquer. À la tête de chacun d'eux il y avait un directeur, souvent choisi parmi les personnalités éminentes de l'État. L'établissement était subdivisé en services (chirurgie, psychiatrie, ophtalmologie, obstétrique, etc.), avec des chefs de service (qui étaient des spécialistes de la discipline) et qui dirigeaient une équipe constituée de trois ou quatre médecins, d'infirmiers et d'agents de salle. Tous les hôpitaux avaient une aile pour les femmes et une autre pour les hommes. Certains d'entre eux, comme al-Manṣūrī du Caire, al-ᶜAḍūdī de Bagdad et an-Nūrī de Damas, avaient un service psychiatrique. Ils possédaient également une pharmacie dirigée par un pharmacien chef. Les malades s'y approvisionnaient gratuitement sur la base d'une ordonnance délivrée à l'hôpital même. Les médecins suivaient un planning hebdomadaire, avec des gardes de jour et de nuit, des cours pour les étudiants et des conférences pour les chefs de service. Certains de ces spécialistes poursuivaient leurs cours à leur domicile.

Malgré la faiblesse des connaissances en anatomie, la chirurgie pratiquée était-elle efficace ?

Pour apprécier l'efficacité de cette pratique médicale particulière, il faut bien sûr la replacer dans son contexte. On remarque d'abord que, comparés aux autres écrits médicaux, ceux qui sont consacrés exclusivement à cette spécialité sont

Texte régissant l'hôpital construit par Manṣūr Qalāwūn en 1282

Il se charge de soigner les malades pauvres, hommes et femmes, jusqu'à leur guérison. Il est au service du puissant et du faible, du riche et du pauvre, du sujet et du prince, du citoyen et du brigand, sans exigence d'une quelconque compensation, mais pour la seule recherche des bienfaits de Dieu, le généreux.

Source : A. ᶜĪsā, *Histoire des hôpitaux en Islam*, Beyrouth, Dār ar-Rā'id al-ᶜarabī, 1981, p. 151.

rares. On ne peut donc juger qu'à travers un nombre réduit de témoignages. La contribution la plus célèbre dans ce domaine est, sans conteste, le chapitre XXX du traité d'az-Zahrāwī (m. 1013) consacré aux instruments chirurgicaux. À la même époque, al-Mawṣilī (m. 1009) publiait en Orient son livre sur la chirurgie de l'œil, *al-Muntakhab fī ᶜilāj al-ᶜayn* [L'Anthologie sur les soins de l'œil], dans lequel il décrit le traitement de la cataracte en utilisant une aiguille creuse. On attribue aussi à un autre médecin andalou, Ibn Zuhr (m. 1161), les innovations suivantes : drainage de suppuration de la poitrine, trachéotomie, utilisation d'une sonde dans l'œsophage pour nourrir un malade. Un troisième médecin, Ibn al-Quff (m. 1286), qui a pratiqué en Orient, aurait adopté, pour les opérations chirurgicales, l'utilisation du garrot et de la glace pour insensibiliser le membre à traiter.

Pour ce qui est de la pratique chirurgicale elle-même, les ouvrages médicaux qui ont été analysés évoquent les opérations suivantes : suture des plaies, amputation de membres fracturés ou gangrenés, ablation du cancer de la langue et du sein, des fistules anales et des hémorroïdes, vidage des estomacs et des testicules, sondage de la vessie, trépanation du crâne, drainage des abcès du foie, opération des hernies, ligature de vaisseaux, excision des varices, broyage des calculs de la vessie, extraction de flèches, ablation des polypes du col de l'utérus.

Il faut enfin signaler que certains ouvrages de chirurgie ont bénéficié de traductions latines, hébraïques et même provençales. C'est le cas du traité d'az-Zahrāwī, qui sera encore une référence au XIVe siècle puisque Guy de Chauliac (m. 1368) le cite plus de cent soixante-dix fois dans son *Grand Livre de chirurgie*. C'est également le cas de l'ouvrage d'ophtalmologie de ᶜAlī Ibn ᶜĪsā (Xe s.), *Tadhkirat al-kaḥḥālīn* [L'Aide-mémoire des ophtalmologues].

Au-delà des lacunes et des erreurs en anatomie, le plus grave handicap de la chirurgie, jusque dans le cours du XIXe siècle, est l'inexistence de l'asepsie. Ne connaissant pas les microbes, les médecins médiévaux, arabes comme européens, étaient obligatoirement limités dans ce domaine. Toutefois, des observations fréquentes devaient les inciter à prendre certaines mesures, ne fût-ce que celle qui concerne la propreté dans les hôpitaux. Cela a-t-il été le cas en pays d'Islam ?

Témoignage sur l'hôpital de Marrakech

[Abū Yūsuf] a construit dans la ville de Marrakech un hôpital dont je ne pense pas qu'il existe un semblable dans le monde. Pour cela, il a choisi une large étendue de terre dans la zone la plus nivelée de la ville et il a ordonné aux bâtisseurs de le réaliser à la perfection (...). Il ordonna aussi d'y planter toutes sortes d'arbres, de plantes odorantes ou comestibles. Il y fit couler une eau abondante qui circulait dans toutes les pièces, en plus de quatre bassins avec du marbre blanc dans l'un d'eux. Puis il ordonna qu'il soit doté de couvertures raffinées en laine, en coton, en soie et en peau. Il lui consacra trente dinars par jour pour la nourriture et les dépenses particulières, sans parler des médicaments. Il y recruta des pharmaciens pour la fabrication des boissons, des huiles, des collyres. Il y mit à la disposition des malades des habits de nuit et de jour (...). Lorsque le malade devait le quitter, s'il était pauvre, il ordonnait de lui donner une somme pour vivre jusqu'à ce qu'il fut indépendant. S'il était riche, on lui remettait son argent et ses effets.

Source : A. ᶜĪsā, *Histoire des hôpitaux en Islam*, op. cit. p. 280-281.

L'hygiène est à la base de l'enseignement médical arabe, à la fois dans le cadre de la médecine dite populaire et dans celui de la médecine savante. De même, affirment les auteurs d'ouvrages médicaux, elle est l'un des éléments de la préservation de la santé et de la lutte contre la maladie. Il est donc difficile de penser que, dans leurs pratiques quotidiennes, ces médecins ne respectaient pas les préceptes qu'ils enseignaient. Quant à juger de l'efficacité des mesures qu'ils prenaient dans ce domaine, c'est un autre problème.

Sur un sujet voisin : que connaissaient les médecins arabes des risques de contagion, notamment en cas d'épidémie ?

L'histoire des épidémies en pays d'Islam et des moyens envisagés pour leur éradication est un sujet encore peu exploré. Mais on sait que, dans ce domaine, des interprétations non scientifiques étaient monnaie courante. Ce qui est moins connu, ce sont les changements de discours et d'attitudes qui apparaissent, ici ou là : ainsi en Espagne, au XIVe siècle, des médecins prennent leur distance avec les interprétations non scientifiques alors dominantes qui considéraient les épidémies comme des punitions divines.

C'est à cette époque que commence à être mis en évidence le phénomène de contagion au cours d'une épidémie. À ce propos, voici le témoignage de l'historien andalou Ibn al-Khaṭīb (m. 1374), dans sa description de la peste de 1347 à Grenade : « Et si on disait comment < peut-on > postuler l'idée de contagion alors que la législation < musulmane > a nié cela, nous disons (…) : l'existence de la contagion a été établie par l'expérience, l'induction, les sens, l'observation, les informations répétitives ; et c'est là la matière de la preuve. »

À la même époque, le médecin Ibn Khātima (m. 1369) affirmait, à l'occasion de sa description de la peste de 1348-1349, à Almeria : « J'ai trouvé, après de longs efforts, que dès que l'homme touche un malade, il est atteint par la maladie et ses signes apparaissent sur lui : si le sang coule du premier, il coule de l'autre, si une tumeur apparaît chez le premier, elle apparaît également chez l'autre au même endroit,

Témoignage sur l'enseignement de la médecine à Bagdad au milieu du IXe siècle

Les études des élèves de l'école de médecine d'Alexandrie se sont limitées à ces < vingt > livres selon l'ordre que j'ai moi-même suivi. Ils ont pris l'habitude de se réunir tous les jours pour lire et traduire un fragment particulier de ces publications, comme ont pris l'habitude nos frères chrétiens, à cette époque, de réunions qu'ils fréquentent dans les instituts d'enseignement connus sous le nom de Schola pour étudier un sujet particulier dans l'un des ouvrages des prédécesseurs. Quant aux livres de Galien restants, on a pris l'habitude de les étudier chacun indépendamment après une étude introductive des livres que nous avons indiqués, comme cela est le cas pour nos frères à propos des commentaires des livres des prédécesseurs.

Source : Ḥunayn Ibn Isḥāq, « Épître sur les traductions de Galien », *in* T. Arnold, *L'Héritage de l'Islam*, *op. cit.*, p. 457.

et si des abcès se constituent chez le premier et que du pus en coule, il arrive la même chose à l'autre. Et c'est là la voie de sa propagation du deuxième malade vers le troisième. »

De son côté, ash-Shaqūrī (ce médecin a connu la peste de 1347) a donné une bonne description de la peste bubonique et de la peste pulmonaire dans un livre malheureusement perdu mais dont le contenu est évoqué par des auteurs postérieurs.

L'enseignement de la médecine

Dans quelles structures se faisait l'enseignement médical ?

Il se faisait soit dans les institutions religieuses, comme la mosquée Ibn Ṭūlūn au Caire, soit dans les collèges supérieurs (*madrasa*), soit chez les professeurs eux-mêmes. À l'époque mamelouk, le chef des médecins (*Ra'īs al aṭibbā'*) accordait l'autorisation de pratiquer la médecine. Il y avait aussi des enseignements assurés par les responsables de chaque spécialité (ophtalmologie, orthopédie, etc.).

Diplôme de médecine du XVIe siècle

S'est présenté devant moi le candidat Shams ad-Dīn Muḥammad ibn ᶜAzzām, qui s'honore de l'activité de chirurgie, et qui est attaché aux services du chef de l'équipe des chirurgiens de l'hôpital al-Manṣūrī, le professeur ᶜAbd al-Muᶜṭī, bien connu sous le nom d'Ibn Raslān (...). Il m'a exposé la totalité de la subtile épître qui englobe la connaissance de la saignée, de ses moments, de ses conditions < de réalisation > et de ce qui en découle comme bienfaits (...), selon une bonne présentation qui a prouvé sa bonne mémorisation de l'épître sus-indiquée.
Je l'ai donc autorisé à se prévaloir de moi en l'enseignant telle qu'elle doit l'être, ainsi que d'autres livres de médecine.

Source : A. ᶜĪsā, *Histoire des hôpitaux en Islam*, op. cit. p. 44-45.

En plus de l'étude directe des ouvrages en arabe, les étudiants disposaient de petits manuels, écrits par les traducteurs et traitant des maladies pouvant affecter différentes parties du corps humain. Les informations qui s'y trouvaient étaient extraites des traductions des écrits grecs et syriaques. Les étudiants avaient également à leur disposition des sortes de recueils encyclopédiques dont le contenu se présentait sous forme de questions et de réponses. Des centaines d'ouvrages de ce type ont été écrits depuis le IXe siècle.

Les candidats aux fonctions de médecin étaient-ils nombreux ?

Cela dépend des époques mais, à vrai dire, nous n'avons pas de recensements précis. On sait, par exemple, qu'au IXe siècle leur nombre avait considérablement augmenté et qu'en 949, sous le règne du calife aṭ-Ṭā'iᶜ (946-974), près d'une centaine de médecins exerçaient dans la capitale de l'empire. Quant au cursus des étudiants en médecine, il faut dire que, jusque vers le milieu du IXe siècle, il n'était pas clairement défini. La formation se faisait alors sans diplôme. D'où des abus, qui ont alerté les responsables. Le calife al-

Le contrôle de l'activité des ophtalmologues, des chirurgiens et des orthopédistes

Le contrôleur doit leur faire prononcer le serment d'Hippocrate qu'il a fait dire à l'ensemble des médecins. Il les fait jurer de ne donner à personne un médicament amer, et de ne pas lui administrer de poisons, de ne pas faire fabriquer les poisons chez les gens du commun, de ne pas divulguer aux femmes le médicament qui permet d'avorter les fœtus, ni aux hommes le médicament qui interrompt la procréation ; d'éloigner de leur vue les interdits lorsqu'ils entrent chez les malades, de ne pas divulguer les secrets ni de violer l'intimité < des gens >.
Quant aux ophtalmologues, le contrôleur doit les examiner à l'aide du livre de Ḥunayn Ibn Isḥāq, c'est-à-dire les *Dix Épîtres sur l'œil* (...). Quant aux ophtalmologues itinérants, on ne doit pas faire confiance à la majorité d'entre eux puisqu'ils n'ont aucune religion qui pourrait les empêcher d'agresser les yeux des gens par la dissécation et les collyres sans connaissance ni expérience des maladies et des affections (...).
Quant aux orthopédistes, aucun d'eux ne doit être autorisé à pratiquer des réparations sans avoir, au préalable, maîtrisé la connaissance du sixième chapitre des *Pandectes* de Paul d'Égine et la connaissance des os humains qui sont au nombre de deux cent quarante-huit, ainsi que la forme de chaque os et sa grandeur de sorte que, si une partie venait à se briser et qu'il venait à être déplacé, il puisse le remettre à sa place, selon la forme qu'il avait auparavant.
Le contrôleur doit les examiner sur tout cela.

Source : ash-Shaᶜrāwī, *Nihāyat ar-rutba* [L'Ultime Position]. Cité par A. ᶜĪsā, *Histoire des hôpitaux en Islam*, op. cit. p. 52-53.

Muqtadir (908-932) aurait alors imposé un examen en 931. Il y eut huit cent soixante candidats, sans compter les médecins reconnus et ceux du palais califal (qui ne furent pas soumis à cet examen). Il semble qu'à partir de cette date les futurs praticiens devaient obtenir, de la part de professeurs confirmés, l'autorisation d'exercer. Certains de ces professeurs étaient désignés par les autorités du moment pour délivrer des diplômes. Mais on suppose que le fonctionnement le plus courant a été celui de la délivrance des diplômes, par des autorités scientifiques sans interférence de l'État, à l'image de ce qui se passait dans d'autres disciplines.

La profession était-elle contrôlée ?

À la différence des autres disciplines scientifiques, la pratique de la médecine était soumise à une surveillance régulière de la part du contrôleur général des fraudes, le *Muḥtasib*. Ce fonctionnaire et ses agents devaient opérer un certain nombre de contrôles, tant sur les médecins généralistes que sur les spécialistes (chirurgiens, ophtalmologistes, orthopédistes, pharmaciens). Ils faisaient prononcer le serment d'Hippocrate aux nouveaux médecins et ils inspectaient les instruments de travail de ceux qui étaient en exercice.

A-t-on publié un grand nombre d'ouvrages de médecine ?

Oui, un très grand nombre. Le plus connu et le plus diffusé – d'abord dans l'Empire musulman, de l'Asie à l'Espagne, puis dans les pays chrétiens – a été le *Canon* d'Ibn Sīnā. Mais, avant lui, de grands médecins ont publié des ouvrages importants couvrant l'ensemble de la pratique médicale de leur époque ou se limitant à quelques domaines précis.

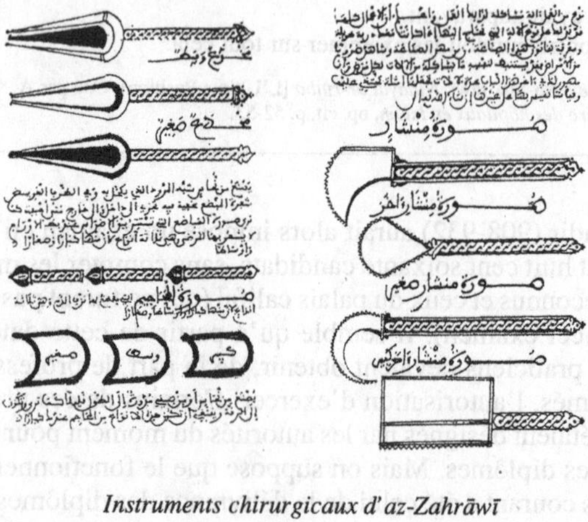

Instruments chirurgicaux d'az-Zahrāwī

L'influence de la médecine arabe

Cet essor de la médecine arabe a-t-il eu, après-coup, des répercussions sur l'Europe chrétienne ?

Incontestablement. Le vecteur principal en a été, une fois de plus, l'Espagne musulmane, mais pas exclusivement, cependant. La Sicile et l'Italie ont également joué un rôle dans sa diffusion, de même que le Maghreb. L'école de Salerne, dans le sud de l'Italie, à laquelle on doit en partie la renaissance de la médecine occidentale, a notamment été dynamisée par les traductions d'ouvrages médicaux réalisées par Constantin l'Africain (il était né et s'était formé dans le Maghreb oriental). Bologne a également été très active. À noter, en France, le rôle de Montpellier. Son université fut l'une des premières (1220). Son école de médecine, en particulier, est très ancienne. Proche de l'Espagne, elle a largement bénéficié de la médecine arabe. Plus tard, elle a également recueilli des médecins juifs chassés de la péninsule Ibérique par les avancées de la *Reconquista*.

Quelle est la nature de l'apport arabe à la médecine occidentale ?

Les traductions d'ouvrages arabes en latin, parfois *via* l'hébreu, ont été très nombreuses. Dans les universités, créées en Europe à la fin du XIIe siècle et au XIIIe, les professeurs ont certes beaucoup enseigné Hippocrate et davantage encore Galien, mais aussi les médecins arabes.

Avec la circulation des ouvrages, il y a eu bien sûr assimilation des méthodes médicales rapportées par les médecins arabes, ainsi que les contributions propres de ces derniers. Mais il reste encore quelques zones d'ombre au sujet de certaines innovations ou découvertes qui sont attribuées aux médecins des pays d'Islam et dont on retrouve des traces un peu plus tard en Europe. C'est par exemple le cas de la découverte de la petite circulation. On sait désormais que le médecin égyptien Ibn an-Nafis (1211-1288) a découvert la

Quelques ouvrages médicaux arabes traduits en latin

Al-Isrā'īlī
– *Kitāb al-ḥummayāt* [Livre des fièvres]
– *Kitāb al-aghdhiyya* [Livre des aliments]

al-Majūsī
– *Kāmil aṣ-ṣināᶜa aṭ-ṭibbiyya* [Le livre complet sur l'art médical]

Ibn ᶜImrān
– *al-Maqāla fī l-mālikhūliyā* [Traité sur la mélancolie]

Ibn al-Jazzār
– *Zād al-musāfir* [Le viatique du voyageur]
– *Kitāb al-maᶜida* [Livre de l'estomac]

ar-Rāzī
– *al-Kitāb al-Manṣūrī fī ṭ-ṭibb* [Le livre mansurien sur la médecine]
– *Kitāb awjāᶜ al-mafāṣil* [Livre sur les douleurs articulaires]
– *Kitāb fī sirr ṣināᶜat aṭ-ṭibb* [Livre sur le secret de l'art médical]

Ibn Sīnā
– *Kitāb al-qānūn fī ṭ-ṭibb* [Le canon de la médecine]

Az-Zahrāwī
– *Kitāb at-taṣrīf* [Livre de chirurgie]

Ibn Zuhr
– *Kitāb al-aghdhiyya* [Livre des aliments]

Abū ṣ-Ṣalt
– *Kitāb al-adwiyya al-mufrada* [Livre des médicaments simples]

circulation pulmonaire (dite encore « petite circulation ») alors qu'il exerçait au Caire à l'hôpital al-Manṣūrī, qu'il dirigeait. En opposition avec l'héritage de Galien sur ce point, il décrit cette circulation dans un *Commentaire anatomique* sur le *Canon* d'Ibn Sīnā. Certains historiens pensent qu'Ibn an-Nafīs ne s'est pas arrêté là et qu'il aurait fait d'autres découvertes en anatomie. Toujours est-il que ses travaux, contraires à la doctrine officielle de la médecine, ne semblent pas avoir circulé. La description de la petite circulation réapparaît chez Michel Servet, au XVIe siècle. Une traduction de l'ouvrage d'Ibn an-Nafīs aurait circulé en Italie au cours de la Renaissance. On ignore si Servet en a eu connaissance.

*

RÉFÉRENCES BIBLIOGRAPHIQUES

Fahd T., « Matériaux pour l'histoire de l'agriculture en Irak, al-Filāḥa al-nabaṭiyya », *Handbuch der Orientalistik*, I, 6, Leyde-Cologne, E. J. Brill, 1977.

Gardinet T., *Les Papyrus médicaux de l'Égypte pharaonique*, Paris, Fayard, 1995.

Gohau G., *Biologie et Biologistes*, Paris, Magnard, 1978.

Gohau G., *Une histoire de la géologie*, Paris, Éditions du Seuil, 1990.

Institut du monde arabe, *La Médecine au temps des califes, catalogue de l'exposition (18 novembre 1996-2 mars 1997)*, Paris, IMA-SDZ, 1996.

Jacquart D., « Principales étapes dans la transmission des textes de médecine (XIe-XIVe siècle) », in *Rencontres de cultures dans la philosophie médiévale. Traductions et traducteurs de l'Antiquité tardive au XIVe siècle*, Louvain-la-Neuve, Cassino, 1990.

Mayr E., *Histoire de la biologie. Diversité, évolution et hérédité* (rééd.), Paris, Fayard, coll. « Le temps des sciences », 1989.

Meyerhof M., « Esquisse d'histoire de la pharmacologie et de la botanique chez les musulmans d'Espagne », *al-Andalus*, 3, 1935.

Pelt J.-M., *La Cannelle et le Panda. Les grands naturalistes explorateurs autour du monde*, Paris, Fayard, 1999.

Raynal-Roques A., *La Botanique redécouverte*, Paris, Belin-INRA, 1994.

Sakka M., *Histoire de l'anatomie humaine*, Paris, PUF, 1997.

Sournia J.-C., *Histoire de la médecine*, Paris, La Découverte, 1997.

8. La chimie

Commençons, si vous le voulez bien, par le mot « chimie » lui-même, qui a la réputation d'être d'origine arabe.

C'est effectivement assez souvent affirmé. Toutefois, ce n'est pas certain. Il y a en fait trois hypothèses concernant l'origine du mot *kimiyya* [chimie]. Il peut, bien sûr, s'agir d'un mot arabe, d'origine égyptienne, après un passage par le grec. En effet, en égyptien ancien, *kemi* veut dire « noir », mais le mot sert aussi à désigner la terre égyptienne : lorsqu'ils évoquent l'Égypte, les Grecs utilisent le mot *Khémia*. La deuxième hypothèse fait dériver *kimiyya* du terme grec *khyméia*, qui signifie « fusion ». La troisième hypothèse est celle qui opte pour une origine purement arabe. C'est par exemple l'avis du grand lexicographe al-Jawharī (m. 1005). Mais son collègue Ibn Sīda (m. 1066) penche plutôt pour une origine non arabe. Il faut signaler à ce propos qu'il y a un autre mot arabe qui pose un problème semblable : il s'agit de *simiyya* (à rapprocher du mot grec *sêmeion*, voulant dire « signe ») qui, on le voit, est absolument de la même forme que *kimiyya*. Il signifie « science des secrets des lettres », et désigne un chapitre important de l'astrologie, fondé exclusivement sur la valeur numérique des lettres de l'alphabet et sur la manipulation arithmétique de ces valeurs.

Cela étant, je ne pense pas qu'il faille épiloguer davantage sur les origines et les significations de ce mot. L'important est que ce terme, qui est attaché à la tradition chimique arabe du Moyen Âge, est étroitement lié à l'histoire de la discipline.

Mais, dans la tradition arabe, que désignait ce terme ?

Contrairement à l'héritage européen, latin par conséquent, les Arabes n'utilisaient qu'un seul mot, *kimiyya*, pour désigner différentes dimensions de la chimie médiévale que les Latins ont traduit respectivement par « chimie » et « alchimie ».

La première dimension comprenait, à l'époque, de multiples opérations sur les produits, au départ d'origine naturelle (recettes, procédés, etc.), relatives à la fabrication de colorants, au travail des métaux et à la transformation de nombreux autres matériaux pour obtenir de nouveaux produits (pâte à papier, cosmétiques...).

Les autres dimensions ont des connotations philosophiques, ésotériques ou mystiques. Il y a bien sûr le sens qui est désormais attaché au mot « alchimie », à savoir l'ensemble des procédés visant à obtenir la transmutation d'un métal quelconque en or. Il y a également les manipulations complexes qui devaient aboutir à la confection de l'élixir (*Iksīr* en arabe), c'est-à-dire du médicament qui guérit toutes les maladies. Il y a enfin le sens que lui attribuent les mystiques musulmans et qui nous est rapporté par at-Tahānawī, un encyclopédiste du XVIIIe siècle. Le mot « chimie » désignerait, dans ce contexte, l'acceptation de ce qui existe et la suppression du désir de ce qui est perdu. Les mystiques parlent aussi de la « chimie du bonheur », expression qui vise notamment l'éducation de l'âme pour qu'elle s'éloigne des choses impures et atteigne ainsi la perfection. En arabe, c'est un mot unique qui qualifie à la fois toutes ces démarches et celles qui se rattachent à la chimie telle que nous l'entendons aujourd'hui.

Revenons sur ces deux grands domaines (ésotérique et pratique) de la tradition chimique arabe et sur leur processus constitutif. En définitive, d'où vient cette science très ancienne qu'est la chimie ?

Nous avons déjà insisté sur l'origine concrète des diverses sciences et des disciplines scientifiques. Le souci des sociétés humaines, sans exception, a été de bien utiliser leur environnement. Pour cela, il a fallu observer, puis comprendre. La première forme d'exploitation de la nature est bien sûr tâtonnante, empirique. Les formes primaires de rationalisation ne sont probablement apparues qu'à l'issue d'un long processus, dont il nous est d'ailleurs difficile de rendre compte, faute de relations écrites de ses acteurs.

En ce qui concerne la *kimiyya*, le nombre d'opérations que couvre cette appellation est très grand. Parmi les plus anciennes, figurent ce que certains historiens appellent les « arts du feu », en particulier la céramique et la métallurgie. Dans l'Empire musulman, ces activités ont été riches et multiformes : fabrication des couleurs et des pigments, tant pour la céramique que pour les peintures, les tissus, les encres et les fards ; composition de différents produits servant à l'industrie textile, très développée dans cette civilisation (solvants, fixateurs, dégraissants) ; réalisation de produits d'hygiène et de beauté (cosmétiques, parfums, savons) ; travail du verre et du pétrole ; mise au point, à des fins militaires, d'engins incendiaires, d'explosifs, de poudre ; fabrication de médicaments, de poisons ; travail des pierres précieuses ; préparation de boissons alcooliques, etc.

La deuxième base de la chimie trouve son origine dans les tentatives d'interprétation des pratiques précédentes. Elle est constituée de discours, à connotation philosophique, souvent mystique. Ce caractère ésotérique résulte du niveau des outils, aussi bien expérimentaux que théoriques, que les chimistes de l'Antiquité et du Moyen Âge – arabes compris – avaient à leur disposition. Sans sous-estimer les apports de cette philosophie, voire les nier comme l'a fait Gaston Bachelard, il faut cependant insister sur le fait que les éléments à l'origine des progrès de la chimie se sont, pendant très longtemps (jusqu'au XVIIIe siècle, pratiquement) manifestés dans le cadre de ces multiples activités. Des remarques similaires valent d'ailleurs pour toutes les sciences, à des degrés divers bien sûr. Il est certain que, pour la chimie, cette prédominance de la technique a été particulièrement longue et forte.

Il ne faut certainement pas la mépriser ou la considérer comme négligeable. Certains procédés de fabrication étaient très complexes. Seulement, leur élaboration avait été essentiellement empirique, sans que nous sachions, en général, comment elle a été mise au point. Prenons un exemple qui n'appartient pas à la tradition chimique arabe. L'ocre est un matériau naturel fréquemment jaune. Quand il est chauffé, une réaction chimique se produit et il devient rouge. Eh bien, il semble que cette technique ait été utilisée au paléolithique moyen, vers 40 000 ans av. J.-C. Nous ne savons évidemment pas comment les hommes de la préhistoire ont abouti à cette découverte.

Avons-nous des idées plus précises sur les recettes des chimistes arabes et sur la manière dont ils procédaient ?

Pas vraiment, tout au moins dans l'état actuel de nos connaissances. Cela tient d'une part au niveau atteint par la recherche historique dans ce domaine et, d'autre part, aux caractéristiques de la chimie ancienne : essentiellement pratique et cultivant le secret. Les promoteurs de ces progrès ont le plus souvent été des artisans qui écrivaient peu. Leurs procédés étaient transmis oralement, de père en fils, de maître artisan à apprenti. D'ailleurs, la littérature chimique a plus souvent porté sur sa composante ésotérique que sur ses aspects de « recettes d'ateliers ». Ses auteurs ont été fréquemment des hommes savants connaissant certes la chimie, mais étrangers au milieu des artisans.

De plus, que connaissons-nous aujourd'hui de tout ce qui a été publié ? La plus grosse part est constituée par des ouvrages arabes traduits en latin à la fin du Moyen Âge. Ils sont souvent à dominante alchimique, la dimension technologique ayant été souvent occultée par les traducteurs, soit parce qu'elle ne les intéressait pas, soit parce qu'ils n'avaient pas les compétences scientifiques pour la transcrire et ne disposaient pas d'une terminologie appropriée en latin.

Le fonds purement arabe, n'ayant pas transité par une traduction latine ou hébraïque, a été très peu étudié. Nous n'en avons donc actuellement qu'une connaissance très partielle et déformée. L'image que se sont longtemps constituée les historiens occidentaux est dominée par le corpus traduit en latin il y a plusieurs siècles. Il faut donc être très prudent quand on s'exprime sur les différents aspects de cette science, en gardant à l'esprit que ce que nous en disons est fonction de ce qui a pu être exhumé et analysé comme sources anciennes. La remarque vaut certes pour toutes les disciplines, mais particulièrement pour la chimie. À cela il faut ajouter que les historiens de cette science ayant des compétences techniques ont été peu nombreux dans le passé.

Les héritages

Certains des secteurs que vous venez d'évoquer – la confection des colorants, le travail des métaux, etc. – sont très antérieurs à la civilisation arabo-musulmane. Les développements ésotériques aussi, du reste. Quels sont les héritages recueillis par les chimistes arabes ?

Je commencerai par la tradition écrite, que nous connaissons un peu mieux, et dans laquelle la composante ésotérique est très développée.

L'héritage grec est, ici aussi, particulièrement riche. En voici quelques exemples, sans prétendre à l'exhaustivité. Parmi la dizaine d'auteurs grecs cités par les Arabes, il y a des personnages célèbres, comme Pythagore, Socrate, Platon ou Aristote. D'autres sont moins connus, mais les écrits qui leur sont attribués sont cités autant que ceux des philosophes. Parmi eux, il y a Archélaos de Milet[1], Petasios, Ars le Sage, Apollonius de Tyane.

Contrairement à ce que nous avons dit au sujet de la médecine, où l'apport égyptien est principalement empirique et implicite, la tradition chimique égyptienne apparaît très clairement chez les Arabes. Les ouvrages actuels sur l'histoire de l'alchimie accordent une très grande importance, sur ce sujet, à l'Égypte. La civilisation pharaonique ayant bien des côtés fascinants et se prêtant merveilleusement aux fantaisies de l'imagination, d'autres aspects provoquent la même attirance (« secrets » des pyramides, etc.).

---

1. Mathématicien et philosophe, disciple de Pythagore. Il aurait, selon Diogène Laërce, le premier démontré la nature vibratoire du son.

Ouvrages alchimiques attribués, par les Arabes, à des auteurs grecs

Petasios (?)
– *ar-Risāla al-ᶜuẓmā* [La Grande Épître]
– *Īḍāḥ asrār al-Awā'il* [Éclaircissement des secrets des Anciens]

Démocrite (IVᵉ s. av. J.-C.)
– *Risāla fī ṣ-Ṣanᶜa* [Épître sur l'Art]
– *Kitāb fī l-khall wa l-khamīr* [Livre sur le vinaigre et la levure]

Archélaos de Milet (Vᵉ s. av. J.-C.)
– *Kitāb al-jamāᶜa* [Le Livre de la communauté]
– *Risāla fī madd al-baḥr* [Épître sur la montée de l'océan]

Krates (IIᵉ s. av. J.-C.)
– *Kitāb fī sh-Shams wa l-qamar wa sirr al-asrār* [Livre sur le soleil, la lune et le trésor des trésors]

Askelepios (IIIᵉ s.)
– *Kitāb Asfīdiūs li waladihī fī l-kīmiyyā* [Lettre d'Asphédios à son fils sur la chimie]

Ars le Sage
– *Kitāb al-ḥayāt* [Le Livre de la vie]
– *Kitāb kashf al-asrār* [Le Livre du dévoilement des secrets]

Socrate (m. 399 av. J.-C.)
– *Risāla fī ṣ-Ṣināᶜa al-ilāhiyya* [Épître sur l'art divin]

Platon (m. 348 av. J.-C.)
– *Kitāb ar-rawābīᶜ* [Le Livre de la tétralogie]

Aristote (m. 322 av. J.-C.)
– *Risālat al-kīmiyyā'* [Épître sur la chimie]

Apollonius de Tyane (Iᵉʳ s.)
– *Kitāb al-ᶜilal* [Le Livre des causes]
– *Takwīn al-maᶜādin* [La Constitution des minerais]

En ce qui nous concerne, nous ne nous engagerons pas sur ce terrain et nous nous limiterons à l'histoire scientifique.

L'activité alchimique paraît avoir également fleuri dans l'Égypte hellénistique et romaine, une fois passée la grande époque de l'école d'Alexandrie. L'auteur le plus cité est Zosime de Panapolis, qui aurait vécu en Haute Égypte au début du IVe siècle. Ibn an-Nadīm lui attribue une encyclopédie de vingt-huit livres sur l'alchimie et quelques autres ouvrages.

Certains chimistes arabes, comme al-Jildakī, mentionnent par ailleurs les écrits de deux femmes chimistes : Cléopâtre et Marie. La première a été rattachée par certains historiens des sciences à la fameuse Cléopâtre VII, qui a régné sur l'Égypte de 51 à 30 av. J.-C. La seconde garde encore son mystère puisqu'elle est, selon les auteurs arabes, Marie la Sage, Marie la Copte ou Marie la Juive. On a même dit qu'elle était la sœur de Moïse. Ce qui semble admis, c'est qu'une Marie contemporaine du chimiste Ostanes (Ve s. av. J.-C.) a bien existé. C'est elle qui, selon le témoignage du chimiste Zosime, aurait décrit, pour la première fois, des instruments chimiques et plus particulièrement ceux qui servent à la distillation. Elle aurait également conçu des fours et des appareils de distillation à partir de métaux, de verre ou de terre cuite. On a également associé son nom à l'invention du bain-marie, mais les sources arabes connues n'en parlent pas. Certains des écrits qui lui sont attribués ont été connus par les premiers chimistes arabes, à savoir Khālid Ibn Yazīd et Jābir Ibn Ḥayyān, ce dernier la citant explicitement. Nous disposons même, dans une traduction arabe, de copies de quelques textes qui portent son nom.

À ces auteurs, dont certains écrits (ou des fragments) ont été traduits en arabe, il faudrait peut-être ajouter ceux dont les ouvrages n'ont pas été retrouvés par les traducteurs des VIIIe et IXe siècles, mais dont les contenus ont probablement circulé, au moins partiellement, parmi les praticiens de la chimie appliquée ou ésotérique postérieurs à l'époque hellénistique. Les auteurs arabes citent une quarantaine de noms de personnes, ayant vécu avant l'avènement de l'Islam, auxquelles ils attribuent des écrits en chimie[2].

2. Hermès, Petasios, Thalès, Pythagore, Agathodaimon, Leukippos, Empédocle, Démocrite, Ostanes, Archélaos, Krates, Markos, Askelepios, Jāmāsb le Sage, Adrianos, Afyā'us, Ars le Sage, Cléopâtre, Marie, Zosime, Apollonios de Tyane, Azdatales, Socrate, Platon, Aristote, Porphyre, Mahrārīs, Sergius, Stéphane l'Ancien, Marianos, Qārūn, Teukros, Bayūn le Brahmane, Dindymus, Théophile, Antonios.

Écrits alchimiques des traditions mésopotamienne et égyptienne

Hermès (avant le IVe s.)
– *Risāla fī l-iksīr* [Épître sur l'élixir]
– *Sirr al-kīmiyyā'* [Le Secret de la chimie]
– *Risāla fī l-alwān* [Épître sur les couleurs]

Ostanes (Ve s. av. J.-C.)
– *al-Kitāb al-jāmiᶜ* [Le Recueil]
– *al-muṣḥaf fī ṣ-Ṣināᶜa al-ilāhiyya* [Le Livre sur l'art divin]

Jāmāsb (IIIe s. ?)
– *Risālat Jāmasb ilā Ardashīr fī s-sirr al-maktūm* [Épître de Jāmāsb à Ardashīr sur le secret dissimulé]

Marie (avant 400)
– *Risālat at-tāj* [Épître de la tiare]
– *Risāla fī ḥajar al-ḥukamā'* [Épître sur la pierre philosophale]
– *Risāla fī aṣ-Ṣanᶜa* [Épître sur l'Art]

Agathodaimon
– *Risālat al-ḥadhar* [Épître de la prudence]
– *Maqāla ilā talāmīdhihī* [Épître à ses élèves]
– *Kitāb Ghūthdaymūn* [Le Livre d'Agathodaimon]

Zosime (vers 400)
– *Muṣḥaf aṣ-ṣuwwār* [Livre des figures]
– *Kitāb mafātīḥ aṣ-Ṣanᶜa* [Livre des clés de l'Art]
– *Risāla fī aṣ-Ṣanᶜa* [Épître sur l'art]

Cléopâtre (51-30 av. J.-C.)
– *Risāla < fī aṣ-Ṣanᶜa >* [Épître < sur l'Art >]

On signalera par ailleurs l'héritage mésopotamien, dont on ne sait pas grand-chose sinon qu'il a été important. L'auteur le plus cité par Ibn an-Nadīm est Hermès, qui est présenté comme un savant ayant régné sur l'Égypte bien avant l'époque d'Alexandre. Outre cinq ouvrages sur l'astrologie, on attribue à Hermès et à ses disciples une douzaine d'écrits sur l'alchimie. Mais cet auteur est tellement entouré de légendes qu'il est plus raisonnable de penser qu'il s'agit là de la production de toute une tradition alchimique qui va au-delà des activités d'une seule personne.

Vous ne faites pas état d'apports persans, indiens ou chinois.

C'est uniquement parce que nous n'avons aucune information sur ce sujet. Mais cela ne veut pas dire que ces apports n'aient pas existé. Les transferts de connaissances et de techniques persanes et indiennes ont été détaillés pour d'autres disciplines, comme le calcul, l'astronomie, la médecine. Cela montre que les échanges ont été nombreux et fréquents avec l'Inde. Quant à la Perse, elle a été rapidement l'une des régions les plus dynamiques de l'Empire musulman. Il est donc très probable que, dans le domaine de la chimie comme dans les autres, des pratiques locales aient été intégrées dans ce qui était en train de se constituer.

Quant à la Chine, c'est un pays de très vieille civilisation, et sa chimie figure en très bonne place dans les livres d'histoire des sciences, principalement d'ailleurs au titre de l'alchimie. Ses techniques chimiques ont également été foisonnantes. Nous avons déjà parlé des échanges commerciaux entre le Sud-Est asiatique et l'Empire musulman. Nous devons cependant rester aussi prudents que dans les autres chapitres. Il est possible que les Arabes aient eu connaissance d'apports chinois en chimie, mais nous n'en avons actuellement aucune preuve écrite et, comme pour les autres disciplines, nous ne possédons aucune traduction du chinois à l'arabe d'un écrit traitant de chimie.

L'essentiel du corpus chimique médiéval est, nous l'avons dit, constitué par un ensemble de procédés de transformation de matériaux d'origine naturelle…

Oui, d'origine minérale pour la plupart, mais aussi parfois végétale ou animale. Le vinaigre, par exemple, qui provient de la dégradation du vin ou d'autres boissons alcoolisées, était produit et utilisé depuis longtemps.

Sans tenter, dans l'immédiat, de distinguer les substances utilisées avant l'Hégire de celles qui auraient pu être découvertes par les chimistes des pays d'Islam, quels ont été les principaux matériaux des artisans et des savants de l'époque ?

Je séparerais, peut-être un peu artificiellement et sans viser une énumération complète, les produits purs et les composés. Comme dans d'autres civilisations, l'une des activités mères, si l'on peut dire, de la chimie arabe a été le travail des métaux, la métallurgie. Les métaux les plus anciennement connus sont l'or, l'argent, l'étain, le cuivre, le fer, le mercure et le plomb. Leur nombre, sept, aura une signification importante dans l'aspect ésotérique de la chimie médiévale.

Au moment de la première exploitation, certains de ces métaux ont parfois été manipulés à l'état natif, c'est-à-dire à l'état pur (ou presque), soit parce qu'ils étaient ainsi dans des gisements où ils affleuraient, soit qu'ils entraient dans la composition des météorites retrouvées dans certaines contrées. Parmi les autres corps purs, non métalliques cette fois, il y a le soufre, l'arsenic, l'antimoine.

À ces différents corps simples, il faut ajouter quantité de substances composées provenant de gisements naturels divers : les minerais métalliques, bien sûr, qui sont des oxydes et des sels desdits métaux (parfois du reste sous forme de mélanges), le charbon, le pétrole, l'alun, etc. ; ces

Quelques substances naturelles composées

Les minerais métalliques, résultant de l'union de métaux avec de l'oxygène, du soufre, du carbone, de l'azote, du phosphore, etc.

Le natron (carbonate de sodium impur, abondant dans certains lacs africains), la nitre (nitrate de potassium existant sous forme de gisement dans des cavernes d'Asie), le sel marin, l'argile, le carbonate de calcium, qui existe dans la nature sous des formes multiples (calcaire, calcite, marbre, craie, spath, etc.), la silice, le pétrole et les produits dérivés, les charbons, le bois, le sucre, le sel d'Ammon (mélange de gypse, de sulfate de calcium et de chlorure de sodium), le gypse, l'alun, etc.

L'étude des colorants anciens

Pendant très longtemps, les historiens ont été tributaires des seuls textes. Ils savaient que telle substance était utilisée par les chimistes parce que l'un d'entre eux l'avait rapporté dans un ouvrage ou parce que des actes commerciaux, des factures…, montraient que ce matériau avait été acheté par tel ou tel artisan. Les données de l'archéologie scientifique viennent aujourd'hui à notre secours et nous permettent d'en savoir beaucoup plus. Les chimistes et les physiciens, associés aux laboratoires d'archéologie, analysent la composition des colorants, des fards, des cosmétiques, des parfums, etc., retrouvés. Il existe par exemple un laboratoire très performant de ce type au musée du Louvre. La préoccupation n'est pas récente, en ce sens que de telles analyses ont été entreprises il y a plusieurs décennies par des procédés chimiques classiques. La nouveauté vient de la sophistication des techniques modernes, qui permettent, simplement à partir d'une trace de substance et sans dégrader l'objet ou la peinture, de connaître la composition du colorant et de la matière utilisée.

substances sont complétées par de multiples produits dérivés issus de transformations des matériaux naturels : vinaigre, huile, alcool, urine, etc.

Il faut enfin signaler un secteur particulièrement inventif depuis la préhistoire, celui de la fabrication des colorants, qui a eu une place importante dans les activités industrielles des pays d'Islam et dans la vie quotidienne de leurs cités.

Techniques chimiques

Ce qui vient d'être exposé n'est pas spécifique aux Arabes. Les pratiques chimiques de ce type se retrouvent, tout au long de l'Antiquité et du Moyen Âge, dans plusieurs civilisations, même si certaines ont été « davantage chimistes » que d'autres, si j'ose dire. Elles ont dû utiliser à l'origine les matériaux existant sur leur sol puis, éventuellement, en importer. On sait par exemple que les pharaons importaient du lapis-lazuli d'Afghanistan. La Route de l'or, est également célèbre…

Mais, parmi toutes ces techniques, quelles sont celles où les Arabes se sont particulièrement distingués, où ils ont été vraisemblablement novateurs, même si nos informations ne nous permettent pas toujours d'énumérer leurs apports dans le détail ?

Je mettrai l'accent sur une technique, la distillation, et sur quelques industries qui ont été importantes pour cette civilisation : celles des produits de beauté et d'hygiène, celles du pétrole, du verre et du papier.

Quelques historiens anciens ont attribué aux Arabes l'invention de la distillation. Cette paternité est peu probable, le procédé existant sans doute depuis l'Antiquité. Il est toutefois certain qu'elle constituait une technique très importante dans l'arsenal de la chimie arabe et qu'elle en a notablement amélioré le matériel et les méthodes. Nous connaissons plusieurs descriptions et représentations figurées de ce matériel, notamment chez al-Kindī. Plusieurs de ses éléments sont du reste d'invention arabe, ou bien correspondent à des perfectionnements de la part de certains chimistes dont les noms n'ont pas été retenus par la postérité. Parmi ces éléments, il y a la cornue, l'alambic, le bain de refroidissement (couramment appelé « tête de maure »). Nombre de termes qui désignent, dans les langues européennes, les équipements de distillation sont d'ailleurs dérivés de l'arabe (alambic [*al-anbīq*], aludel [*al-uthāl*], athanor [*at-tannūr*], amalgamé [*mulgham*], alcool [*al-kuḥūl*], natron [*naṭrūn*], alcali [*al-qalī*], etc.).

Le savon sec fut une réalisation arabe connue plus tard en Europe. Des villes de Syrie (Naplouse, Damas, Alep…) étaient célèbres au Moyen Âge pour leurs savons. De grands chimistes, ar-Rāzī par exemple, s'en sont préoccupés. Des connaissances supplémentaires en ont d'ailleurs parfois dérivé. Ar-Rāzī, en particulier, a découvert un procédé permettant de fabriquer de la glycérine à partir de l'huile d'olive.

Les huiles essentielles, obtenues à partir de plantes et de fleurs, étaient des produits de la distillation de végétaux

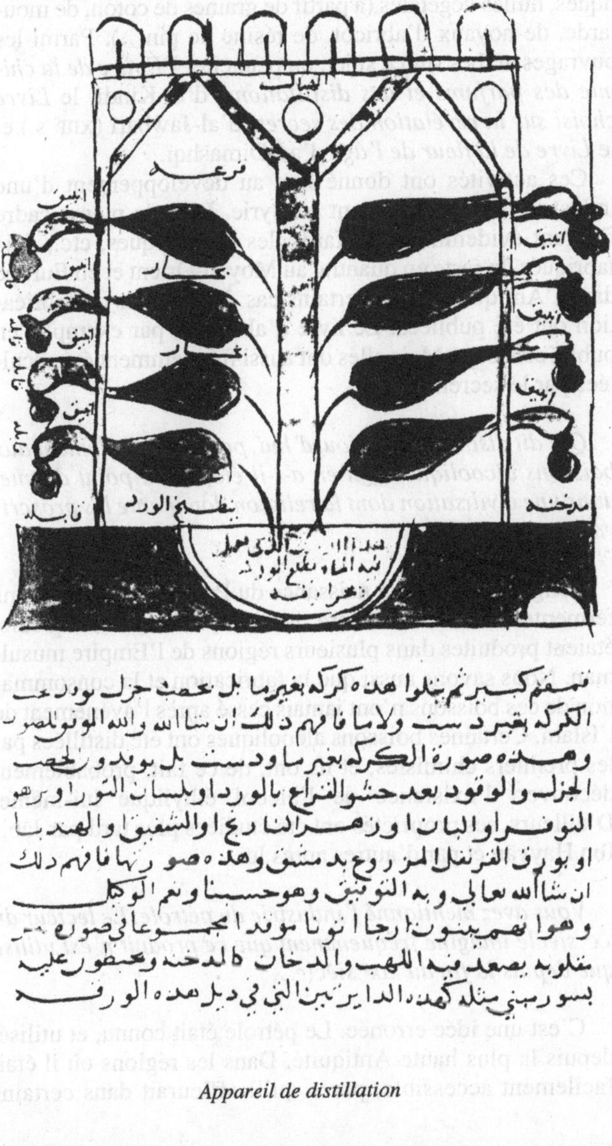

Appareil de distillation

divers : eau de rose, de fleurs d'oranger, plantes aromatiques, huiles végétales (à partir de graines de coton, de moutarde, de noyaux d'abricot, de résine de pin...). Parmi les ouvrages arabes sur ce sujet, on peut citer l'*Épître de la chimie des parfums et des distillations*, d'al-Kindī, le *Livre choisi sur la révélation des secrets* d'al-Jawbarī (XIIIe s.) et le *Livre de la fleur de l'âge* d'ad-Dimashqī.

Ces activités ont donné lieu au développement d'une industrie forte, notamment en Syrie. Dans le même cadre figurent évidemment les fards, les cosmétiques, etc., déjà fabriqués du reste en quantité au Moyen-Orient et en Europe dans l'Antiquité. Dans certains cas, les recettes de fabrication ont été publiées. Le livre d'al-Kindī, par exemple, en publie cent sept. Mais elles ont aussi fréquemment été occultées par le secret.

Qui dit distillation, aujourd'hui, pense naturellement aux boissons alcooliques. Qu'en a-t-il été, de ce point de vue, dans une civilisation dont la religion dominante les proscrivait ?

Longtemps avant la naissance du Prophète, des boissons fermentées, comme la bière, le vin et différentes liqueurs, étaient produites dans plusieurs régions de l'Empire musulman. Nous savons aussi que la fabrication et la consommation de ces boissons n'ont jamais cessé après l'avènement de l'Islam. Certaines boissons alcooliques ont été distillées par les premiers chimistes, et ils ont, de ce fait, probablement découvert l'existence de l'alcool éthylique lui-même. D'ailleurs, ses propriétés ont été étudiées plus tard par Jābir Ibn Ḥayyān et par d'autres après lui.

Vous avez mentionné l'industrie du pétrole. Le lecteur du XXe siècle imagine fréquemment que ce produit n'est utilisé que depuis la fin du XIXe siècle...

C'est une idée erronée. Le pétrole était connu, et utilisé, depuis la plus haute Antiquité. Dans les régions où il était facilement accessible, parce qu'il affleurait dans certains endroits, il s'agissait d'un produit naturel dont les populations avoisinantes se servaient couramment. C'était le cas en Égypte, comme dans d'autres régions du Moyen-Orient. Le terme « naphte » est d'ailleurs d'origine arabe puisque *nafṭ* ou *nifṭ* désigne le pétrole.

Ce produit était utilisé depuis fort longtemps pour calfater les bateaux, imperméabiliser certaines constructions, embaumer les momies, incendier des fortins, etc., et comme combustible dans les petites lampes à huile (souvent en céramique et quelquefois en métal). Certains géographes ou voyageurs du Moyen Âge (notamment al-Masᶜūdī et Marco Polo) signalent son exploitation et son commerce, par exemple à Bakou. D'autres le mentionnent dans le Sinaï et dans le Khouzistan.

Outre ces usages courants, le pétrole a été utilisé et distillé par les chimistes arabes. Il a servi comme médicament (en particulier contre la gale des animaux) et, on le verra un peu plus loin, il a même intéressé les armées musulmanes, à différentes époques.

Son exploitation, relativement importante dans certaines régions, laisse à penser qu'elle était réalisée dans le cadre d'un monopole d'État.

Le travail du verre n'est pas, lui non plus, une innovation de l'Islam...

Non bien sûr, il est beaucoup plus ancien. Indépendamment de l'utilisation d'un verre naturel d'origine volcanique (l'obsidienne) par différentes civilisations (dont celle des Aztèques), la fabrication d'objets en verre par les hommes remonte à environ 3 000 ans av. J.-C. On retrouve sa trace dans des mastabas de l'Ancien Empire égyptien. Sa composition est attestée par une tablette de la bibliothèque du roi d'Assyrie Assurbanipal (668-626 av. J.-C.). Pline attribue sa découverte à des marins phéniciens. Enfin, sans nous avancer sur la région exacte où le verre a été obtenu au départ ni d'ailleurs sur la manière dont il a été découvert, nous savons qu'il s'agit d'un lieu situé dans ce qui est devenu bien plus tard le « noyau central » de l'Empire musulman : Égypte, Mésopotamie, Palestine. L'Égypte a longtemps possédé le monopole d'un produit nécessaire à l'industrie du verre (la soude), monopole qui est ensuite passé aux Romains.

Il s'agit donc ici, de toute évidence, d'un domaine pour lequel l'héritage reçu par les Arabes a été particulièrement important.

Les techniques du verre impliquaient divers instruments (fours, etc.), quantité de procédés, souvent très sophistiqués, et une foule de substances (silice, natron, calcaire, soude, potasse, magnésie…) auxquelles il fallait ajouter toutes celles qui participaient à la coloration et à la décoration des verres obtenus (oxydes métalliques divers, sels de plomb, etc.). La verrerie a donc constitué, depuis des millénaires, un terrain d'intense activité chimique, pour fabriquer mieux les divers ingrédients, pour améliorer les qualités des verres, leur limpidité et leur homogénéité… Mais cette activité a été de tout temps protégée par les secrets de fabrication. Les artisans arabes n'ont pas dérogé à la règle. Malgré cela, les échanges ont pu se faire entre le Moyen-Orient musulman et byzantin et l'Europe (notamment l'Italie, et particulièrement Venise), avec bien évidemment beaucoup de lenteur, compte tenu précisément de la persistance du secret entourant les fabrications.

Dans l'Empire musulman, c'est la Syrie qui semble avoir été la région la plus productive dans le domaine de la verrerie. Ce sont d'ailleurs des verriers syriens qui ont introduit, au Ier siècle de l'ère chrétienne, un progrès considérable dans le travail du verre, celui de la technique du soufflage. D'autre part, même si l'invention du verre est très antérieure à l'avènement de l'Islam, les chimistes et les artisans de l'Empire musulman ont beaucoup contribué aux progrès de son industrie, particulièrement dans certaines régions de cet empire. C'est aussi, du point de vue des techniques interagissant avec les sciences, un exemple remarquablement significatif d'un parcours très ancien, comportant des transmissions, des transferts, des améliorations dues parfois aux artisans eux-mêmes, mais parfois aussi aux chimistes, le tout dans le cadre d'une demande sociale multiforme.

Le verre

Le composant principal du verre est la silice (oxyde de silicium : SiO_2), qui est l'un des constituants importants de l'écorce terrestre ainsi que du sable. L'une de ses formes, très répandue dans la nature, est le quartz, solide cristallisé (également appelé cristal de roche).

Un verre de composition courante comprend approximativement 73 % de silice, 15 % d'oxyde de sodium (Na_2O) et 12 % d'oxyde de calcium (CaO).

Pour fabriquer du verre, il faut rompre les liaisons très fortes existant entre les atomes de silicium dans le réseau atomique de la silice. Une température de plus de 1 700 °C est nécessaire pour cela. Les Anciens ne savaient pas atteindre une telle température. En ajoutant au sable une quantité notable d'un *alcali* (initialement de la *soude caustique*, de formule NaOH), la température de fusion du mélange baisse jusqu'à environ 1 200 °C, température qu'ils étaient capable d'obtenir. La substance ainsi ajoutée est, en verrerie, appelée un *fondant*. La soude était fabriquée à partir du *natron* (le carbonate de sudium, CO_3Na_2), matériau existant à l'état naturel dans certains lacs africains, notamment égyptiens (voir p. 342). La *potasse* a également été utilisée ; elle était parfois obtenue à partir de cendres de fougères (verres potassiques). Néanmoins, le verre ainsi fabriqué était instable et finissait par se désagréger. Il fallait donc ajouter au mélange précédent un *stabilisant* qui fixait le tout. Le matériau le plus souvent employé à cet usage était la chaux, fabriquée en calcinant du calcaire (carbonate de calcium – ou calcite –, CO_3Ca, existant sous de multiples formes dans la nature : meulière, craie, spath, marbre, etc.).

Cet essor des technologies et de l'industrie du verre, auquel les Arabes ont fortement participé, est du reste l'un des facteurs de l'apparition de la lunetterie en Italie au XIIIe siècle, puis des progrès de l'instrumentation optique au XVIIe siècle.

Le dernier domaine qu'il faudrait évoquer est celui de l'industrie du papier…

D'après les témoignages d'auteurs arabes, c'est à la suite de la bataille de Talas, en 750, contre les armées chinoises, que des artisans auraient été faits prisonniers. Ce sont eux qui auraient transmis aux musulmans la technique chinoise de fabrication du papier. Mais selon d'autres sources, peut-être plus fiables, le papier était déjà connu en Perse avant l'avènement de l'Islam. C'est l'empereur Khuṣrū Ier qui en aurait commencé l'importation de Chine, quelques décennies avant la naissance du Prophète. Le premier contact des Arabes avec le papier aurait eu lieu en fait à Ctésiphon, la capitale des Sassanides, lorsqu'elle fut conquise en 637. Quoi qu'il en soit, on s'accorde à dire qu'une première fabrique de papier a été construite à Samarcande dans la seconde moitié du VIIIe siècle et qu'il a fallu attendre la fin de ce même siècle pour qu'une seconde fabrique soit mise en service, à Bagdad cette fois.

En rapport avec l'essor de la production du papier, il faut évoquer la fabrication des encres, dont certaines techniques étaient connues auparavant mais qui vont bénéficier d'améliorations sensibles et d'une grande diversification. Deux matériaux étaient utilisés pour l'encre noire : le carbone (en fines particules) et le sulfate de fer. Pour rendre une encre indélébile, on se servait de gomme arabique (extraite de l'acacia) ou de blanc d'œuf.

Même si les améliorations des techniques du papier ont parfois nécessité la contribution de chimistes, la question est ici surtout intéressante sous l'aspect de l'essor d'un type nouveau de manufactures, également contrôlées par l'État califal puis par les États régionaux. En relation avec ce qui a été dit lorsqu'on a évoqué les technologies mécaniques, il faut signaler que l'industrie du papier a favorisé l'essor des moulins à vent ou à eau, dont le nombre s'est notablement multiplié et dont l'usage s'est étendu à toutes les régions de l'empire. À titre d'exemple, on sait que pour la seule ville de Fès quatre cents moulins à papier étaient en activité en 1184.

Dans la civilisation musulmane, le papier a eu une dimension sociétale importante. Avant l'arrivée de ce nouveau produit, les supports de l'écriture étaient le parchemin et le papyrus, dont l'utilisation était limitée à l'administration centrale et à une petite élite. L'avènement du papier a progressivement marginalisé ces supports, finalement abandonnés en raison de leur prix de revient élevé. Certains auteurs ont expliqué cette éclipse par la plus grande fragilité du papier, qui, de ce fait, empêchait la falsification de son contenu par effaçage ou par grattage. Mais cet argument est également valable pour le papyrus.

En réalité, il semble bien que d'autres facteurs aient favorisé l'extension du papier et sa relative démocratisation : le développement de l'enseignement, la centralisation de la gestion, l'accroissement des effectifs de l'administration (en particulier dû au morcellement politique de l'empire), et, surtout, l'explosion des activités intellectuelles dans ses principaux foyers. En retour, l'essor de cette industrie a contribué à une véritable « révolution culturelle » dans les pays d'Islam, avec une relative démocratisation de l'accès aux livres, une plus grande circulation de la production littéraire, philosophique et scientifique. C'est ainsi que, malgré la lenteur de la technique de reproduction, fondée sur la copie manuscrite, ce sont des millions d'ouvrages qui ont été publiés ou copiés dans l'Empire musulman entre la fin du VIIIe siècle, qui est la date de l'avènement du papier, et la fin du XIXe siècle, qui voit l'apparition de la lithographie dans certaines régions de l'ancien empire, comme l'Égypte et le Maroc.

Bien sûr, les technologies du papier prennent place dans la liste des transferts en direction de l'Europe, *via* l'Espagne et la Sicile (après la reconquête de l'île). Mais pendant fort longtemps, les Européens se sont contentés d'importer le papier des pays musulmans.

Instruments et méthodes

Peut-on recenser les appareils utilisés par les chimistes arabes, ainsi que leurs procédés ?

Nous avons déjà évoqué quelques-uns de ces appareils à propos de la distillation. Il y a également les différents matériels nécessaires à la fusion et à la calcination, et qui sont minutieusement décrits par le grand chimiste ar-Rāzī : soufflets, creusets, vases à filtration, louches, tenailles, cisailles, marteaux, moules, etc. Pour les autres manipulations chimiques, on utilisait des aludels, des fioles, des jarres, des chaudrons, des entonnoirs en verre, des filtres et différents types de fourneaux : four à brique ou à chaux, brasero, étuve.

Au-delà des pratiques de laboratoire de ces chimistes, il serait intéressant d'éclairer leur méthodologie. Les histoires occidentales des sciences affirment parfois que l'expérimentation systématique (avec l'aller-retour : expérience-théorie-vérification expérimentale des constructions théoriques...,) débute chez Galilée au début du XVII*e siècle. Nous savons que la réalité historique est plus complexe... et moins européenne. Peut-on considérer que la chimie arabe dénote dans certains cas non pas une pratique fortuite de l'expérimentation, mais une évolution voulue et pensée vers ce qui est devenu l'un des paradigmes dominants de la science moderne ?*

Nous avons déjà cité, en physique, un texte fondamental d'Ibn al-Haytham sur ce sujet. Celui-ci manifeste non seulement une attitude particulière dans une discipline précise (la physique), mais une orientation épistémologique capitale qui vaut pour la science dans sa totalité. Cette démarche a été également celle de l'un de ses commentateurs, al-Fārisī, qui a complété les travaux d'Ibn al-Haytham sur l'arc-en-ciel et effectué une révision de son célèbre traité d'optique.

En chimie, les écrits de Jābir Ibn Ḥayyān, d'ar-Rāzī et d'autres après eux révèlent une démarche fondée sur l'expérimentation et consistant à manipuler des produits, à les peser, à les composer pour obtenir d'autres produits, puis, dans une dernière étape, à en déduire soit des classifications, soit des analyses. Ces démarches ne sont pas encore celles de la science moderne, mais elles en contiennent certains éléments qui seront pris en compte par les savants de l'Europe médiévale.

C'est Louis de Broglie, je crois, qui disait qu'il ne faut pas opérer, dans l'histoire de l'évolution de l'esprit humain, des coupures trop nettes, trop tranchées. L'élaboration de la méthode expérimentale, à l'instar de la science dans son ensemble, a une histoire. Dans ce domaine comme dans les autres, les Arabes héritent des Alexandrins, lesquels raisonnaient déjà de manière très différente de celle des Grecs de l'époque classique. Les savants arabes marquent, de ce même point de vue, des avancées significatives par rapport à des auteurs tels que Ptolémée.

L'évolution de la chimie reflète des processus différents de ceux de la physique, un peu décalés dans le temps si l'on veut. La physique a été plus conceptualisée (dès Aristote) et davantage intégrée à la philosophie de la nature. La chimie, hormis son côté ésotérique (que nous évoquerons plus loin), a été, dès le départ, conduite de manière empirique. Une réelle pratique de l'expérimentation a existé, même chez les chimistes médiévaux, dont les hypothèses pseudo-théoriques avaient peu d'intérêt scientifique.

On continue à écrire, par exemple, que l'introduction de la méthode expérimentale en chimie et l'utilisation permanente de la balance dans les laboratoires sont dues à Lavoisier. Quels qu'aient été les mérites de ce grand savant et l'admiration que l'on a pour son œuvre, c'est le créditer d'apports très antérieurs. Comme on l'a déjà dit, les chimistes arabes ont expérimenté plusieurs siècles auparavant, et l'on peut vérifier facilement la présence de la balance sur leurs lieux de travail.

Peut-on faire une liste des découvertes concrètes probables des chimistes arabes ?

Il faut être prudent dans ce domaine, à cause du faible développement de la recherche sur l'histoire de la chimie arabe et, par voie de conséquence, de la forte influence qu'ont exercée et que continuent d'exercer des travaux dans ce domaine qui datent de la fin du XIXe siècle et du début du XXe. À cela, il faut ajouter des difficultés liées à la matière elle-même, dans la mesure où l'appellation des produits est souvent difficile à décrypter et où les mots utilisés changent d'une époque à l'autre. D'où la nécessité d'identifier les

L'alun
Sulfate double d'aluminium et de potassium – $Al_2(SO_4)_3\ K_2\ SO_4$ $24\ H_2\ O$. Extrait d'une roche naturelle, l'alunite, particulièrement abondante au Yémen et au Tchad. L'alun était surtout utilisé comme fixateur dans la coloration des tissus.

Le sel ammoniac
Chlorure d'ammonium – $cl(NH_4)$. Il aurait été découvert par Jābir Ibn Ḥayyān.

Le salpêtre
Correspond au nitrate de potassium – KNO_3. Jadis, probablement, c'était un mélange de nitrates et de carbonates de sodium et de potassium. Appelé *Bārūd* (poudre) par Ibn al-Bayṭār (XIIIe s.). Jābir utilisait, pour la préparation de l'acide nitrique (appelé « fleur de nitre »), un matériau qui était probablement du salpêtre cristallisé.

Le(s) vitriol(s)
Le mot « vitriol » désigne aujourd'hui l'acide sulfurique fumant. À l'origine, semble-t-il, il désignait les sulfates de cristaux hydratés. Jābir appelle l'acide sulfurique « essence de vitriol ». D'autres auteurs arabes le nomment « huile de vitriol » ou « esprit de vitriol ».

L'eau régale
C'est un mélange d'acide nitrique et d'acide chlorhydrique. Ce dernier était appelé « esprit de sel » par les Arabes. Cette eau avait la réputation d'être la seule substance connue des Anciens capable de dissoudre l'or et le platine.

substances par leurs propriétés, à condition toutefois que celles-ci soient correctement énumérées et décrites, ce qui n'est pas toujours le cas. Enfin, l'anonymat des découvertes, plus important encore que dans d'autres disciplines scientifiques, rend difficile leur attribution précise et leur datation.

On sait, par exemple, que l'identification de l'alcool est souvent attribuée à ar-Rāzī et que la mise en évidence des acides minéraux (ou inorganiques) a eu lieu à l'époque de Jābir Ibn Ḥayyān, par lui ou par d'autres chimistes. Ces acides proviendraient des distillations de l'alun, du sel ammoniac, du salpêtre, du sel marin et du vitriol. Il s'agit ici des acides nitrique, sulfurique et chlorhydrique, ainsi que de l'eau régale.

Les théories chimiques

Les conceptions théoriques chimiques – ou alchimiques si l'on retient la dénomination latine – n'ont sans doute pas un intérêt considérable du point de vue des sciences. Peut-on du moins les évoquer ?

Il serait préférable de parler de philosophie plutôt que de théorie. Au XIXe siècle, Marcellin Berthelot la qualifiait d'« explication rationaliste des métamorphoses de la matière ». Il s'agissait effectivement, au départ, d'une tentative de compréhension rationnelle, très limitée bien sûr par le niveau de connaissance de l'époque. Le corpus a ultérieurement dérivé ou, plutôt, il s'est scindé en plusieurs branches, l'une essayant de rester relativement scientifique et d'autres devenant franchement ésotériques, voire mystiques. Ce sont surtout ces deux dernières voies qui ont attiré, plus tard, l'attention des Européens.

L'origine – du moins pour ce que l'on connaît – serait cette philosophie de la matière qui apparaît chez Empédocle, avant d'être explicitée par Aristote. Toute matière serait constituée à partir des quatre éléments premiers (feu, air, eau, terre), dont nous avons déjà parlé à propos de la médecine. Leur sont associées quatre « qualités » élémentaires (ou natures) : chaleur, froid, sécheresse, humidité. Chaque élément intègre lui-même deux « natures » constitutives : chaleur et sécheresse pour le feu ; chaleur et humidité pour l'air ; froid et humidité pour l'eau ; froid et sécheresse pour la terre. On retrouve aussi, dans la philosophie d'Aristote, une distinction entre ce qui est « en puissance » et ce qui est « en acte ». La matière, en tant que concept, n'est qu'en puissance dans la nature. Dans la réalité, elle est corps, traduisant donc matériellement – si l'on peut dire – en acte ce qu'elle n'était auparavant qu'en puissance. De même, la chaleur et la sécheresse ne sont, dans le feu (en puissance, si l'on veut) que des principes (constituants). Pour obtenir le feu réel, en acte donc, il faut en quelque sorte leur ajouter la substance du feu. Idem pour l'air, l'eau et la terre.

Nous avons dit que les Anciens avaient identifié sept métaux : or, argent, plomb, étain, cuivre, mercure et fer. Parallèlement, ils classaient sept astres errants (ou planètes) : Soleil, Lune, Mars, Mercure, Jupiter, Vénus et Saturne. À chacune de ces planètes était associé un métal : au Soleil, l'or ; à la Lune, l'argent ; à Mars, le fer ; à Saturne, le plomb ; à Vénus, le cuivre ; à Mercure, le mercure. Il y a une incertitude pour la dernière planète, Jupiter. Certains auteurs lui associent l'étain et d'autres l'électrum (mélange d'or et d'argent).

Pour ces chimistes anciens, il s'agissait d'une liaison réelle, non d'une relation symbolique. C'était l'influence du Soleil qui faisait apparaître l'or dans le sol, et il en était ainsi pour les autres planètes. D'autre part, les métaux étaient considérés comme des substances composées, non comme des corps purs. Pour eux, toutes les matières à caractère métallique étaient constituées, dans des proportions variables qui expliquaient leurs différences de propriétés, par l'union de deux matières communes, le soufre et le mercure. Et c'était aux quantités respectives différentes de soufre et de mercure dans les différents matériaux qu'étaient dues les variations de leurs propriétés. Je ne sais pas s'il existe une explication de l'origine de cette croyance, mais il est un fait qu'elle a été acceptée par tous les chimistes, à partir probablement des Grecs et jusqu'au XVIIe siècle. Elle est notamment soutenue par Jābir et par ses successeurs.

Quelques chimistes arabes subdivisent également le nombre de qualités en quatre degrés et sept divisions, ce qui fait au total vingt-huit subdivisions, correspondant aux vingt-huit lettres de l'alphabet arabe. D'où une sorte de symbolisme littéral créant un lien entre la chimie et la linguistique.

À côté des métaux, Jābir identifie ce qu'il baptise des « esprits », également au nombre de sept : ce sont le mercure, le sel ammoniac, le soufre, l'arsenic, la marcassite, le manganèse et la tutie. Pour lui, seuls les « esprits », et les matières qu'ils contiennent en puissance, sont capables de s'unir aux corps métalliques.

Où se situent les clivages entre les chimistes que vous avez qualifiés d'ésotériques, voire de mystiques, et ceux qui seraient selon vous plus rationnels ?

Les éléments de doctrine que je viens d'exposer représentent, à quelques variantes près, le fonds commun des chimistes arabes. L'une des divergences la plus importante, peut-être, est relative à la transmutation.

L'hypothèse de base des chimistes arabes est que les métaux sont constitués de soufre et de mercure (auxquels Jābir ajoute l'arsenic). L'or, par exemple, est formé de mercure « pur » et d'une petite quantité de soufre « pur ». Il faut s'interroger, à ce propos, sur le sens de « pur » que Jābir explique assez clairement. Il ne s'agit pas là des matériaux terrestres vulgaires que l'on trouve effectivement dans la nature et qui portent le même nom. Ce sont des matières idéalisées, « quintessenciées », pour utiliser la terminologie même du chimiste, réduites somme toute au principe idéal qui définit leur singularité.

Le premier but du chimiste est alors, en soumettant la substance terrestre à une série d'opérations prolongées (calcination, oxydation, sublimation, distillation parfois) d'aboutir à la matière idéale. Si tous les métaux sont constitués de mercure et de soufre, il n'est pas absurde de penser qu'il est possible, en faisant varier les proportions de ces deux éléments, de passer d'un métal à un autre métal. C'est cette opération que l'on nomme la transmutation, l'objectif ultime étant bien sûr d'arriver à transformer les métaux vils (notamment le plomb) en argent et surtout en or.

Selon certains alchimistes, il existerait dans la nature une substance capable de provoquer ces transmutations. Ils la nomment « pierre philosophale » ou encore « mercure des philosophes ». Jābir avait entrepris de réaliser ces changements au moyen de ce qu'il appelait des « élixirs ». Pour nombre de ses confrères (notamment au cours du Moyen

Âge chrétien), le sens de la vie d'un alchimiste résidait dans la recherche de cette pierre philosophale, que sa découverte aurait rendu bien sûr immensément riche. La possibilité de la transmutation a été l'une des principales sources d'opposition entre les savants. Jābir en était partisan, de même qu'ar-Rāzī et aṭ-Ṭughrā'ī. Elle a été à l'inverse vigoureusement combattue par al-Kindī, par Ibn Sīnā et par Ibn Khaldūn.

À l'exception de cette hypothétique et imaginaire pierre philosophale, cet ensemble, même s'il est pour l'essentiel erroné (compte tenu de ce que nous savons aujourd'hui), n'est quand même pas outrageusement irrationnel…

Vous avez raison, il ne devient franchement mystique que lorsqu'il est inclus dans la philosophie qui le sous-tendait. Pour elle, l'Univers dans son ensemble est une sorte de gigantesque organisme vivant. Toutes ses parties, quelles que soient leurs dimensions, et jusqu'à la plus petite parcelle, sont liées entre elles. Comme l'écrit Pierre Lazlo : « Tous les objets du monde physique – astres, métaux, parties du corps… – sont engagés dans un réseau de correspondances. » La correspondance évoquée plus haut entre chaque planète et un métal trouve ici parfaitement sa place. Chaque minéral, chaque matériau – issu du vivant ou non –, a une « âme ». La relation se fait très bien avec l'astrologie.

Il en est de même des propriétés supposées de la pierre philosophale : elle change les métaux en or, elle guérit les maladies, elle peut prolonger la vie humaine au-delà de ses limites naturelles. Nous rejoignons ici tout à fait les conceptions, développées dans le cadre de la médecine, envisageant la santé comme un élément de l'équilibre de la Nature.

Les grands chimistes arabes

Quels sont les plus importants chimistes arabes ?

Les premiers chimistes arabes connus sont Khālid Ibn Yazīd et Ja[c]far aṣ-Ṣādiq (m. 765). Le premier aurait pu, dit-on, prétendre au trône de calife mais il a choisi de s'occuper de science. Il aurait commandé les premières traductions de livres de chimie du grec et du copte à l'arabe. On notera que c'est la seule fois où le copte, c'est-à-dire une langue directement dérivée de l'égyptien ancien, apparaît explicitement comme support d'écrits scientifiques. En effet, pour les mathématiques, l'astronomie, la physique, la médecine, etc., les ouvrages publiés en Égypte avant l'avènement de l'Islam étaient tous rédigés en grec. La chimie est donc, de ce point de vue, une exception.

Khālid Ibn Yazīd aurait était l'auteur d'au moins trois ouvrages de chimie. Quant à Ja[c]far aṣ-Ṣādiq, on lui attribue six écrits dans cette discipline.

Les auteurs les plus importants sont Jābir Ibn Ḥayyān et Abū Bakr ar-Rāzī (m. 864), auxquels il faut ajouter deux

Les écrits des premiers chimistes arabes

Khālid Ibn Yazīd
– *Diwān an-nujūm wa firdaws al-ḥikma* [L'Anthologie des étoiles et le paradis de la sagesse]
– *Risāla fī ṣ-Ṣan[c]a ash-sharīfa wa khawāṣṣihā* [Épître sur le noble Art et sur ses spécificités]
– *al-Qawl al-mufīd fī ṣ-Ṣinā[c]a al-ilāhiyya* [Le Propos utile sur l'Art divin]

al-Azdī
– *Kitāb aṭ-ṭūbā* [Le Livre de la félicité]
– *Kitāb al-ḥulūl* [Le Livre des solutions]

Ja[c]far aṣ-Ṣādiq
– *Risāla fī l-kīmiyyā'* [Épître sur la chimie]

Les écrits chimiques d'al-Kindī

– *Kitāb at-tanbīh ᶜalā khadᶜ al-kīmiyyāwiyyīn* [Le Livre de la mise en garde contre les tromperies des chimistes]
– *Risāla ilā baᶜd ikhwānihī fī s-suyūf* [Épître à un de ses amis sur les épées]
– *Kitāb al-kīmiyyā' fī l-ᶜiṭr wa t-taṣᶜīdāt* [Livre de la chimie du parfum et des distillations]

philosophes qui ont produit des travaux et, surtout, des réflexions importantes sur la chimie : al-Kindī (m. 873) et Ibn Sīnā (m. 1037). Nous en avons déjà parlé à maintes reprises. Jābir est le plus connu des autres. Il serait l'auteur de quelque cinq cents écrits, mais seulement, si je puis dire, cent douze d'entre eux ont été authentifiés. On lui attribue les découvertes de l'acide sulfurique, de la soude caustique, de l'acide nitrique, de l'acide chlorhydrique, de l'eau régale, etc. Sa chimie a été très expérimentale, même si sa présentation développe la plupart des conceptions ésotériques que nous avons évoquées plus haut. C'est également lui qui aurait étendu le domaine de la chimie aux matières organiques et aux substances végétales. Il aurait aussi étudié les propriétés du mercure. Jābir classe les minéraux en trois catégories : les minéraux volatiles sous l'action de la chaleur (les esprits), les métaux et les substances non malléables.

Comme Jābir, ar-Rāzī admet l'idée de la transmutation. Il a également privilégié la chimie expérimentale par rapport à l'ésotérisme. Il a décrit les instruments et les opérations chimiques qu'il a effectuées. Il a classé les substances chimiques en trois catégories : minérales, végétales et animales.

Les écrits chimiques d'ar-Rāzī (m. 925)

– *Kitāb sirr al-asrār* [Le Livre du secret des secrets]
– *Kitāb al-asrār* [Le Livre des secrets]
– *Kitāb ash-shawāhid* [Le Livre des preuves]

Quelques écrits chimiques arabes postérieurs à ar-Rāzī

Ibn Umayl (ca 950)
– *Risālat ash-shams ilā l-hilāl* [Épître du Soleil à la Lune]
– *Kitāb al-mā' al-waraqī* [Livre sur l'eau argentée]
– *Kitāb al-mā' an-naqiyy wa l-arḍ an-najmiyya* [Livre sur l'eau pure et la terre étoilée]

aṭ-Ṭughrā'ī (m. 1120)
– *Jāmi^c al-asrār fī l-kīmiyyā'* [Le Recueil des secrets sur la chimie]
– *Ḥaqā'iq al-istishhād* [Les Vérités de la preuve]
– *Risālat Mārya bint Sāba al-Malkī al-Qobṭī fī l-kīmiyyā'* [Épître de Marie, fille de Saba le Melkite copte, sur la chimie]

al-Jildakī (m. 1342)
– *al-Burhān fī asrār ^cilm al-mīzān* [La Preuve sur les secrets de la science de la balance]
– *al-Miṣbāḥ fī asrār ^cilm al-miftāḥ* [La Lampe sur les secrets de la science de la clef]
– *ash-Shams al-munīr fi taḥqīq al-iksīr* [Le Soleil éclairant sur la réalisation de l'élixir]

Al-Kindī, connu surtout pour son œuvre philosophique, était aussi mathématicien et chimiste. Dans ce domaine, il est surtout connu pour son opposition farouche à la transmutation et à la chimie de la transmutation.

Parmi les autres chimistes postérieurs à ceux du IXe siècle, citons Ibn Umayl, al-Jildakī et aṭ-Ṭughrā'ī.

L'influence de la chimie arabe

Quelle a été l'influence de la chimie arabe sur la chimie européenne ultérieure ?

De l'aveu des historiens occidentaux eux-mêmes, la chimie latine – tout au moins jusqu'à Paracelse (m. 1541) – est fondée, exclusivement, sur la chimie arabe. Les procédés techniques ont peut-être circulé, partiellement, à travers des textes dont les traductions auraient commencé dès le XIe siècle. Mais c'est probablement grâce à une circulation directe, par l'intermédiaire des artisans eux-mêmes, que s'est opéré le transfert de certaines pratiques chimiques. Un exemple de ce possible transfert est donné par l'initiative, au XIe siècle, de deux artisans égyptiens qui sont allés en Grèce et y ont installé deux fabriques de verre dans la ville de Corinthe. On sait aussi qu'au XIIIe siècle les secrets de fabrication du verre de Syrie ont fait l'objet de transactions entre le prince d'Antioche et la ville de Venise, qui allait être, en Europe et jusqu'au XVIIe siècle, la seule dépositaire de ces secrets.

Quant aux traducteurs, en particulier ceux du XIIe siècle, ils se sont intéressés essentiellement aux écrits chimiques arabes appartenant à la tradition ésotérique, négligeant (dans la mesure, bien sûr, où ils en avaient connaissance) le corpus technique.

Dans le domaine militaire, l'utilisation des engins incendiaires et des armes à feu est contemporaine de l'époque la plus brillante de l'Empire musulman. Qu'en est-il précisément ?

Les armes incendiaires sont même très antérieures à cette époque. Des substances à base de produits pétroliers ont servi à cet effet dès l'Antiquité. Vers 673, un transfuge syrien – du nom de Collinicus – aurait appris aux Byzantins la recette du feu grégeois, grâce auquel ils auraient repoussé, en 678, la première attaque arabe contre Constantinople. Les armes incendiaires auraient également constitué un atout important de la stratégie de Ṣalah ad-Dīn [Saladin] au cours de la troisième croisade (1187).

Les chimistes ont bien sûr puissamment contribué aux avancées de ces techniques, notamment à la fabrication de la poudre, laquelle comportait du salpêtre, produit dont nous avons déjà parlé.

La métallurgie a constitué, au fil des temps et dès l'apparition de celle du cuivre, l'une des dimensions essentielles des progrès de la chimie appliquée, mais aussi de l'alchimie. Quelle a été son extension dans le monde arabo-musulman ?

Sur cette question, il faut revenir à la distinction que j'ai déjà faite en début de chapitre entre la chimie théorique et la chimie pratique. Nous avons vu que le corpus chimique arabe qui nous est parvenu contient un certain nombre de textes traitant des métaux, de leur description, de leur manipulation et de leurs différentes combinaisons. Parmi les auteurs qui se sont intéressés à ce domaine, il y a Jābir, al-Kindī et ar-Rāzī. Mais un autre aspect reste à évoquer : le travail des métaux et leurs transformations afin de fabriquer des objets pour différents usages.

Avant cela, il faut dire un mot des minerais qui entrent dans cette fabrication. Il y a d'abord l'or, l'argent et le cuivre, qui ont servi à la fabrication des différentes monnaies ayant accompagné le formidable essor marchand du IXe au XIIe siècle. Parmi les nombreuses régions aurifères du monde musulman, les plus importantes étaient incontestablement celle de la Haute Égypte et celle du Bilād as-Sūdān [Pays des Noirs], c'est-à-dire la région de l'Afrique subsaharienne qui englobe actuellement le Mali, le Sénégal et le Niger. L'argent et le cuivre étaient extraits dans les régions orientales et occidentales de l'empire : Asie centrale, Maghreb et Andalus.

Il y avait aussi le minerai de fer, qui était extrait dans de nombreuses régions, les plus riches ayant été l'Andalus, le Maghreb, la Sicile, l'Égypte et l'Asie centrale. Ce minerai, que l'on travaillait un peu partout, était destiné à la fabrication d'objets de toute sorte et des armes. L'industrie des armes était suffisamment importante pour que des savants aient éprouvé le besoin de rédiger des études sur le sujet. L'une des plus anciennes de ces études est celle de Mazyad, qui est perdue mais dont le contenu a été utilisé par al-Kindī dans son *Épître à un de ses amis sur les épées*. L'auteur y présente d'abord les différents métaux utilisés pour la fabrication des épées. Puis il explique, avec précision, les opérations auxquelles est soumis le fer pour aboutir à une épée et les conditions nécessaires à la réussite de ces opérations :

Le travail du fer selon al-Kindī

Sache que le fer avec lequel sont forgées les épées se divise d'abord en deux types : le naturel et le manufacturé. Le naturel se divise en deux types : le shābūrqān, et c'est le fer mâle et dur qui, par sa nature, peut être traité ; et le narmāhan qui est le fer femelle et tendre, qui, par sa nature, ne peut pas être traité. chacun de ces deux < types de > fer peut être forgé soit seul, soit combiné < avec l'autre >. Ainsi toutes les épées métalliques se subdivisent en trois < catégories > : la shābūrqānī, la narmāhanī et la combinée des deux.

Quant au fer qui n'est pas métallique, c'est l'acier, ce qui signifie le « purifié ». Il est fabriqué à partir du fer en lui ajoutant, pendant la fonte, un ingrédient qui le purifie et qui affermit sa douceur jusqu'à ce qu'il devienne dur, flexible et capable d'un traitement thermique.

Cet acier se subdivise en trois catégories : l'antique, le moderne et le non-antique, non-moderne. Les épées sont forgées avec tous ces aciers. Ainsi, les types d'épées en ancien sont < au nombre de > trois : antique, moderne et non-antique, non-moderne.

Source : al-Kindī, *Risāla ilā ba^{c}ḍ Ikhwānihī fī s-suyūf* [Épître à un de ses amis sur les épées]. Cité par A. Y. Al Hassan, *Iron and Steel Technology in Medevial Arabic Sources*, p. 32-33.

quantité de minerai, intensité du feu, durée de l'exposition au feu, techniques de refroidissement, etc.

Nous sont également parvenus des textes d'al-Bīrūnī et d'al-Jildakī sur le travail du fer et la production d'acier, extrêmement précis dans la description de l'opération de transformation de ces deux métaux. Dans ces témoignages, on remarque l'existence d'une terminologie persane qui renvoie à une tradition métallurgique antérieure à l'avènement de l'Islam et qui était encore vivante, particulièrement en Perse et en Syrie. Ce n'est d'ailleurs pas étonnant que Damas ait toujours été considérée comme la capitale des épées.

Il faut signaler par ailleurs l'exploitation d'autres métaux tels que le plomb, l'étain, le mercure et le zinc, ainsi que de minéraux tels que le sel, l'alun, le natron et l'amiante.

*

RÉFÉRENCES BIBLIOGRAPHIQUES

Al-Hassan A. Y. et Hill D., *Sciences et techniques en Islam*, Paris, Edifra-Unesco, 1991.

Berthelot M., *Les Origines de l'alchimie*, Paris, Librairie des sciences et des arts, 1998, rééd.

Biasi P.-M. de, *Le Papier. Une aventure au quotidien*, Paris, Gallimard, 1999.

Kraus P., *Jābir Ibn Ḥayyān. Contribution à l'histoire des idées scientifiques dans l'Islam*, Le Caire, 1942-1943.

Lazlo P., *Qu'est-ce que l'alchimie ?*, Paris, Hachette, 1996.

En guise de conclusion

Nous interrogeant, à l'issue de plus de deux années de travail, sur notre projet de livre – tel que nous le présentons dans l'introduction –, nous ressentons deux impressions contradictoires.

La première est d'avoir exposé l'essentiel des apports connus de la civilisation arabo-musulmane à l'histoire mondiale des sciences. Nous pensons que, ce petit ouvrage refermé, le lecteur aura élargi ses connaissances sur cette civilisation, sauf évidemment s'il en était déjà un spécialiste. Notre intention initiale était de nous adresser principalement au lectorat francophone, et au premier chef au public français. Compte tenu de la réalité des enseignements de l'histoire, ce travail visait donc à remettre quelques idées en place, et à rendre justice à une phase de l'évolution de l'humanité que les héritages de la période de la colonisation avaient eu quelque peu tendance à occulter, si ce n'est à dévaloriser. Nous espérons, de ce point de vue, contribuer, même faiblement, à une réestimation de l'apport des savants des pays d'Islam. Cela vaut pour la France, pour l'Europe en général et, plus particulièrement, pour l'Espagne. En effet, comme ont commencé à le montrer les travaux de chercheurs de différents pays, l'époque musulmane reste, jusqu'à maintenant, la phase la plus brillante de l'histoire scientifique de la péninsule Ibérique[1]. Nous croyons aussi que notre étude sera utile au lectorat d'ascendance musulmane qui vit et travaille dans les pays européens. Nous espérons qu'elle lui permettra de découvrir des aspects inconnus des œuvres de ses ancêtres et d'en tirer une légitime fierté.

---

1. André Clot, *L'Espagne musulmane (VIIIe-XVe siècle)*, Paris, Perrin, 1999.

La seconde impression est une relative insatisfaction. Au-delà de notre propre savoir initial, nous avons en effet été amenés à nous poser un très grand nombre de questions. Nous avons répondu à la plupart d'entre elles, complètement ou partiellement. Ce faisant, nous avons été, l'un et l'autre, amenés à travailler quantité de sujets que nous connaissions mal auparavant, ou insuffisamment. Comme cela est normal du reste, nous terminons ce petit livre non seulement en ayant nous-mêmes des idées plus claires sur certains apports scientifiques de la civilisation arabo-musulmane, mais en ayant notablement élargi et enrichi notre propre savoir à leur sujet. Cependant quelques interrogations demeurent, pour lesquelles nous n'avions pas de solutions, sinon incomplètes ou sous forme de conjectures. Cela nous a conduits à écrire, en différents endroits, qu'il ne s'agissait que d'une première approche. L'avancement des recherches aidant, des informations nouvelles nous parviendront, nous permettant ainsi d'éclairer quelques-uns des points restés pour l'instant obscurs.

Nous avons abordé notre étude, nous l'avons dit dès le départ, en considérant que la civilisation arabo-musulmane médiévale est un moment très important, et par ailleurs de longue durée (huit siècles environ) – de l'histoire des sociétés humaines. Il en est de même, bien sûr, de sa composante scientifique et technique, dont l'examen est l'objet premier de ce livre. Nous sommes l'un et l'autre, que nous le voulions ou non, des historiens qui étudient un processus ayant débuté voilà treize siècles environ et qui se situe dans le cadre d'une évolution des sciences que nous essayons de raconter depuis l'apparition de l'écriture (environ 3 200 ans av. J.-C.), qui se poursuit encore aujourd'hui et qui continuera – du moins l'espérons-nous – au cours des siècles à venir. Nous avons déjà eu l'occasion de mentionner la thèse du philosophe Gaston Bachelard selon laquelle l'histoire des sciences est « une histoire récurrente »[2]. Qu'est-ce à dire dans le cas des sciences arabes ? Nous sommes tous deux

2. Gaston Bachelard, *L'Activité rationaliste de la physique contemporaine*, Paris, PUF, 1965, rééd., p. 21-49.

des chercheurs de la fin du XXe siècle, mathématicien pour l'un, physicien pour l'autre, historiens des sciences pour les deux. Le savoir disciplinaire de l'un inclut la plupart des résultats de l'évolution des mathématiques du XVe siècle à la fin du XXe, celui de l'autre comprend la physique depuis Galilée jusqu'à Einstein, et une partie de ses productions plus récentes. L'un comme l'autre, nous avons des informations sur l'histoire récente de la biologie, sur la théorie de l'évolution, sur la tectonique des plaques, sur les développements que l'astrophysique a connus depuis 1859, etc. Dans le domaine historique, nous savons quel a été le parcours de la civilisation arabo-musulmane après les « siècles d'or » abbassides, nous connaissons la Renaissance européenne et l'émergence de la science classique à partir du XVIe siècle. De même, notre approche méthodologique de l'histoire, si elle doit à ce grand ancêtre que fut Ibn Khaldūn, hérite surtout de thèses plus récentes, telles celles de l'école des Annales et, pour les chapitres qui nous préoccupent, de Maurice Lombard, de Claude Cahen, de Fernand Braudel, de Maxime Rodinson et d'autres[3]. Par exemple, aurait-il été vraisemblable, en traitant des innovations d'Ibn Munᶜim en combinatoire, de prétendre faire abstraction des développements que nous connaissions à partir de l'époque de Mersenne ? Aurions-nous été crédibles si nous avions fait semblant, en évoquant la cosmologie d'al-Bīrūnī ou d'Ibn al-Haytham, d'occulter dans notre esprit ce que nous savons de la révolution copernicienne ultérieure ?

Bachelard écrit, dans le volume cité : « L'histoire des empires et des peuples a pour idéal, à juste titre, le récit objectif des faits ; elle demande à l'historien de ne pas juger et si l'historien impose les valeurs de son temps à la détermination des valeurs des temps disparus, on l'accuse, avec raison, de suivre le mythe du progrès[4]. »

Ne pas juger, soit ! Par exemple, ne pas se forger une opi-

---

3. Guy Bourde et Hervé Martin, *Les Écoles historiques* (1983), Paris, Éditions du Seuil, coll. « Points Histoire », éd. revue et corrigée, 1996.

4. Gaston Bachelard : *L'Activité rationaliste de la physique contemporaine*, *op. cit.*, p. 24.

nion sur la démocratie grecque uniquement à l'aune des idées de l'an 2000, ne pas critiquer l'esclavage médiéval à partir des critères qui sont les nôtres aujourd'hui. Et encore ! Nous savons parfaitement que la sélection du fait, sa relation…, impliquent déjà un choix et que l'objectivité parfaite n'est qu'un leurre. Il nous paraît vain, même sur le plan « des empires et des peuples », en traitant d'un épisode, de prétendre s'abstraire de ce que l'on sait réellement de la suite de l'histoire.

Peut-on pour autant juger que nous avons mené notre étude dans une « optique finaliste » ? Nous ne le pensons pas. Certes, admettant que la phase de la « science arabe » a constitué une étape de l'évolution des civilisations depuis le Néolithique, telle que nous la connaissons, nous avons analysé notre sujet de deux points de vue. D'abord pour lui-même, pouvons-nous dire, pour son intérêt propre. Après tout, quelle qu'ait été la suite du déroulement des opérations, l'algèbre d'al-Khwārizmī ou l'optique d'Ibn al-Haytham ont une valeur intrinsèque. Ensuite, en tant qu'épisode crucial de l'histoire mondiale des sciences. Une conception finaliste aurait supposé que cette science n'a eu de raison d'être qu'en tant que prélude à la science classique européenne. Ce n'est pas notre point de vue, même si elle a *aussi* été cela.

Bibliographie générale

Encyclopédie de l'Islam, Leyde, Brill ; Paris, Maisonneuve & Larose. 1985 (nouvelle éd.).

Voyageurs arabes, textes de Ibn Faḍlān, Ibn Jubayr, Ibn Baṭṭūṭa et un auteur anonyme, Paris, Gallimard, coll. « Bibliothèque de la Pléiade », 1995, p. 369-1050, trad. et prés. Paule Charles-Dominique.

Abū l-Wafā, *Kitāb fī mā yaḥtāju ilayhi aṣ-ṣani^{c} min ^{c}ilm al-handasa* [Livre sur ce qui est nécessaire à l'artisan en science de la géométrie], éd. critique par S. A. Al-^{c}Alī , Bagdad, 1979.

Abū l-Wafā', *Kitāb fī mā yaḥtāju ilayhi al-kuttāb wa l-^{c}ummāl min ^{c}ilm al-ḥisāb* [Livre sur ce qui est nécessaire aux secrétaires et aux travailleurs en science du calcul], éd. critique par A. S. Saïdan, Amman, 1971.

Al-Hassan A., « Iron and Steel Technology in Medieval Arabic Sources », *Journal for the History of Arabic Science*, vol. II, 1, 1978, p. 31-52.

Balty-Guesdon M.-G., *Le Bayt al-ḥikma de Baghdad*, mémoire de DEA, université de Paris III-Sorbonne nouvelle, 1985-1986.

Balty-Guesdon M.-G., *Médecins et hommes de sciences en Espagne musulmane (IIe-VIIIe-V^{e}-IXe s.)*, thèse de doctorat, Paris, université de Paris III-Sorbonne nouvelle, 1992, 3 vol.

Beaujouan G., « La science dans l'Occident médiéval chrétien », *in* R. Taton (sous la dir. de), *La Science antique et médiévale (des origines à 1450)*, Paris, PUF, coll. « Quadrige », 1957, p. 517-582.

Beaujouan G., *La Science hispano-arabe et les modalités de son influence*, XIIIe Congrès international d'histoire des sciences, Moscou, 18-24 août 1971, Éditions Nauka, p. 1-24.

Braudel F., *Écrits sur l'histoire* (1969), Paris, Flammarion, coll. « Champs », 1977, 1994, 2 vol.

Burnett Ch., « A Group of Arabic-Latin Translators Working in Northern Spain in the mid-twelfth Century », *Journal of the Royal Asiatic Society*, 1977, p. 62-108.

Burnett Ch., « Antioch as link between the cultures of the East and the West in the XIIth and XIIIth centuries », in *Actes du Colloque international sur « L'Occident et le Proche-Orient au temps des croisades, traductions et contacts scientifiques entre 1000 et 1300 »* (Louvain-la-Neuve, 24-25 mars 1997). Sous presse.

Cahen C., *Orient et Occident au temps des croisades*, Paris, Aubier, Collection historique, 1983.

D'Alverny M. T., « Translations and Translators », *in* R. L. Benson et G. Constable (sous la dir. de), *Renaissance and Renewal in the Twelfth Century*, Oxford, 1982, p. 421-452.

Daumas M. (sous la dir. de), *Encyclopédie de l'histoire de la science*, Paris, Gallimard, coll. « Bibliothèque de la Pléiade », 1957.

Fārābī (al-), *Iḥṣā' al-ᶜulūm* [Recensement des sciences], éd. critique par O. Amīn, Le Caire, Maktabat al-anglū-miṣriyya, 1968.

Gillispie Ch. C. (sous la dir. de), *Dictionary of Scientific Biography*, New York, Scribner's son, 1970-1980, 16 vol.

Haskins C. H., *Studies in the History of Medieval Science*, Cambridge (Massachusetts), 1924.

Hill D., *Arabic Water-Clocks*, Alep, University of Aleppo-Institute for the History of Arabic Science, 1981.

Hill D., *A History of Engineering in Classical and Medieval Times*, Londres, Croop Helm, 1984.

Hogendijk J. P., *Ibn al-Haytham's Completion of the Conics*, New York, Springer-Verlag, 1985.

Hogendijk J. P., « Discovery of an XIth Century Geometrical Compilation : The Istikmāl of Yūsuf al-Mu'taman Ibn Hūd, King of Saragossa », *Historia Mathematica*, 13, 1986, p. 43-52.

Holmyard E. J., *The Arabic Works of Jābir ibn Ḥayyān*, Paris, 1928, vol. I.

Holmyard E. J., *Alchemy*, Londres, Penguin, 1957.

Ibn al-Khaṭīb, *Muqniᶜ as-sā'il fī l-maraḍ al-hā'il* [Le livre qui satisfait le questionneur sur la terrible maladie].

Ibn al-Qifṭī : *Ikhbār al-ḥukamā' bi akhbār al-ᶜulamā'* [Livre qui informe les savants sur la vie des sages], Beyrouth, Dār al-āthār, s. d., p. 232-233.

Ibn an-Nadīm, *al-Fihrist* [Le catalogue], éd. critique par R. Tajaddud, Téhéran, 1971.

Ibn Badīs : *ᶜUmdat al-kuttāb* [La référence des secrétaires], in M. Levy (trad.), « Mediaeval Arabic Bookmaking and its Relation to early Chemistry and Pharmacology », *Transactions of the American Philosophical Society*, New Serie, v. 52, part 4, 1962, p. 13-50.

Ihsanoglu E., Djebbar A. et Günergun F.(sous la dir. de), « Science, Technology and Industry in the Ottoman World », in *Proceedings of the XXth International Congress of History of Science* (Liège, 20-26 July 1997), vol. VI, Turnhout, Brepols, 2000.

Ikhwān aṣ-Ṣafā', Rasā'il [Épîtres], éd. critique par Dār Sādir, Beyrouth, s. d.

Isā A., *Ta'rīkh an-nabāt ᶜinda l-ᶜArab* [Histoire des plantes chez les Arabes], Le Caire, 1944.

Isā A., *Tārīkh al-bīmāristānāt fī l-Islām* [Histoire des hôpitaux en Islam], éd. critique par Dār ar-rā'id al-ᶜarabī, Beyrouth, 1981.

Jawziyya (al-), *aṭ-Ṭibb an-nabawī* [La médecine du Prophète], éd. critique par Dār al-fikr, Beyrouth, 1997.

Jayyusi S. K. (sous la dir. de), *The Legacy of Muslim Spain*, Leyde, Brill, 1994.

Kennedy E. S., *Sudies in the Islamic Exact Sciences*, éditeurs David A. King et Marie Helen Kennedy, Beyrouth, Université américaine, 1983.

King D. A., *Islamic Mathematical Astronomy*, Variorum, Aldershot, 1986.

King D. A., *Islamic Astronomical Instruments*, Variorum, Aldershot, 1987.

King D. A., *Astronomy in the service of Islam*, Variorum, Aldershot, 1993.

Kunitzsch P., *The Arabs and the Stars : Texts and Traditions on the Fixed Stars, and their Influence in Medieval Europe*, Variorum, Aldershot, 1989.

Laoust H., *Les Schismes dans l'Islam*, Paris, Payot, 1965.

Levi-Provençal E., *L'Espagne musulmane au Xᵉ siècle*, Paris, Larose, 1932 ; rééd., Paris, Maisonneuve & Larose, 1996.

Levi-Provençal E., *Histoire de l'Espagne musulmane*, Paris, 1950 ; Leide, 1953.

Lombard M., *Les Textiles dans le monde musulman (VIIᵉ-XIIᵉ siècle)*, Paris, Mouton éditeur, 1978.

Lorch R., *Arabic Mathematical Sciences : Instruments, Texts, Transmission*, Variorum, Aldershot, 1995.

Makdisi G., *The Rise of Colleges, Institutions of Learning in Islam and the West*, Édimbourg, Edinburgh University Press, 1981.

Martzloff J. D., *Histoire des mathématiques chinoises*, Paris, Masson, 1988, p. 31-32.

Mazaheri A., *La Vie quotidienne des musulmans au Moyen Âge, du Xᵉ au XIIIᵉ siècle*, Paris, Hachette, 1951.

Naẓīf M., *Al-Ḥasan Ibn al-Haytham, ses recherches et ses découvertes en optique* (en arabe), Le Caire, 2 vol., 1942-1943.

Neugebauer O. et Sachs A., *Mathematical Cuneiform Texts*, New Haven, 1945.

Nuwayhī ᶜA., *ᶜIlm an-nabāt ᶜinda l-ᶜArab* [La Botanique chez les Arabes], Encyclopédie de la civilisation arabo-musulmane, Amman, 1995.

Pines S., « Ibn al-Haytham's Critique of Ptolemy », in *Actes du Xe Congrès international d'histoire des sciences* (Ithaca, 1962), Paris, 1964, I, p. 547-550.

Pines S., « Thābit Ibn Qurra's conception of number and theory of mathematical infinite », in *Actes du XIe Congrès international d'histoire des sciences* (Varsovie, 1965), III, p. 160-166.

Ragep F. J., *Naṣīr al-Dīn al-Ṭūsī's Memoir on Astronomy*, New York-Berlin, Springer-Verlag, 1993.

Rashed R. (sous la dir. de), *Histoire des sciences arabes*, Paris, Éditions du Seuil, 3 vol., coll. « Science ouverte », 1997.

Rozhanskaya M. M. et Levinova I. S., *At the sources of Machine's Mechanics. Essays on the History of Mechanics* (en russe), Moscou, Nauka, 1983.

Ruska J., « Übersetzung und Bearbeitungen von al-Razi's Buch "Geheimnis der Geheimnisse" (Kitab sirr al-asrar) », *Quellen und Studien zur Geschichte der Naturwissenschaft und Medezin*, 4 (1935), p. 153-238, 6 (1937), p. 1-246.

Sabra A. I, « An Eleventh Century Refutation of Ptolemy's Planetary Theory », *Studia Copernica*, XVI, 1978, p. 1117-1131.

Sabra A. I., *Kitāb al-manāẓir* [Livre de l'optique], livres I-III, Koweit, 1982.

Sabra A. I., « The Andalusian Revolt against Ptolemaic Astronomy, Averroes and al-Bitrūjī », *in* E. Mendelsohn (sous la dir. de), *Transformation and Tradition in the Sciences*, Cambridge, Cambridge University Press, 1984, p. 133-153.

Sabra A. I., *The Optics of Ibn al-Haytham*, livres I-III, Londres, The Warburg Institute University of London, 1989, 2 vol.

Sabra A. I., *A History of Arabic Astronomy : Planetary Theories during the Golden Age of Islam*, New York, New York University Press, 1994.

Sabra A. I., « The Appropriation and Subsequent Naturalization of Greek Science in Medieval Islam. A Preliminary Statment », *in* F. J. Ragep et S. P. Ragep (sous la dir. de), *Tradition, Transmission, Transformation*, Proceedings of two Conferences on Pre-Modern Science Held at the University of Oklahoma, Leyde, E. J. Brill, 1996, p. 3-27.

Sāᶜid al-Andalusī, *Livre des catégories des nations*, Paris, Larose, 1935, trad. R. Blachère.

Sakrī D. ᶜA., *al-Jiyūlūjyā ᶜinda l-ᶜArab* [La Géologie chez les Arabes], *Encyclopédie de la civilisation arabo-musulmane*, Amman, 1995.

Samso J., *Islamic Astronomy and Medieval Spain*, Variorum, Aldershot, 1994.

Sarton G., *Introduction to the History of Science*, Baltimore, Williams & Wilkins, 1927.

Savage-Smith E., « Islamic Science and Medicine », in P. Corsi et P. Weiding (sous la dir. de), *Information Sources in the History of Science and Medicine*, Londres, Butterworth Scientific, 1983.

Sayili A., *The Observatory in Islam and its Place in the General History of the Observatory*, Ankara, 1960. Reproduit *in Islamic Mathematics and Astronomy*, vol. 97, 1998, éd. par F. Sezgin.

Sezgin F., *Geschichte des arabischen* Schrifttums, Leide, Brill. Band III, médecine, pharmacie, zoologie, 1970 ; Band IV, chimie, botanique, agriculture, 1971 ; Band V, Mathematiques, 1974 ; Band VI, astronomie, 1976 ; Band VII, astrologie, 1978.

Seyyed Hossein Nasr, *Sciences et savoir en Islam*, Arles, Sindbad, 1980.

Stapleton H. E. et Azo R. F., « Alchemical equipment in the XIth century », MAS/B, 1905, I, 47.

Stapleton H. E., Azo R. F. et Hidayat Husain M., « Chemistry in Iraq ant Persia in the Xth century AD », *Memoirs of the Royal Asiatic Society of Bengal*, XII (6), 1927.

Steinschneider M., *Die Europäischen Überzetzungen aus dem Arabischen bis Mitte des 17 Jahrhunderts*, Vienne, 1904-1905. Fac-similé, Graz, Akademische Druck-U. Verlagsanstalt, 1956.

Steinschneider M., *Die Hebräischen Übersetzungen des Mittelaters und die Juden als Dolmetscher*, Berlin, Bibliographisches Bureau, 1893, 2 vol.

Ṭā'ī F., *ᶜIlm aṣ-ṣaydala ᶜinda l-ᶜArab* [La Pharmacopée chez les Arabes], Encyclopédie de la civilisation arabo-musulmane (en arabe), Amman, 1995.

Talbi M., *L'Émirat aghlabide*, Paris, Adrien-Maisonneuve, 1966.

Taton R. (sous la dir. de), *La Science antique et médiévale (des origines à 1450)*, Paris, PUF, coll. « Quadrige », 1957.

Ullmann M., « Die Natur und Geheimwissenschaften im Islam », *Handbuch der Orientalistik*, I, VI, 2, Leyde, Brill, 1972.

Urvoy D., *Le Monde des ulémas andalous du* V^e^-XIe *aux* VIIe-XIIIe *siècle*, Genève, Librairie Droz, 1978.

Urvoy D., *Pensers d'al-Andalus. La vie intellectuelle à Cordoue et Séville au temps des empires berbères (fin* XIe*-début* XIIIe *siècle)*, Paris, Toulouse, Presses universitaires du Mirail-Éditions du CNRS, 1990.

Vallicrosa J. M., *Estudios sobre Azarquiel*, Madrid, 1943 ; Grenade, 1950.

Vernet J., *Ce que la culture doit aux Arabes d'Espagne*, Arles, Sindbad, 1985.

Villuendas M. V., *La trigonometria europea en el siglo XI. Estudio de la obra de Ibn Muᶜād, El Kitāb mayhūlāt*, Barcelone, Instituto de Historia de la Ciencia de la Real Academia de Buenas Letras, 1979.

Index des noms propres

Table

RÉALISATION : CURSIVES À PARIS
IMPRESSION : NORMANDIE ROTO IMPRESSION S.A.S À LONRAI
DÉPÔT LÉGAL : MAI 2001. N° 39549-8 (2001227)
IMPRIMÉ EN FRANCE